W9-COX-657

Колесо судьбы

РОМАН

МОСКВА

2001

УДК 820(73)
ББК 84(7США)
С 80

Danielle STEEL
FULL CIRCLE

Перевод с английского

Разработка серийного оформления художника *Е. Савченко*

Стил Д.

С 80 Колесо судьбы: Роман / Пер. с англ. — М.: Изд-во ЭКСМО-Пресс, 2001. — 384 с.

ISBN 5-04-002892-X

Жизнь умной, талантливой, красивой женщины Таны Робертс не была усыпана розами, она всего добилась сама. Друзья, любимая работа, мужчины... Она полагала, что ей этого вполне достаточно.

Но вот в ее судьбе появляется человек, наполнивший ее жизнь новым смыслом. Он будет другом, мужем, возлюбленным, и с ним она обретет наконец то женское счастье, которое считала для себя недоступным.

УДК 820(73)
ББК 84(7США)

ISBN 5-04-002892-X

Часть I

РАННИЕ ГОДЫ

Глава 1

Промозглым декабрьским вечером Эндрю Робертс торопливо шагал в сторону дома, расположенного в восточной части города. Дул холодный ветер, и Эндрю поднял воротник пальто, размышляя над тем, как отнесется к новости Джин. Два дня назад он окончательно принял решение и поставил свою подпись на бумагах, не испытывая никаких сомнений, но, когда пришел домой и взглянул в лицо жены, слова застряли у него в горле. Однако пути назад не было. Сегодня уже вторник, и он должен ей сказать, что в субботу уезжает в Сан-Диего. Обязан сказать.

Когда Эндрю поднимался по ступеням переднего крыльца небольшого дома, построенного из железистого песчаника, над его головой прогромыхал поезд надземной железной дороги, проложенной по Третьей авеню. Они жили здесь меньше года, но шум от проходящих поездов уже стал привычным. Поначалу внезапный грохот приводил их в смятение по вечерам, когда они сидели, тесно обнявшись, в гостиной или забавлялись, лежа в кровати. Их немудреная утварь дрожала и гремела, когда по эстакаде проносился поезд, но теперь они не обращали на это внимания. Энди полюбил свою крохотную квартирку, которую Джин содержала в идеальном порядке. Иногда она вставала в пять часов, чтобы испечь ему домашние пирожки с черникой и успеть навести чистоту перед уходом на работу. Она оказалась чудесной хозяйкой, даже лучше, чем можно было ожидать.

С этой мыслью он вставил ключ в замочную скважину. На площадке гулял ветер, два светильника вышли из строя, но, как только он переступил порог своего жилища, на него пахнуло домашним теплом и уютом. На окнах – накрахмаленные белые занавески, сшитые Джин из кисеи, на полу – симпатичный голубой коврик; мягкая мебель обтянута заново – чтобы научиться этому, Джин ходила на специальные вечерние курсы. Мебель они купили подержанную, но благодаря неусыпным стараниям Джин она блестела, как новая.

Эндрю огляделся вокруг и внезапно ощутил прилив грусти, впервые после того, как записался добровольцем. У него больно сжалось сердце, когда он представил себе, как скажет Джин, что через три дня должен уехать из Нью-Йорка; на глазах его выступили непрошеные слезы при мысли о том, что он не знает, когда вернется и вернется ли вообще... «А, черт! Разве в этом дело? – пристыдил он самого себя. – Если я не пойду воевать с япошками, то кто тогда пойдет? Если их не остановить, в один прекрасный день эти мерзавцы прилетят сюда и начнут сбрасывать бомбы на Нью-Йорк, на мой дом... на Джин».

Он сел в кресло, которое она обтянула ласкающей глаз изумрудного цвета тканью, и погрузился в размышления – о Сан-Диего, о Японии, о приближающемся Рождестве, о Джин...

Неизвестно, сколько времени он так просидел. Но вот он поднял голову и прислушался: в замке поворачивался ее ключ. Она распахнула дверь и встала на пороге, держа в обеих руках пакеты с провизией из ближнего универсама. В темноте Джин не заметила мужа; включив в прихожей свет, она вздрогнула от неожиданности: Энди сидел в кресле и с улыбкой смотрел на нее. Прядь белокурых волос упала низко на лоб, зеленые глаза уставились на Джин, не мигая. Он был такой же красивый, как и шесть лет назад, когда они познакомились. Ему было семнадцать, а ей – пятнадцать. Теперь ему двадцать три.

– Здравствуй, любимый! Почему ты дома?

– Мне захотелось посмотреть на тебя.

Он подошел к ней и забрал одной рукой все пакеты разом. Джин обратила на него свои большие темно-карие глаза с обычным для нее выражением обожания, которое она постоянно испытывала к своему мужу.

Да и как было не обожать его: Эндрю учился два года в колледже, на вечернем отделении, занимался легкой атлетикой, играл в футбол – пока не повредил себе колено, а в баскетболе ему не было равных. Они повстречались, когда он был на втором курсе, и все эти годы Энди оставался в ее глазах героем. Джин могла гордиться: ее муж получил хорошее место агента в крупнейшей дилерской фирме, где занимался продажей легковых автомобилей марки «Бьюик».

Джин знала, что когда-нибудь он сделается менеджером и, возможно, будет продолжать учебу – они часто говорили об этом. А пока он приносил домой неплохие проценты с выручки. Эти деньги вкупе с ее заработком позволяли им сводить концы с концами. Она умела растягивать доллар до бесконечности, ее научила этому постоянная нужда. Родители Джин погибли в автокатастрофе, когда ей было восемнадцать лет, и с тех пор она содержала себя сама. К счастью, ей удалось еще до этого закончить курсы секретарей, и довольно-таки успешно: она была способной ученицей. Вот уже почти три года, как она работает в одной и той же адвокатской фирме. Энди тоже гордится ею. Она выглядит так эффектно, когда отправляется по утрам на службу в красивого покроя костюме; она шьет на себя сама, шляпки и перчатки выбирает очень придирчиво, изучив предварительно модели на витринах магазинов и посоветовавшись с мужем.

Джин стянула перчатки, сняла мягкую фетровую шляпу и бросила все на большое зеленое кресло. Он с улыбкой наблюдал за ней.

– Как прошел у тебя день, моя ненаглядная?

Эндрю любил дразнить ее: то ущипнет, то уткнется носом в шею, то поднимет на руки, делая вид, что хочет ее украсть. Так было дома, после его возвращения с работы. У себя на службе она, разумеется, держалась, как того требовало положение секретарши. Время от времени он заглядывал к ней в офис: Джин выглядела такой неприступной и строгой, что он почти боялся ее. Вообще говоря, такой она и была по натуре и только после свадьбы немного отошла, оттаяла.

Он поцеловал ее в шею, пониже затылка, и она ощутила дрожь в позвоночнике.

– Обожди, дай уберу покупки... – Она многозначительно улыбнулась и хотела взять у него пакеты, но он отвел руки и поцеловал ее в губы.

– Зачем ждать?

– Энди... перестань... – шептала она, тогда как его нетерпеливые руки уже стаскивали с нее тяжелое пальто и расстегивали блестящие черные пуговицы на ее пиджаке.

Пакеты с покупками валялись на полу, а они стояли, тесно прижавшись друг к другу, соединив губы в жарком поцелуе. Наконец Джин оттолкнула его голову: она чуть не задохнулась. Однако он не разжимал рук.

– Энди... что это на тебя нашло сегодня?

– Лучше не спрашивай... – Он улыбнулся загадочной улыбкой, страшась проговориться, и зажал ей рот новым поцелуем. Действуя одной рукой, он снял с нее пиджак и блузку. Через минуту упала на пол и юбка, открыв белый ажурный пояс с резинками и такие же панталоны, капроновые чулки со швом и пару умопомрачительных ног.

Он пробежал руками по ее бедрам и снова крепко прижал к себе; она не сопротивлялась, когда он опрокинул ее на кушетку, и сама распахнула на нем рубашку. В этот момент послышался грохот надземного поезда. Оба засмеялись. «Черти бы его взяли!» – пробормотал он, расстегивая одной рукой ее бюстгальтер. Она улыбнулась.

– Ты знаешь, мне эти звуки стали даже как будто нравиться.

На этот раз она поцеловала его сама, и минуту спустя их тела слились так же тесно, как губы.

Прошли, казалось, долгие часы, прежде чем они заговорили снова. У входной двери горел свет, а в гостиной, где они лежали, и в маленькой спаленке позади нее было темно. Но и в темноте он почувствовал на себе пристальный взгляд жены.

– Мне кажется, что-то должно случиться, – сказала она. Все эти дни Джин чувствовала какую-то непонятную тяжесть в груди, она слишком хорошо знала своего мужа. – Энди?..

Он не мог придумать, что ей ответить. Сегодня это было не легче, чем два дня назад, а к концу недели будет еще тяжелее. Сказать тем не менее надо. Теперь он уже желал, чтобы этого не было вовсе: впервые за минувшие три дня вдруг усомнился, что поступил правильно.

– Я не знаю, что тебе сказать...

Джин все поняла женским чутьем. Сердце ее тревожно забилось; она смотрела на него в темноте широко раскрытыми глазами, и лицо ее стало таким же печальным, каким было до замужества. Они были разными по характеру: он часто смеялся, сыпал шутками, остротами, постоянно придумывал что-то смешное. У него были веселые глаза, открытая улыбка. Жизнь обходилась с ним милостиво, не то что с Джин: та отличалась нервозностью, свойственной людям, которым жилось нелегко с самого раннего возраста. Родители ее были алкоголиками, сестра, страдавшая припадками эпилепсии, умерла в тринадцать лет в одной постели с девятилетней Джин. Девочке пришлось вести борьбу за выживание чуть ли не с самого рождения. Но, несмотря на это, в ней чувствовалась некая порода, прирожденный вкус к жизни, который, правда, еще не получил развития. Энди знал, что со временем она должна раскрыться, подобно цветку, который любовно выращивают и холят, и заботился об этом, как умел.

Но сейчас он ничем не мог облегчить грусть, стоявшую в ее глазах, столь же глубокую, какую он наблюдал при первой их встрече.

– Ты идешь туда? Я так и знала!

Он кивнул. Ее огромные темные глаза наполнились слезами. Она легла навзничь на той самой кушетке, где они только что любили друг друга.

– Не смотри так, малышка, не надо...

Энди почувствовал себя настоящим извергом. Не будучи в состоянии видеть ее страдания, он встал и вышел в прихожую, чтобы выудить пачку «Кэмела» из кармана пальто. Достав сигарету, нервно закурил и сел в зеленое кресло, стоявшее напротив кушетки. Джин теперь плакала в открытую, однако, вглядевшись в ее лицо, он не увидел в нем ни малейшего намека на удивление.

– Я знала, что ты пойдешь, – повторила она.

– Я должен пойти, малышка.

Она кивнула – в знак того, что понимает его. Однако от этого ей было не легче. Прошло, как им показалось, несколько томительных часов, прежде чем она набралась мужества спросить:

– Когда?

Эндрю Робертс с трудом сдержал слезы. Ни один ответ еще не давался ему с таким трудом.

– Через три дня.

Он видел, как она вздрогнула и снова закрыла глаза. Ее душили слезы.

В последующие три дня нормальный ход их жизни нарушился. Джин отпросилась с работы, чтобы собрать его в дорогу, и доводила себя до исступления, стирая его белье, штопая носки, выпекая пирожки, чтобы дать их мужу с собой. Она трудилась не покладая рук с утра до самого вечера, надеясь, что эти хлопоты облегчат им обоим тяжесть расставания.

Однако все было напрасно. В субботу вечером он потребовал от нее оставить все это: прекратить укладывать вещи, которые ему не нужны, печь пирожки, которые он никогда не съест, штопать носки, без которых прекрасно можно обойтись. Он обнял ее, и она залилась слезами.

– О боже! Энди! Как я буду жить без тебя?

Когда он заглянул в ее глаза и увидел, что он ей сделал, ему показалось, что внутри у него все оборвалось. Но другого выбора не было... не было... Мужчина должен идти сражаться, когда его страна воюет. Хуже всего было то, что в те минуты, когда ему удавалось не думать о ее муках, им овладевало новое, еще не изведанное возбуждение: он идет на войну, другой такой возможности может никогда больше не представиться. Это было что-то вроде мистического ритуала, обряда посвящения в мужчины. Он чувствовал себя обязанным пройти через него.

Понимание этого пришло к нему в субботу вечером. Мучительно разрываясь между жалостью к Джин, цепляющейся за него своими слабыми руками, и патриотическим долгом, Эндрю почувствовал, что хочет покончить со всем этим поскорее и оказаться в поезде, увозящем его на запад. Ему надо было явиться на Центральный сборный пункт к пяти часам утра.

Когда он вошел в спальню, чтобы переодеться в дорогу, Джин выглядела уже спокойнее. Она выплакала слезы, веки ее покраснели и распухли, однако теперь она показалась ему смирившейся с неизбежным. Какой бы ужасной и пугающей ни выглядела их разлука, для нее это было почти то же, что повторная утрата родителей и сестры. Энди – единственное, что у нее еще оставалось, она согласилась бы скорее умереть, чем потерять его. И вот теперь он ее покидает.

– С тобой будет все в порядке, правда, малышка? – Он сел на край кровати и посмотрел на нее в отчаянной надежде, что она успокоит его, хотя бы немного. С грустной улыбкой она взяла его руку в свои ладони.

– Да уж куда я денусь? – На этот раз ее улыбка показалась ему таинственной. – Знаешь, чего я хочу?

Еще бы ему не знать: она хочет, чтобы муж остался дома. Будто прочитав мысли, она поцеловала кончики его пальцев.

– Помимо этого, я хотела бы... Я надеюсь, что ты оставляешь меня беременной...

В волнениях последних дней они забыли про всегдашнюю осторожность. Раньше он постоянно помнил об этом, но последняя неделя была так насыщена переживаниями! Энди надеялся, что это был не самый опасный ее период, но теперь он засомневался.

Весь минувший год они тщательно предохранялись, с самого начала решив не иметь детей – по крайней мере первые несколько лет, пока оба не подыщут более подходящую работу. Не исключалось, что Энди будет продолжать учиться еще два года. Они были еще молоды, и можно было не спешить с детьми. Но теперь вся их жизнь перевернулась вверх дном.

– Мне показалось, что в эти ночи у нас было как-то по-другому, – сказала Джин.

– Ты думаешь, что ты могла?.. – Он с тревогой посмотрел ей в лицо. Этого он хотел меньше всего! Как было оставить ее одну в таком положении и мчаться бог знает куда, под пули?

Джин пожала плечами.

– Возможно... – Она снова улыбнулась и села рядом. – Я дам тебе знать.

– Дьявольщина! Только этого нам и не хватало! – Он помрачнел еще больше, с беспокойством взглянул на часы, стоявшие на столике у кровати: десять минут пятого. Ему пора уходить.

– Это вполне могло быть, – повторила Джин и поспешно добавила, будто испугавшись, что не успеет сказать главного: – Пойми меня правильно, Энди: я в самом деле этого хочу. Очень.

– Именно теперь? – изумленно переспросил он, и она кивнула в подтверждение своих слов. В маленькой спальне послышалось тихое, как вздох:

– Именно теперь.

Глава 2

Джин Робертс целыми днями сидела у раскрытых окон своей квартиры, надеясь ощутить желанную прохладу. Ей казалось, что все их здание превратилось в адское пекло, что августовский зной, поднимающийся от расплавленных тротуаров, прокаливает насквозь стены, сложенные из песчаника. Единственное облегчение приносил ветерок от проносившихся мимо поездов надземки.

Иногда ей приходилось вставать по ночам с постели и садиться на ступеньки крыльца, чтобы хоть немного подышать прохладным ветерком, который поднимали мчащиеся мимо поезда, или же сидеть в ванной, закутавшись в мокрую простыню. От жары было некуда деться: Джин была на сносях, порой ей казалось, что ее чрево может лопнуть от натуги. Чем сильнее была жара, тем ощутимее толкался в стенки живота ребенок, будто знал, что творится снаружи, будто ему тоже становилось душно.

При этой мысли Джин улыбнулась: так хочется увидеть маленького. Но до родов еще четыре недели. Через месяц она сможет взять его на руки. Джин надеялась, что ребенок будет похож на отца. Тот сейчас где-то в Тихом океане, занятый своим мужским делом. «Воюю против япошек», – писал Энди в своих письмах. Это слово покоробило Джин: среди служащих ее фирмы была молодая девушка-японка, которая трогательно о ней заботилась. Она даже брала на себя часть работы и покрывала Джин, когда та была так слаба, что не могла двигаться. С огромным трудом добравшись до офиса, она неподвижно сидела за машинкой, боясь не успеть добежать до туалета, когда начнется рвота.

Ее не увольняли целых шесть месяцев – значительно дольше, чем обычно держат беременных. Это было благородно с их стороны, и Джин написала мужу про их великодушие. Она посылала ему весточки каждый день, а от него получала не чаще одного раза в месяц. Он слишком уставал, чтобы взяться за письмо, к тому же они доходили с большим опозданием. «Это вам не «Бьюики» в Нью-Йорке продавать», – пошутил он в одном из своих писем. Он и теперь шутил, даже когда писал про скверное питание, про свое окружение, изображая все лучше, чем это было на самом деле, чтобы не расстраивать Джин.

Ей было очень страшно в первые месяцы, а также в самом начале, когда в один прекрасный день у нее не осталось никаких сомнений, что она беременна. В момент отъезда мужа Джин надеялась, что ребенок поможет ей перенести горе разлуки, но теперь вдруг испугалась. Это означало уход со службы, одиночество, безденежье. На какие средства она будет содержать себя и ребенка?

Джин помнила реакцию мужа, когда впервые поделилась с ним своими подозрениями. Но после того, как она сообщила Энди на фронт и получила в ответ восторженное послание, все снова представилось ей в розовом свете. К тому времени истекло уже пять месяцев, и ее состояние немного стабилизировалось.

На досуге будущая мама занялась превращением своей спальни в детскую. Конверт для ребенка она сшила сама – белый с желтыми лентами. Она вязала маленькие чепчики, башмачки, кофточки. Стены детской Джин расписала яркими картинками, а на потолке изобразила белые облака. Увидав это, соседка по площадке отругала Джин за то, что та забралась на стремянку. Но как еще ей было убить свободное время? Джин не позволяла себе даже ходить в кино, не желая тратить ни одного лишнего пенни из своих сбережений и из тех денег, которые получала за мужа. Все это предназначалось ребенку, с которым Джин собиралась оставаться дома несколько первых месяцев.

Когда же деньги кончатся, придется искать няню и возвращаться на службу. Она надеялась, что старенькая миссис Вайсман с четвертого этажа согласится посидеть с ее ребенком. Эта добросердечная женщина, живущая здесь уже много лет, пришла в восторг, узнав, что молодая женщина ждет ребенка. Теперь она навещала ее каждый день, а иногда и поздно вечером, когда не могла заснуть из-за летней духоты. Если у Джин горел свет, старушка запросто заходила к ней на огонек.

Но в тот вечер Джин не включала электричество. Обессиленная нестерпимой духотой, бедняжка сидела впотьмах, прислушиваясь к стуку колес пробегающих наверху поездов, пока те не перестали ходить поздно ночью и не возобновили свой бег уже под утро. Наблюдая восход солнца, Джин думала, будет ли она когда-нибудь в состоянии вдохнуть полной грудью или свалится здесь без чувств, будто ее придушили. Это был один из тех особенно трудных дней, когда жара не спадала даже по ночам, когда не помогали и поезда.

Около восьми утра она услышала стук в дверь и решила, что это пришла миссис Вайсман. С тяжелым вздохом Джин накинула розовый купальный халат и зашлепала босыми ногами к двери. Благодарение богу, осталось мучиться один месяц, больше ей не выдержать.

– Привет!..

Ожидая увидеть перед собой свою соседку, она через силу улыбнулась – и вдруг покраснела, смутившись за свой вид. В дверях стоял, протягивая ей желтый конверт, незнакомый юноша в коричневой форме, отделанной песочного цвета галунами.

Джин смотрела ему в лицо, будто не понимая, отказываясь понимать, – она слишком хорошо знала, что это должно означать. Юноша взглянул на нее исподлобья, и ей показалось, что лицо его перекосилось, когда она, выйдя наконец из шока, молча схватила конверт и быстро вскрыла его. Это было то, то самое...

Она снова взглянула на вестника смерти, сосредоточившись на знаках различия, нашитых на его форме, и вдруг, не успев вскрикнуть, свалилась бесформенной кучей к его ногам. Он посмотрел на нее в ужасе и закричал, призывая кого-нибудь на помощь. Ему было шестнадцать лет, он еще никогда не видел беременную так близко. Открылись две двери на площадке, кто-то побежал вверх по лестнице. Появилась миссис Вайсман с мокрым полотенцем, которое она положила на лицо Джин. Юноша оторопело попятился назад, желая лишь одного – поскорее убраться из этого тесного и душного здания.

Очнувшись, Джин застонала. Миссис Вайсман и две другие женщины подвели ее к кушетке – это была та самая кушетка, где она зачала дитя, где они с Энди лежали вдвоем, предаваясь любви...

«С прискорбием сообщаем... Ваш муж погиб за Отечество... убит в бою при Гвадалканале»... Убит в бою... в бою... У нее снова помутилось в голове.

– Джин!.. Джин! – Соседки старались привести ее в чувство, но она никого не узнавала. Женщины переглянулись между собой. Элен Вайсман прочла телеграмму и показала соседкам. Джин медленно приходила в себя, пульс еле прослушивался. Ей помогли сесть и дали воды. Она тупо взглянула на миссис Вайсман – и вдруг все вспомнила. Конвульсивные рыдания сотрясли ее тело, не давая продохнуть. По щекам несчастной катились слезы, она судорожно цеплялась за миссис Вайсман, которая не давала ей упасть.

«Он мертв... как все остальные, как мама и отец, как Руфь... он ушел, ушел навсегда... я больше никогда его не увижу...» Джин рыдала, точно малое дитя, на сердце у нее была неимоверная тяжесть, какую ей не доводилось испытать даже на похоронах родных.

– Успокойся, милая, все будет хорошо, – говорили соседки, заведомо зная, что не будет, ничего больше не будет для нее без ее бедного Энди...

Немного погодя все разошлись, кроме Элен Вайсман: ей не нравился неподвижный взгляд молодой женщины, застывшая поза, внезапные истеричные рыдания. Элен провела с ней весь день и только к вечеру отлучилась ненадолго к себе. Вдруг она услыхала ужасающие стоны и поспешила спуститься обратно. Войдя через незапертую дверь, она позвонила врачу, наблюдающему Джин: тот уже закончил прием и собирался уходить. Доктор просил миссис Вайсман передать Джин его соболезнования и предупредил, что в результате потрясения у нее могут начаться преждевременные роды. Старая женщина и сама заподозрила это, когда заметила, что Джин то и дело давит на поясницу кулаками. Она беспокойно металась по своей квартирке, будто та вдруг сделалась мала для нее. Окружающий мир словно заколебался, готовый рухнуть, а бежать было некуда. От ее мужа не осталось ничего, даже мертвого тела, чтобы послать домой... Только память о высоком, красивом блондине да еще дитя в ее чреве.

– Как ты себя чувствуешь? – Элен Вайсман прожила в Америке сорок лет и все же не избавилась от сильного немецкого акцента. Мудрая и добрая женщина искренне сочувствовала Джин. Тридцать лет назад она потеряла мужа и больше не вышла замуж. В Нью-Йорке у нее было трое детей, которые навещали ее время от времени – главным образом затем, чтобы подкинуть ей очередного ребенка, которому нужна была нянька. Еще один сын жил в Чикаго, где имел приличную работу.

– У тебя схватки? – Она испытующе посмотрела в лицо Джин, но та отрицательно замотала головой. После кошмарного дня у нее болело все, однако как раз в области живота острых болей не ощущалось. Было непонятно, что с ней происходит: везде болит, всю жжет, она не находит себе места. Когда боль сосредоточилась в пояснице, Джин изогнулась дугой – так ей было как будто легче.

– Со мной все в порядке, миссис Вайсман. Идите, ложитесь, – голос Джин сел от беспрестанных рыданий. Она взглянула на кухонные часы и отметила, что прошло пятнадцать часов с момента получения злополучной телеграммы... Пятнадцать часов, а ей показалось – пятнадцать лет... тысяча лет. Она снова заходила по комнате.

Элен Вайсман не спускала с нее глаз.

– Хочешь, пойдем погуляем?

Джин отрицательно покачала головой. Даже сейчас, в одиннадцать часов вечера, было слишком жарко для прогулок – ее жгло как огнем.

– Пожалуй, мне надо выпить чего-нибудь холодного.

Она достала из холодильника кувшин с лимонадом, налила в стакан и выпила. Он показался вкусным, однако ее сразу затошнило. Джин кинулась в туалет, и ее вырвало; приступы тошноты все накатывали и накатывали на нее, хотя рвать ей было уже нечем.

– Тебе надо прилечь, – сказала миссис Вайсман.

Джин послушалась, но лежать было еще хуже, чем сидеть. Она попробовала вернуться в старое зеленое кресло, но уже через несколько минут почувствовала, что ей в нем неудобно. У нее ныла поясница, болезненно тянуло живот.

В полночь Элен Вайсман ушла, взяв с Джин обещание позвать ее в случае необходимости. Джин выключила свет и присела в замолкшей квартире, в полном одиночестве, предаваясь мыслям о муже, о своем Энди. Зеленоглазый, с белокурыми волосами, звезда легкой атлетики, неукротимый футболист... ее первая и единственная любовь. Джин влюбилась в него по самые уши с первого взгляда... В ту самую минуту, как она подумала об этом, нестерпимая боль пронзила ее насквозь, от живота до спины, потом еще и еще... Схватки повторялись одна за другой, не давая ей продышаться. Джин встала, шатаясь от слабости и дурноты, и кое-как добралась до туалета. Почти целый час она простояла там, уцепившись за раковину; режущая боль разрывала ее на части, позывы к рвоте выворачивали наизнанку. Измученная, теряющая сознание, она начала кричать и звать Энди. Тут и нашла ее Элен Вайсман: в половине второго ночи миссис решила еще раз наведаться к соседке, прежде чем лечь спать. В ту душную ночь мало кому удавалось заснуть, поэтому старая женщина долго не ложилась. Она возблагодарила за это господа, когда увидела, в каком плачевном состоянии находится Джин. Поднявшись к себе, миссис Вайсман позвонила врачу и в полицию. Ей обещали прислать «Скорую» без промедления. Переодевшись в чистое ситцевое платье, Элен взяла свою сумочку и, как была в домашних туфлях, поспешила спуститься к Джин. Едва успев накинуть на плечи роженицы купальный халат, она услыхала звуки сирены. Джин, похоже, не слышала ничего: ее мучила тошнота, она жалобно стонала, миссис Вайсман пыталась в меру сил облегчить ее страдания. Джин корчилась от болей и звала Энди. Вскоре после того, как ее доставили в «Нью-Йорк госпитал», начались роды – показалась головка ребенка. Акушерки поспешно увезли роженицу на каталке, не успев оказать ей никакой помощи. Скоро она разрешилась маленькой, но здоровой девочкой, с черными как смоль волосами и крепко сжатыми кулачками. Девочка, весившая пять фунтов с четвертью, громко кричала, оповещая о своем появлении на свет. Примерно через час Элен Вайсман попросила разрешения взглянуть на них, Джин к тому времени дали успокоительное, ребенок тоже спокойно спал.

Элен вернулась домой. Из головы у нее не шла Джин Робертс, овдовевшая в двадцать два года. Бедняжку ждет одинокая жизнь с ребенком на руках, которого ей придется воспитывать без мужа. Элен смахнула слезы с морщинистых щек. Было уже половина пятого, и мимо окон доходного дома прогромыхал ранний поезд надземки. Старая женщина знала, сколько требуется самозабвенной любви, чтобы вырастить ребенка в одиночку. Эта любовь сродни любви к богу, самоотверженной преданности святого отшельника. Только так можно поднять дочь, которая никогда не будет знать отца.

Джин увидела новорожденную следующим утром, когда девочку принесли кормить. Она взглянула на крохотное личико, на темные шелковистые волосики, которые, по словам медсестры, должны были смениться, и материнским инстинктом поняла, что ей предстоит сделать для дочери. Джин, однако, не устрашилась: она сама желала этого. Это был ребенок Энди, последний его подарок жене, и она будет хранить его, беречь пуще жизни. Она сделает все возможное, чтобы их дочери было хорошо. Джин будет жить, дышать и работать ради нее одной, готовая отдать за нее даже душу.

Когда маленький ротик, похожий на бутон розы, зачмокал и потянул молоко из ее груди, Джин улыбнулась новому ощущению. Она с трудом верила, что прошли всего одни сутки с тех пор, как ей сообщили о смерти Энди. В палату вошла сестра, чтобы посмотреть, как они справляются. Судя по всему, мать и дочь чувствовали себя хорошо. Для восьмимесячного ребенка девочка была нормальной.

– Видать, у нее неплохой аппетит. – Сестра в белом накрахмаленном халате и такой же шапочке посмотрела на мать и на дитя. – А папа нас уже видел? – Никто ничего не знал, кроме Элен Вайсман.

Глаза Джин наполнились слезами, она отрицательно мотнула головой. Сестра ласково похлопала ее по плечу, так и не поняв, что она чувствует в ту минуту. Отец не видел народившуюся дочь и никогда не увидит...

– Как вы хотите ее назвать? – спросила сестра, чтобы сменить тему.

Они с Энди долго обсуждали это в письмах и наконец сошлись на одном женском имени, хотя оба ждали мальчика. После испытанного в первый момент чувства удивления, близкого к разочарованию, Джин теперь казалось, что девочка несравненно лучше и что они с мужем отдавали ей предпочтение с самого начала. Что ни говори, а природа все устраивает наилучшим образом. Если бы родился мальчик, она назвала бы его Эндрю – в честь отца, а для девочки она выбрала красивое женское имя. Интересно, как оно звучит для других? Джин взяла дочь на руки, глаза ее засияли гордостью.

– Ее зовут Тана Андреа Робертс. Тана... – повторила она имя девочки, прислушиваясь к звучанию этого имени, и ей показалось, что оно подходит дочери как нельзя лучше.

Когда она кончила кормить, сестра с улыбкой забрала у нее крохотный сверток. Другой рукой она привычно поправила постель и посмотрела в лицо Джин.

– Теперь отдохните немного, миссис Робертс. Я принесу вам Тану снова, как только она проголодается.

Когда дверь за ней закрылась, Джин откинулась назад и смежила веки, стараясь не вспоминать о муже и сосредоточиться на ребенке. Ей не хотелось думать о том, как он умер, что с ним произошло, произносил ли он перед смертью имя жены; из груди рвались рыдания. Она повернулась и впервые за много месяцев легла на живот, уткнувшись лицом в подушку. Прошел не один час, когда Джин наконец заснула, вся в слезах. Во сне она видела парня с волосами цвета спелой ржи, которого любила, и ребенка, которого он ей оставил. Ей снились муж и Тана.

Глава 3

Джин Робертс снимала телефонную трубку моментально, сразу после первого звонка. За долгие годы управления огромным предприятием у нее выработался четкий и эффективный стиль. Она работала здесь уже двенадцать лет. Когда ей исполнилось двадцать восемь, а Тане – шесть, она вдруг почувствовала, что не в состоянии проработать больше ни одного дня ни в одной адвокатской фирме. За шесть лет она сменила три места работы, одно скучнее другого. Но платили секретарю хорошо, и она мирилась со своим положением – ради Таны. Тана у нее всегда была на первом месте, только для Таны вставало и заходило солнце.

– Ты не даешь ребенку ни минуты покоя, – сказала как-то одна из сослуживиц.

Этого было достаточно, чтобы испортить с ней отношения. Джин знала, что делает. Она водила Тану в театры, музеи, библиотеки, картинные галереи, на концерты – всюду, куда только могла. Она тратила свои скудные средства на образование дочери, на ее развлечения, ни в чем ей не отказывая. Она сберегала для ребенка пенсию, получаемую за Энди, – всю до последнего пенни. Девочка не была избалованной, просто Джин хотела, чтобы ее дочь имела все то, чего она сама была лишена в детстве и юности, чтобы Тана приобщилась к сокровищам культуры. Теперь уже было не припомнить, как они проводили свободное время с Энди. Будь он жив, то, вероятнее всего, брал бы напрокат лодку и отвозил бы их в залив Лонг-Айленд, чтобы учить Тану плавать с раннего возраста; они собирали бы раковины моллюсков, бегали по дорожкам парка, катались на велосипеде... Энди, конечно же, боготворил бы хорошенькую белокурую девчушку, которая была вылитый отец.

Не по годам рослая и стройная, она таила в глазах озорную отцовскую улыбку. Медсестра оказалась права: черные шелковистые волосы сменились белокурыми кудрями, которые с годами превратились в роскошный каскад густых золотистых прядей цвета спелой ржи. Тана была прелестная девочка, и мать гордилась ею. Когда ей исполнилось девять лет, Джин удалось перевести ее из обычной государственной школы в частную, принадлежащую миссис Лоусон. Это была счастливая возможность для Таны, и Джин не могла нарадоваться за дочь. Им помог Артур Дарнинг, не посчитавший это за труд. Он знал по собственному опыту, что значит для детей хорошая школа. Его собственные дети – двумя и четырьмя годами старше Таны – учились в Гринвиче, в самых что ни на есть привилегированных заведениях.

Место менеджера досталось Джин совершенно случайно: Артур обратился в адвокатскую фирму «Поуп, Мэдисон и Уатсон», чтобы получить подробные консультации у Мартина Поупа, старшего компаньона фирмы. Джин к тому времени проработала у них два года. Работа была смертельно скучная, но платили секретарше сверх всяких ожиданий. Она не могла позволить себе гоняться за интересной работой: ей приходилось думать о дочери. Джин заботилась о ней денно и нощно, вся ее жизнь замыкалась на Тане. Она рассказала об этом Артуру, когда тот, после завершения почти двухмесячной серии встреч с Мартином Поупом – Джин присутствовала на них по должности, – пригласил ее однажды в бар.

Артур к тому времени жил раздельно со своей женой Мери, которая находилась в одной из частных клиник в Новой Англии. Ему явно не хотелось говорить на эту тему, и Джин не стала настаивать: у нее хватало своих проблем и обязанностей. Она не имела привычки «плакать в жилетку», рассказывая чужим людям о погибшем муже, о ребенке, которого воспитывает в одиночку, о чувстве ответственности, заботах и страхах. Она знала, чего хочет для дочери: нормальной жизни, образования, друзей. Она хотела, чтобы ее дочь была защищена от любых трудностей, чтобы имела то, чего никогда не было у нее самой. Артур Дарнинг, похоже, понял все это без лишних слов. Он возглавлял одну из крупнейших транснациональных компаний по производству изделий из стекла и пластмассы и изготовлению упаковочной тары, а также владел большой долей в разработках нефти на Среднем Востоке. Будучи чрезвычайно богатым человеком, он держался просто и доступно, что очень импонировало Джин.

Честно говоря, нравилось ей в нем не только это, и когда, вскоре после первой встречи в баре, он пригласил ее пообедать с ним, она согласилась. Потом последовало еще одно приглашение, и в течение месяца у них завязался роман. Это был потрясающий мужчина, Джин таких еще не встречала. Вокруг него ощущалась аура спокойствия и силы, которую, казалось, можно было потрогать рукой, и в то же время он был очень ранимым. Джин знала, что Артур несчастлив в семейной жизни: как-то раз он проговорился ей об этом. Его жена Мери почти сразу после вторых родов пристрастилась к спиртному. Джин хорошо понимала, что это значит: она с детства наблюдала попойки своих родителей, будто давших зарок упиться до смерти. Так оно и вышло в конце концов – будучи пьяными, они погибли в машине на обледенелой дороге в канун Нового года. Мери тоже разбила машину, битком набитую школьниками, которых она взялась развезти по домам. Одну из девочек едва спасли от смерти. Энн Дарнинг и ее одноклассницам было тогда по десять лет. После этого случая Мери согласилась поехать лечиться, однако Артур не питал особых надежд на успех. Ей было тридцать пять лет, десять из которых она страдала хроническим алкоголизмом. Артур страшно от нее устал, и не было ничего удивительного в том, что Джин его покорила. Эта двадцативосьмилетняя женщина держалась с редким достоинством, что очень нравилось Артуру. И в то же время глаза у нее были кроткие и добрые. Взглянув на нее, сразу можно было сказать, что она – участливый человек. Это было как раз то качество, в котором Артур нуждался больше всего. Но как распорядиться своим чувством к ней? Они с Мери состоят в браке шестнадцать лет, теперь ему сорок два; как быть с детьми, с домом, с Мери, со всем укладом их жизни? Все выглядело очень неопределенным и ненадежным, Артур Дарнинг не привык и не любил так жить. Поначалу он не приводил Джин к себе домой, чтобы не волновать детей, но они встречались почти каждую ночь, и само собой вышло так, что Джин начала заботиться о нем: наняла двух горничных, сменила садовника, который исполнял свои обязанности из рук вон плохо, организовала несколько небольших деловых приемов, устроила детский утренник на Рождество, помогла Артуру выбрать новый автомобиль. Она даже отпросилась на несколько дней с работы, чтобы поехать с ним в совместную деловую поездку. И скоро выяснилось, что она руководит всей его жизнью, а он не может ступить без нее ни шагу. Все чаще Джин спрашивала себя, что это означает, хотя в глубине души понимала: она влюблена в него, а он – в нее, и как только Мери поправится настолько, чтобы ей можно было сказать, супруги разведутся, и он женится на ней, на Джин...

Однако вместо этого он через шесть месяцев предложил ей работу. Джин не знала, как к этому отнестись. Она не хотела работать у него: она его любила и пользовалась взаимностью. А по его словам выходило, что эта работа открывает перед ней перспективы, о которых она сама давно уже мечтала. Джин будет делать все то же, что делала в последние шесть месяцев в порядке дружеской услуги Артуру: организовывать приемы, нанимать слуг, следить, чтобы дети были должным образом одеты, чтобы у них были хорошие друзья и заботливые няни. Он считал, что у нее потрясающий вкус – ему и в голову не приходило, что на себя и на Тану она шьет сама, что она сама обтягивает мебель в своей квартирке. Они с дочерью все еще жили в доме из железистого песчаника, рядом с надземной железной дорогой, проходившей по Третьей авеню, и Элен Вайсман все еще присматривала за Таной, когда ее мать уходила на работу. Если Джин согласится на предложение Артура, она сможет отдать Тану в приличную школу – уж он-то поможет с устройством девочки. Они смогут переехать в другое жилище: на Верхневосточной стороне у него есть дом. «Это, конечно, не Парк-авеню, – сказал ей Артур со своей обычной сдержанной улыбкой, – но несравненно лучше, чем Третья авеню». А когда он назвал сумму ее жалованья, она чуть не умерла от разрыва сердца. И это при том, что работа не представляла для нее особого труда.

Если бы у нее не было Таны, она, возможно, устояла бы перед искушением, справедливо полагая, что лучше не быть ему обязанной. Но, с другой стороны, это означало, что она все время будет рядом с ним, когда Мери вылечится... Секретаршей в «Дарнинг Интернэшнл» уже работала другая женщина, а для Джин предназначался небольшой отдельный кабинет позади конференц-зала, примыкающий к красивому, отделанному деревом кабинету патрона. Она будет видеть его ежедневно, сделается необходимой ему... К этому идет дело.

– Какая тебе разница? – говорил Артур, убеждая ее принять его предложение, соблазняя новыми благами и прибавкой к жалованью.

Он теперь уже зависел от нее, нуждался в ней; косвенным образом нуждались в ее заботах и дети, хотя они еще ни разу ее не видели. Впервые в жизни он мог на кого-то положиться, тогда как раньше, в течение почти двадцати лет, все полагались на него. В его жизни появился человек, к которому можно обратиться за помощью и который никогда не подведет. Он много думал над этим. Он хочет, чтобы Джин всегда была с ним. Все это Артур высказал ей в постели – в ту ночь, когда в очередной раз умолял ее взяться за эту работу.

В конце концов она согласилась, хотя и не без внутренней борьбы. Выбор был слишком очевиден. Теперь она отправлялась на работу после проведенной с ним ночи, и ее жизнь превратилась в сплошную сказку. Энн и Билли уже привыкли к ночным отлучкам отца; в доме у него теперь был полный порядок, и Артур мог не беспокоиться о детях. В первое время после отъезда матери они тосковали, а теперь и думать о ней забыли. Когда же отец познакомил их с Джин, им показалось, что они дружили с ней всегда. Она водила их и Тану в кино, покупала им игрушки, развозила детей из школы по домам, когда наступала их очередь, беседовала с учителями, посещала школьные спектакли. Уезжая из города, Артур мог быть уверен, что она присмотрит за его детьми даже лучше, чем он сам.

Однажды вечером они сидели у камина в ее новой квартире. Апартаменты были не бог знает какие шикарные, но для Джин с дочерью более чем достаточные: две спальни, гостиная, столовая, симпатичная кухня. Здание современное, добротное, чистое: из гостиной открывается вид на Ист-Ривер. Новое жилье отличалось от старого как небо и земля. Артур, чем-то похожий на нежащегося у огня холеного кота, посмотрел на Джин и улыбнулся. Она улыбнулась ему в ответ.

– Знаешь, – проговорила она, – я никогда еще не была так счастлива за всю свою жизнь.

– Я тоже.

Это было за несколько дней перед тем, как Мери Дарнинг попыталась вернуть себе утраченное. До нее дошло, что у Артура интрижка, правда, ей не сказали с кем. Состояние больной после этого резко ухудшилось. Но спустя шесть месяцев доктора стали поговаривать о ее выписке из больницы. К этому времени Джин проработала у Артура уже больше года. Тана радовалась новой школе, новой квартире, новой жизни не меньше, чем мать. И вдруг все это оказалось под угрозой.

Артур поехал навестить Мери и вернулся чернее тучи.

– Что она сказала? – Джин смотрела на него широко открытыми испуганными глазами. Она уже достигла тридцатилетнего возраста, и ей хотелось прочного положения, уверенности в будущем. Не может же их связь всю жизнь оставаться тайной! Она мирилась со своим двусмысленным положением только потому, что Мери была больна, и это беспокоило Артура. Всего неделю назад он сделал Джин предложение, а теперь смотрит на нее с таким мрачным выражением, словно для них не осталось никакой надежды.

– Мери говорит, что, если ее не отпустят домой, она снова попытается покончить жизнь самоубийством.

– Как она может! Что же, она так и будет тебе угрожать до конца твоей жизни? – Джин была готова разрыдаться: жена имеет возможность шантажировать мужа и пользуется этим.

Через три месяца Мери вернулась домой слегка подлеченная. К Рождеству она снова попала в больницу, откуда выписалась весной и продержалась до осени, когда начала пить запоем вместе со своими друзьями. В общей сложности это продолжалось более семи лет.

Когда она в первый раз приехала из больницы домой, Артур был так растерян, что начал просить Джин, чтобы та ей помогла.

– Мери такая беспомощная, ты не можешь себе представить, мое солнышко. Она абсолютно не отвечает за себя... не может ничего соображать.

Из любви к Артуру Джин оказалась в незавидном положении любовницы, ухаживающей за женой. Два или три раза в неделю она проводила дневные часы в Гринвиче, помогая Мери вести домашнее хозяйство. Мери боялась и не хотела этой помощи. Все, включая детей, знали, что она пьет. Сначала они огорчались, потом стали ее презирать. Энн ее возненавидела, Билли плакал, когда она напивалась. Это были кошмарные сцены. Через несколько месяцев Джин почувствовала себя в таком же безвыходном положении, в каком находился Артур. Она не могла оставить Мери, не могла отпустить ее от себя – это было бы, как если бы она решила бросить на произвол судьбы своих родителей. Ей казалось, что она сможет справиться с недугом Мери. И при всем том Мери окончила свои дни почти так же, как родители Джин. Она поехала в город, чтобы встретиться с Артуром: они собирались в тот вечер смотреть балет. Джин могла поручиться, что Мери была трезва в момент отъезда, но, похоже, у нее была с собой бутылка. Машина перевернулась на скользком участке дороги близ Меррит, на середине пути до Нью-Йорка. Смерть наступила мгновенно.

Оба любовника благодарили судьбу, что Мери так и не узнала об их связи. На свое несчастье, Джин успела привязаться к ней. Она плакала на похоронах больше, чем дети, и несколько недель не могла принудить себя провести ночь с Артуром. Их связь длилась уже восемь лет, и он начал с опаской думать о том, что скажут Энн и Билли, когда обо всем узнают.

– В любом случае я должен ждать, пока не пройдет год, – сказал он Джин, и та была с этим согласна: как-никак он проводил с нею много времени, был заботлив и внимателен к ней. Она никогда не жаловалась и только боялась, чтобы Тана ничего не заподозрила. Однако по истечении года после смерти Мери девочка накинулась на мать с резкими обвинениями:

– Не считай меня совсем глупой, мам: я все понимаю. – Тана была высокая и статная, красивая, как отец. В ее глазах плясали задорные огоньки, отчего постоянно казалось, что она вот-вот рассмеется. Она догадывалась о том, что происходит, уже давно и мучилась этим. Глаза ее, обращенные на мать, теперь пылали негодованием. – Он поступает с тобой, как с уличной девкой, и это продолжается уже много лет. Почему он не женится на тебе, вместо того чтобы приходить и уходить, точно вор по ночам?

Джин отшлепала ее по щекам за такие слова, но Тане это было как о стенку горох. Столько Дней Благодарения они провели в одиночестве, столько дорогих подарков доставляли им из фешенебельных магазинов на Рождество, но ни Джин, ни тем более Тана ни разу не были с ним в загородном клубе, куда он ездил с друзьями. Он не брал их даже тогда, когда брал Энн и Билли с их дедушкой и бабушкой.

– Его не бывает с нами, когда это важно для нас, разве ты этого не видишь, мам? – Крупные слезы катились по щекам дочери, и Джин пришлось отвернуться, чтобы не видеть их. Голос ее прозвучал хрипло, когда она попыталась возразить:

– Это неправда!

– Правда! Он обращается с тобой как с прислугой. Ты ведешь его дом, возишься с его детьми и получаешь в подарок часы с бриллиантом, золотые браслеты, сумочки и духи. Что в этом проку? Где он сам? Ведь важно именно это, а не подарки.

– Артур делает то, что должен делать, – проговорила наконец Джин.

– Нет! Он делает то, что хочет. – Тана оказалась очень проницательной для пятнадцатилетней девочки. – Он пирует с друзьями в Гринвиче, ездит с ними летом в Бал-Харбор, а зимой – в Палм-Бич, а когда отправляется в деловую поездку в Даллас, то берет с собой Джин Робертс. Разве он пригласил тебя хоть один раз на курорт или к себе домой? Почему он не показывает Энн и Билли, как много ты для него значишь? Твой Артур предпочитает приходить сюда по ночам, украдкой, чтобы я, не дай бог, ничего не узнала. Но я уже не маленькая, черт возьми!

Ее всю трясло от возмущения: слишком часто в последние годы она замечала боль в глазах матери. Джин знала, что дочь ужасающе близка к истине, а истина заключалась в том, что Артуру было удобно такое положение вещей и ему недоставало силы воли плыть против течения, вступая в конфликт со своими детьми. Его страшила мысль о том, как они отнесутся к его связи с Джин. Во всем, что касалось бизнеса, этот мужчина мог свернуть горы, а перед домашними неприятностями пасовал. В свое время у него не хватило мужества достойно ответить на шантаж Мери, и он пошел у нее на поводу, мирясь с пьяными выходками жены до самого конца. Теперь то же самое повторялось с детьми. Но перед Джин стояли свои трудности: каково ей было выслушивать такие упреки от дочери... В ту же ночь она рассказала о них Артуру. У него был трудный день, и он ограничился усталой улыбкой.

– Все они в этом возрасте имеют свои причуды, Джин. Ты только посмотри на моих детей.

Билли исполнилось семнадцать лет, его в этом году уже дважды штрафовали за вождение машины в нетрезвом виде, а Энн исключили со второго курса колледжа. Ей было девятнадцать, и она вознамерилась ехать с друзьями в Европу, тогда как отец хотел подержать ее некоторое время дома. Надеясь уговорить ее, Джин повезла девушку на ленч, но та попросту от нее отмахнулась, заявив, что к концу года все равно добьется от отца того, чего хочет.

Энн оказалась права. Следующее лето она провела на юге Франции, где влюбилась в тридцатисемилетнего плейбоя-француза, сбежала с ним в Италию и вышла за него замуж в Риме. Ее беременность закончилась выкидышем, она вернулась в Нью-Йорк с темными кругами под глазами: начала привыкать к наркотикам. Ее замужество, как водится, наделало много шуму в международной прессе. Когда Артур встретился с «молодым человеком», ему сделалось нехорошо. Пришлось потратить целое состояние, чтобы откупиться от зятя, после чего отец оставил Энн на курорте Палм-Бич – чтобы она могла, как он сказал, «поправить свое здоровье». Однако, судя по всему, ее образ жизни отнюдь нельзя было назвать здоровым: все ночи напролет Энн пьянствовала со своими сверстниками либо, если представлялся случай, с их папашами. Это была довольно пикантная особа не в лучшем смысле слова. Джин не одобряла ее поведения, но в двадцать один год Энн уже была совершеннолетняя, и отец не мог ничего с ней поделать. Его дочь теперь получала огромные суммы с материнского имения, которое раньше было под опекой, и могла распоряжаться ими по своему усмотрению. Снова отправившись в Европу, она опять впуталась в историю – еще до того, как ей исполнилось двадцать два года. Единственным утешением для отца служило то, что Билли ухитрился остаться в колледже «Принстон» на этот год, несмотря на целый ряд скандалов, в которых был замешан.

– Должен тебе сказать, дорогая, что с ними скучать не приходится: дети не дают нам ни минуты душевного покоя, – заключил Артур.

С некоторых пор они с Джин проводили вечера в Гринвиче, в спокойной обстановке, однако на ночь она чаще всего уезжала к себе, как бы поздно они ни задерживались. Его детей теперь не было в доме, но ей приходилось думать о Тане. Джин не могла и помыслить о том, чтобы провести ночь вне дома, кроме тех случаев, когда Тана ночевала у подруги или уезжала куда-нибудь на уикэнд покататься на лыжах. Джин старалась придерживаться определенных норм поведения, и это его сердило.

– В конце концов они поступают так, как им заблагорассудится, какие бы положительные примеры ни были у них перед глазами.

Артур был по-своему прав, но не пытался отстаивать свою точку зрения слишком рьяно. Теперь он уже привык проводить ночи один. Это сообщало особую прелесть тем редким утрам, когда они просыпались бок о бок в общей постели. Прежних бурных чувств уже почти не осталось, но их отношения были удобны обоим, и в особенности ему. Джин не спрашивала с него больше того, что он желал ей дать, а Артур знал, как благодарна она за все то, что он сделал для нее в эти годы: дал ей ощущение защищенности, чего она никогда не смогла бы испытать без него, устроил ее на прекрасную работу, а Тану – в приличную школу; сверх того, дарил Джин драгоценности, меха, иногда брал в поездки. Ему это обходилось не слишком дорого, а Джин Робертс теперь уже не нужно было заниматься собственноручной обтяжкой мебели и шить себе платья, хотя она по-прежнему мастерски владела иглой. У них с Таной была комфортабельная квартира, которую убирала приходившая два раза в неделю женщина.

Артур знал, что Джин любит его; он тоже ее любил, но у него были свои обстоятельства. Никто из них больше не заговаривал о браке – теперь это потеряло смысл. Его дети стали взрослыми: в свои пятьдесят четыре года он был преуспевающим бизнесменом, его компания процветала. Джин все еще влекла его: она выглядела довольно-таки молодо, хотя в последние годы в ее облике появилось что-то от почтенной матроны. Ему нравилось в ней даже и это. Оглядываясь назад, он с трудом мог поверить, что прошло уже двенадцать лет. Этой весной ей исполнилось сорок, и они с ней провели неделю в Париже. Джин привезла дочери уйму дорогих безделушек и без конца рассказывала о своих впечатлениях от чудесной поездки, в том числе о юбилейном обеде в ее честь у «Максима». После такого трудно возвращаться домой, просыпаться в одинокой постели, искать его рядом и не находить. Однако она так жила уже давно, и это ее не тревожило, во всяком случае она не признавалась в этом даже самой себе. И Тана после той вспышки трехлетней давности больше не упрекала ее – она чувствовала себя пристыженной: ведь ее мама была всегда так добра к ней...

– Я просто хотела для тебя лучшего, мам... Я хочу,

чтобы ты была счастлива – ведь трудно быть все время одной.

– Я не одна, мое солнышко, – сказала на это прослезившаяся Джин, – у меня есть ты.

– Это не то. – Тана обняла мать и больше не говорила на эту запретную тему.

Однако прежней теплоты в отношениях с Артуром у Таны теперь не наблюдалось, и это расстраивало Джин. Если бы даже Артур и начал теперь настаивать на женитьбе, Джин оказалась бы в затруднительном положении, не зная, как отнесется к этому ее дочь, убежденная, что он целых двенадцать лет пользовался матерью точно удобной вещью, ничего не давая взамен.

– Как ты можешь это говорить? Мы стольким ему обязаны! – В отличие от Таны Джин помнила их жалкую квартирку на Восточной стороне, их более чем скудный бюджет: бывали времена, когда она не могла дать ребенку нормального мяса на обед, ограничивая бараньей котлетой или же кусочком бифштекса, тогда как сама ела почти одни макароны.

– Чем это мы ему обязаны? Велика важность – квартира! Ты столько работаешь, мам, разве ты не могла бы снять такую квартиру? Ты всего могла добиться сама, без его помощи.

Джин, однако, вовсе не была в этом уверена. Теперь она боялась расстаться с ним и оставить работу в «Даринг Интернэшнл», где была его правой рукой; боялась остаться без этой квартиры, без уверенности в себе, без автомобиля, который Артур заменял ей на новый каждые два года, чтобы она могла запросто разъезжать между Гринвичем и Нью-Йорком. Поначалу это был крытый пикап, на котором она отвозила Энн и Билли с друзьями в школу и забирала их обратно – так делали по очереди родители всех детей. А в последние годы он покупал ей менее вместительные, но более шикарные «Мерседесы». И дело заключалось не в том, что она гналась за дорогими подарками, – все было гораздо сложнее. Она постоянно ощущала, что Артур находится рядом, когда в нем есть нужда. Ей было страшно лишиться этого ощущения после стольких лет, проведенных вместе с ним. Она не могла бросить все в одночасье, что бы ни говорила ее дочь.

– А что как он умрет? – спросила раз Тана с безжалостной прямотой. – Тогда ты останешься одна, без работы и без ничего. Если он тебя любит, мам, почему не женится на тебе?

– Мне кажется, нам хорошо и так.

Зеленые глаза дочери расширились и посуровели – точь-в-точь как у ее отца, когда он был в чем-нибудь не согласен с Джин.

– Я так не думаю. Артур обязан тебе большим, чем ты ему. Он очень даже неплохо устроился, черт побери!

– Для меня тоже это удобно, Тэн. – В тот вечер у нее не было желания спорить с дочерью. – Мне не приходится приспосабливаться к чьим-то капризам. Я живу так, как мне нравится, как я привыкла жить. Он берет меня в Париж, в Лондон или в Лос-Анджелес, когда мне этого хочется. Я не могу пожаловаться на жизнь. – Обе они знали, что это лишь часть правды, но теперь нельзя было уже что-нибудь изменить: Артур и Джин шли каждый своим путем.

Разбирая бумаги у себя на столе, она вдруг ощутила его присутствие. Так было всегда, будто когда-то давно в сердце Джин вживили радар, который мог засекать только одного человека. Неслышными шагами он вошел в ее кабинет из своего собственного и остановился, наблюдая за ее работой. Почувствовав на себе его взгляд, она подняла голову.

– Здравствуй, – сказал Артур и улыбнулся той улыбкой, которая вот уже двенадцать лет предназначалась ей одной. Стоило ему увидеть Джин, как в груди у него теплело. – Как дела?

– Нормально.

Они не виделись с полудня, что было необычно для них. За день они, как правило, общались много раз: по утрам пили вместе кофе, он часто вывозил ее куда-нибудь на ленч. Уже много лет о них ходили сплетни, особенно после смерти Мери Дарнинг, но в конце концов разговоры затихли: все решили, что они просто друзья, а если даже у них любовная связь, то очень осторожная и не имеющая последствий. Стало быть, и говорить не о чем.

Он сел в свое любимое кресло напротив ее стола и раскурил трубку. Запах его табака пропитывал все помещения, где он жил, включая ее собственную спальню с видом на Ист-Ривер. За эти годы Джин полюбила этот запах, ставший для нее неотделимым от него самого.

– Как ты посмотришь на то, чтобы провести со мной завтрашний день в Гринвиче? Давай удерем отсюда и проветримся на природе.

От него редко можно было услышать такое, но последние полтора месяца он работал очень напряженно, и она подумала, что ему было бы полезно устраивать передышки почаще. Однако на сей раз пришлось ответить отказом.

– Мне бы очень этого хотелось, дорогой, но, к сожалению, я не смогу: завтра у нас большой праздник.

Он часто забывал о важных датах, но она и не рассчитывала, что он должен помнить о выпускной церемонии в школе ее дочери. Артур посмотрел на нее, не понимая, о чем идет речь, и она с улыбкой произнесла одно-единственное слово:

– Тана...

– Ах, да, конечно! – Он взмахнул рукой, в которой держал зажженную трубку, нахмурился, потом засмеялся над самим собой. – Какой же я растяпа! Что было бы, если бы ты полагалась на меня в такой же степени, как я на тебя? Ты все время оказывалась бы в неловком положении.

– Сомневаюсь. – Она посмотрела на него с нежностью; что-то очень интимное снова прошло между ними. Казалось, теперь они уже не нуждаются в словах. И что бы там ни говорила ее дочь, в эту минуту Джин Робертс не желала ничего сверх того, что имела. С ней был человек, которого она давно и преданно любила, и больше ей ничего не было нужно.

– Она, наверное, сейчас испытывает состояние

подъема, – Артур с улыбкой посмотрел на сидящую перед ним уже немолодую, но еще очень привлекательную женщину: волосы чуть тронуты сединой, глаза огромные, темные, и во всем ее облике чувствуется нечто изящное и утонченное.

Ее дочь была выше ростом, немного угловатая, точно молодой верблюжонок, красивая той, еще не вполне расцветшей красотой, которая через пару лет будет заставлять мужчин останавливаться и смотреть ей вслед. Она выбрала себе колледж «Грин-Хиллз», расположенный в самом сердце Юга, и поступила туда сама, без чьей-либо помощи. Артур не одобрял ее выбора, для девушки с Севера он казался более чем странным: это был женский колледж, где учились главным образом местные красавицы в ожидании выгодной партии. Но Тану привлекала едва ли не самая лучшая в Штатах языковая программа, великолепные лаборатории и усиленная программа по изящным искусствам. Она решила все сама: благодаря высоким экзаменационным результатам она имела право на полную стипендию. Все было готово к отъезду, хотя занятия начинались только осенью; до этого она собиралась поработать в летнем лагере в Новой Англии. Завтра у них в школе торжественно отмечается выпуск – знаменательный день в ее жизни.

– Если судить по громкости звучания ее плейера, – засмеялась Джин, – то она уже целый месяц в истерике.

– Лучше не говори мне о таких вещах. Вчера звонил Билли: на будущей неделе он приезжает домой с четырьмя товарищами, я совсем забыл тебе сказать об этом. Они хотят остановиться в павильоне бассейна. Боюсь, что после них там не останется камня на камне. Благодарение богу, они пробудут здесь всего две недели, а потом отправятся куда-то еще.

Билли Дарнингу уже сравнялось двадцать лет, и он теперь буйствовал еще больше, чем раньше, судя по тем письмам, которые присылали из колледжа его отцу. Прочитав их, Джин решила, что, вероятно, он все еще переживает из-за смерти матери. Это была тяжелая утрата для всех, а ему было всего шестнадцать лет, когда она умерла; как-никак переходный возраст, думала сердобольная Джин Робертс, надеясь, что постепенно все уляжется.

– Между прочим, Билли устраивает вечеринку в будущую субботу. Он проинформировал меня об этом и просил поставить в известность тебя.

Она улыбнулась.

– Я сейчас запишу. Какие-нибудь особые пожелания?

Артур усмехнулся: она знала их слишком хорошо.

– Оркестр, выпивка на две или три сотни гостей. Кстати, передай приглашение Тане – это ее развлечет. Она может взять с собой одного из своих друзей, который привезет и увезет ее в своей машине.

– Я ей скажу. Не сомневаюсь, что она будет в восторге. – Джин говорила заведомую неправду: Тана ненавидела Билли всю свою жизнь, однако мать заставляла ее быть с ним любезной при встречах. Теперь им снова предстоял нелегкий разговор: после всего, что сделал для них Артур, Тана обязана быть вежливой и принять приглашение, она не имеет права забывать о его благодеяниях.

– Но если я не хочу! – Тана упрямо посмотрела на мать, тогда как из ее комнаты разносились на всю квартиру оглушительные звуки стереосистемы. Пол Анка с чувством исполнял популярную песню «Положи головку мне на плечо» по меньшей мере уже в седьмой раз, приводя в исступление мать девушки.

– С его стороны очень мило пригласить тебя, Тэн. Ты можешь пойти хотя бы ненадолго. – Этот аргумент Джин использовала уже повторно: она твердо решила на сей раз взять верх над дочерью. Нельзя допустить, чтобы Тана показалась невежей.

– Что значит ненадолго? Час туда, час обратно. Кому это нужно – ехать в такую даль из-за десяти минут? – Она нетерпеливо перекинула через плечо длинные золотистые волосы. Тана знала, какой настойчивой может быть ее кроткая мать, когда речь идет о Дарнингах. – Оставь это, мам, я уже не ребенок! Почему я должна делать то, что мне не хочется? Почему ты считаешь грубостью простой отказ? У меня могут быть свои планы на этот вечер. Через две недели я уезжаю, мне хочется побыть со своими школьными друзьями. Ведь мы с ними расстаемся, возможно, навсегда... – У нее был такой несчастный вид, что Джин сказала с улыбкой:

– Мы обсудим это в другой раз.

Тана тихонько застонала: она хорошо знала, как проходят такие обсуждения: мать будет стоять насмерть, если дело касается Билли, не вызывающего у Таны ничего, кроме отвращения. А Энн была еще хуже брата: чванливая, надменная, сноб до мозга костей. Несмотря на показную вежливость, она не слишком-то стеснялась с Таной, которая догадывалась, что Энн ведет распутный образ жизни: на прежних вечеринках брата она слишком много пила. С Джин она говорила в снисходительной манере, что вызывало у Таны желание надавать ей пощечин. Но она знала, что любой, даже слабый намек на ее истинные чувства снова приведет к тяжелой стычке с матерью. Такое бывало уже не раз, и сегодня Тана не была к этому расположена.

– Запомни раз и навсегда, мам: я туда не пойду.

– Но ведь до субботы еще целая неделя! Зачем принимать решение именно сегодня?

– Я тебе уже сказала... – Зеленые глаза смотрели непреклонно, в них зажглись недобрые огоньки. Джин знала, что в такие минуты ее лучше не трогать.

– Что разморозить на обед? – спросила она дочь.

Зная ее испытанные тактические приемы, Тана решила поставить точку в их разговоре, не откладывая его на потом. Она последовала за матерью на кухню.

– Я уже вынула из морозилки бифштекс для тебя, а меня к обеду не жди – сегодня мы встречаемся с одноклассниками. – Она выглядела немного смущенной: ей хотелось самостоятельности, и в то же время она не любила оставлять Джин одну. Тана знала, как много дала ей мать, сколько принесла жертв. Она слишком хорошо понимала, что всем обязана ей, а вовсе не Артуру Дарнингу с его испорченными, эгоистичными, избалованными сверх всякой меры детками. – Ты не возражаешь, мам?

Я собираюсь не на свидание. – Голос дочери звучал примирительно.

Джин обернулась и посмотрела на дочь: она казалась старше своих восемнадцати лет. Их связывали особые отношения: они очень долго жили одни, только мать и дочь; они делили горе и радость, плохое и хорошее: мать никогда еще не подводила Тану, а та была разумной и послушной дочерью.

Джин улыбнулась ей в ответ.

– Я хочу, чтобы ты имела друзей и ходила на свидания, моя радость. Завтра у тебя особенный день.

Назавтра они собирались пообедать в ресторане «21». Джин бывала там не иначе как с Артуром, но по случаю выпуска Таны можно было позволить себе некоторые излишества, и Джин решила, что ей нет нужды скредничать. Она получала несравнимо большее жалованье в «Дарнинг Интернэшнл», чем двенадцать лет назад, когда работала в адвокатской фирме, но оставалась попрежнему очень бережливой и экономной. За восемнадцать лет, прошедших после гибели мужа, ей пришлось многое пережить. Всю жизнь ее одолевали заботы – Энди Робертс в этом отношении составлял ей полную противоположность. Тана походила скорее на отца: веселая и озорная, она чаще смеялась и воспринимала жизнь легче, чем Джин. Но, с другой стороны, и жить ей было легче: было кому любить и опекать ее. Жизнь девушки складывалась более удачно, и мать нередко напоминала ей об этом.

Джин достала сковородку, чтобы приготовить себе бифштекс. Тана ласково ей улыбнулась.

– Я с нетерпением жду завтрашнего вечера, мам. – Она была тронута, узнав, что мать поведет ее в такой дорогой ресторан.

– Я тоже. Куда ты идешь сегодня?

– В «Деревню», на пиццу.

– Будь осторожна, – озабоченно сказала Джин. Она всегда беспокоилась за дочь, куда бы та ни уходила.

– Я всегда осторожна, мам.

– Будут ли там мальчики, чтобы защитить тебя в случае необходимости? – Джин невольно улыбнулась, спросив об этом: порой так трудно определить, откуда исходит угроза, а откуда можно ожидать защиты; иногда то и другое неотделимы.

Прочитав ее мысли, Тана засмеялась:

– Будут. Можешь не волноваться.

– На то я и мать, чтобы волноваться.

– Ты у меня такая глупенькая, мам! Но я все равно тебя люблю. – Обняв мать за плечи, Тана поцеловала ее и исчезла за дверью своей комнаты, чтобы еще больше увеличить громкость музыки. Джин поморщилась. И вдруг услышала, что Тана подпевает певцу – она уже выучила песенку наизусть. Наконец она выключила плейер и вышла к матери в белом платье в черный горошек, перетянутом черным лакированным ремнем, в черно-белых туфлях-лодочках. Джин поразилась наступившей благословенной тишине и одновременно подумала, как тихо станет в квартире после отъезда дочери в колледж – точно в могиле.

– Желаю тебе хорошо повеселиться.

– Спасибо. Я не задержусь, мам.

– На это я не рассчитываю. – Джин улыбнулась про себя: восемнадцатилетней дочери не установишь комендантский час, она это понимала. Но Тана вела себя большей частью благоразумно.

Джин слышала, как она вернулась где-то в половине двенадцатого. Тихонько постучавшись в дверь ее спальни, Тана шепнула:

– Я дома, мам, – после чего пошла к себе. Успокоенная Джин легла в кровать и заснула.

Следующий день стал незабываемым для Джин Робертс. Невинные юные девушки, одетые в белые платья и связанные между собой гирляндами из бело-розовых маргариток, образовали длинный ряд; позади них встали торжественно-серьезные юноши; и все они запели в унисон – их голоса взлетали к потолку, такие звонкие и чистые, их лица были такими свежими и цветущими! Казалось, им предстоит родиться заново, вступая в этот мир, полный политических страстей и интриг, полный лжи и инфарктов – все это ждет их за школьным порогом, чтобы причинить им страдания. Джин знала, что их жизнь теперь не будет такой гладкой, какой была до сих пор; слезы градом катились по ее щекам, когда все они выходили из зала и молодые голоса сплетались в общий хор – в последний раз. Из груди Джин рвались рыдания, и она не была одинока в проявлении своих чувств: отцы выпускников плакали, не таясь, как и матери...

И тут вдруг началось вавилонское столпотворение: едва выйдя в коридор, молодежь начала громко кричать, обниматься, обмениваться пылкими поцелуями, обещаниями, клятвами, которые вряд ли будут выполнены. Они клялись встречаться, ездить вместе в путешествия, не забывать... приехать скоро... на будущий год... когда-нибудь после... Джин наблюдала за ними исподтишка, в особенности за дочерью. Глаза у Таны стали как темные изумруды, лицо горело оживлением. И все они были такие возбужденные, такие счастливые, такие не искушенные жизнью...

Волнение Таны еще не улеглось, когда вечером того же дня они с матерью отправились в ресторан. Им подали деликатесный обед, и Джин преподнесла дочери сюрприз, заказав шампанское. Вообще говоря, Джин не хотела с таких лет приучать дочь к спиртному: судьба ее собственных родителей и Мери Дарнинг была еще свежа в ее памяти. Однако сегодня допускалось исключение.

Поздравив дочь с бокалом в руке, она преподнесла ей небольшой футляр от Артура. Выбирала подарок, конечно, сама Джин, как все другие подарки, даже и те, что предназначались его собственным детям. Внутри лежал красивый золотой браслет, который Тана надела себе на запястье с выражением сдержанной радости.

– Очень мило с его стороны, – сказала она без особого, впрочем, воодушевления, и обе они знали почему. Тана не стала вдаваться в дискуссии на эту тему, не желая огорчать Джин.

А к концу недели Тана проиграла ей решающую битву: у нее не хватило терпения слушать непрестанные материнские причитания, и она согласилась пойти на вечеринку к Билли Дарнингу.

– Но это в последний раз, мам. Договорились?

– В кого ты такая упрямая, Тана? Ведь тебе оказали любезность.

– Но почему? – Глаза девушки полыхнули зеленым огнем, и язык повернулся раньше, чем она успела сдержать себя. – Потому что я – дочь наемной служащей? Всемогущий Дарнинг снизошел до меня! Это все равно что пригласить горничную.

Глаза Джин наполнились слезами, а Тана удалилась к себе в комнату, проклиная свою несдержанность. Но она больше не могла видеть, как пресмыкается ее мать перед Дарнингами – не только перед Артуром, но и перед Энн, и перед Билли. Ей было нестерпимо, что каждое их слово или жест воспринимаются матерью как неслыханная милость, за которую надо униженно благодарить. Тана хорошо знала, что представляют собой вечеринки, устраиваемые Билли: реки вина, парочки в темных углах, приставания пьяных нахалов. Она ненавидела такие вечеринки, и эта не была исключением.

Один из друзей Таны, живущих неподалеку, привез ее в Гринвич в красном «Корвете», который взял у отца. Всю дорогу они проделали со скоростью восемьдесят миль в час: парень хотел произвести на нее впечатление, в чем, однако, не преуспел: Тана приехала на вечеринку в том же скверном настроении, в каком выехала из дома. На ней было белое шелковое платье и белые туфли без каблуков. Ее длинные стройные ноги смотрелись очень грациозно, когда она выбиралась из низко сидящей кабины автомобиля. Перекинув на спину золотистые пряди волос, она огляделась вокруг, заведомо не надеясь встретить знакомое лицо. Особенно ненавистны были ей эти вечера, когда Тана была маленькой и дети Артура открыто ее игнорировали. Теперь было проще. К ней направились трое молодых людей в полосатых хлопчатобумажных пиджаках, наперебой предлагая принести джин с тоником или что-нибудь другое по ее выбору. Она отвечала отказом и скоро смешалась с толпой гостей, потеряв из виду привезшего ее молодого человека. С полчаса она бродила по саду, кляня себя за то, что поддалась на уговоры. Развязные хохочущие девицы, собравшись компаниями, лихо поглощали пиво или джин с тоником, на них глазели молодые люди. Немного погодя заиграла музыка, и образовались пары танцующих. Еще через полчаса огни притушили, и разгоряченные алкоголем и танцами тела начали самозабвенно приникать друг к другу. Несколько пар, как успела заметить Тана, потихоньку ретировались. Только теперь она заметила наконец Билли Дарнинга, который, когда они подъехали, и не подумал их встретить. Он подошел к ней и окинул ее холодным, оценивающим взглядом. Раньше они встречались довольно часто, и каждый раз он оглядывал Тану заново, будто приценяясь. Это всегда сердило ее, как рассердило и теперь.

– Привет, Билли!

– Здравствуй. Черт знает, какая ты стала длинная!

Такое приветствие ее не вдохновило, к тому же в нем не было смысла: он в любом случае был значительно выше ее. Но тут она заметила, что он уставился на ее высокий бюст, и ей захотелось ударить его. Она стиснула зубы и решила продемонстрировать хорошие манеры, хотя бы ради матери.

– Спасибо тебе за приглашение, – сказала она, хотя глаза ее говорили другое.

– Мы всегда приглашаем как можно больше девчонок.

«Точно скот, – подумала Тана. – Столько-то голов, столько-то ног, титек, ягодиц...»

– Благодарю за откровенность.

Он засмеялся и передернул плечами.

– Пойдем погуляем?

Она хотела отказаться, но потом подумала: «А почему бы и нет?» Он был старше ее на два года, но держался всегда так, что его можно было принять за десятилетнего ребенка, если, конечно, забыть, что он уже десять лет как пьет. Он схватил ее за руку и повел сквозь толпу незнакомых ей людей в ухоженный сад, в дальнем конце которого находился крытый бассейн, где расположились его друзья. Накануне они уже успели сжечь стол и два кресла, и Билли просил приятелей умерить свой пыл, если они не хотят иметь дело с его отцом. Однако Артур, будучи не в состоянии выносить присутствие сына, предусмотрительно уехал на эту неделю в загородный клуб.

– Ты должна посмотреть, что мы там натворили, – Билли усмехнулся и махнул рукой в сторону бассейна, а Тана ощутила чувство досады при мысли о том, что восстанавливать эти разрушения придется ее матери. Она должна будет привести все в порядок и сверх того – успокоить Артура, когда он увидит этот вандализм.

– Почему бы вам не попытаться вести себя как люди, а не как животные? – Она взглянула на него с кроткой улыбкой, и он на секунду смешался.

Внезапно что-то злобное и сердитое промелькнуло в его устремленных на нее глазах.

– Очень даже глупо так говорить! Впрочем, мне помнится, ты всегда была круглой дурой, скажешь, нет? Если бы мой предок не платил за твое обучение в частной нью-йоркской школе, ты скорее всего ошивалась бы сейчас в каком-нибудь бардаке на Западной стороне, ублажая тамошних учителей.

От изумления Тана лишилась дара речи и какое-то время смотрела на него, не произнося ни слова. Потом она повернулась и пошла прочь, слыша у себя за спиной его язвительный смех. «Что за мерзкий тип этот Билли!» – думала она, пробираясь назад к дому сквозь заметно погустевшую толпу. Большинство гостей было, как она отметила, старше ее, особенно девушки.

Немного погодя она увидела парня, который привез ее сюда. Глаза у него были красные, ширинка расстегнута, рубашка выехала из брюк. Рядом была девица, с которой они допивали уже наполовину пустую бутылку виски. Руки собутыльницы безо всякого стыда оглаживали интимные части его тела. Увидев такое, Тана с отчаянием подумала, что этот вариант возвращения домой отпадает: она ни за что не сядет в машину, если за рулем будет пьяный. Остается поезд. Можно также попытаться найти какого-нибудь трезвого попутчика, что, впрочем, маловероятно.

– Потанцуем?

Она удивленно повернулась и вновь увидела Билли. Глаза его покраснели еще больше, они смотрели на нее с вожделением, не отрываясь от ее груди. Она покачала головой.

– Спасибо, нет.

– Мои друзья отбивают себе задницы, трахая девчонок у бассейна. Хочешь посмотреть?

Ее замутило от этого предложения. Если бы он не выглядел столь омерзительно, она бы рассмеялась, вспомнив, как слепа была ее мать в своем поклонении перед «непогрешимыми» Дарнингами.

– Спасибо, нет.

– В чем дело? Может, ты еще целка?

При взгляде на его лицо ей сделалось нехорошо; она не хотела продолжать этот разговор. Пусть его думает, что он ей противен, тем более что это соответствует действительности.

– Я не хочу на это смотреть.

– Тьфу, дьявольщина! Почему нет? Это лучший вид спорта!

Тана повернулась и постаралась затеряться в толпе гостей, не понимая, почему он так упорно преследует ее в этот вечер; ей стало не по себе. Она еще раз окинула взглядом зал и не увидела его: скорее всего Билли присоединился к своим друзьям в бассейне. Если это так, то появится он не скоро. Ей надо успеть вызвать такси, доехать до железнодорожной станции и сесть в поезд. Это не самый приятный вариант, но и не самый трудный. Кинув взгляд через плечо, чтобы убедиться, что за ней никто не следует, она на цыпочках поднялась по задней лестнице к частному телефону, о существовании которого знала и раньше. Все получилось как нельзя лучше: Тана узнала по справочной нужный номер и вызвала такси. Ей обещали прислать машину в течение пятнадцати минут, после чего останется более чем достаточно времени до последнего поезда. Впервые за весь вечер она почувствовала облегчение, избавившись наконец от этих алкоголиков и наглецов, собравшихся там, внизу. Она медленно шла по застланному толстым ковром коридору, разглядывая висящие на стенах фотографии Артура, Мери и их детей в детском возрасте. Внезапно ей пришла в голову мысль, что здесь должны быть и фотографии Джин: она была как бы частью их семьи, от нее в большей степени зависело их благополучие, и было несправедливо исключать ее из семейного круга. Машинально она потянула на себя одну из дверей, зная, что эту комнату ее мать использует как кабинет, когда ей случается работать здесь. На стенах кабинета тоже были развешаны фото, но на этот раз Тане не пришлось их увидеть. Приоткрыв дверь, она услышала чей-то испуганный вскрик, увидела мелькнувшие в воздухе две белые «луны» и какую-то возню на полу. Поспешно захлопнув дверь, она отскочила назад и услышала, что позади нее кто-то засмеялся.

Она обернулась: Билли смотрел на нее все тем же похотливым взглядом.

– Ради бога... – Она считала, что он где-то внизу.

– А я думал, что ты не любишь подглядывать, мисс Недотрога.

– Я просто шла по этажу и натолкнулась нечаянно... – Она покраснела до самых корней волос, чувствуя на себе его язвительную усмешку.

– Черт побери, зачем ты забрела сюда, Тэн? – Он много раз слышал, как Джин называет ее этим ласковым именем, но это было домашнее имя, и ей было неприятно, что его употребил Билли: он никогда не принадлежал к числу ее друзей. Отнюдь.

– Здесь обычно работает моя мама.

– Нет. – Он сделал вид, что удивился ее неосведомленности. – Она работает в другом месте.

– Я хорошо это помню. – Тана посмотрела на свои часы, опасаясь опоздать на такси. Однако сигнала еще не было слышно.

– Если хочешь, я покажу тебе, где она на самом деле работает.

Он направился по коридору в противоположную сторону, и Тана засомневалась, как ей быть. Спорить с ним не хотелось, хотя она была уверена, что Джин пользуется именно этой комнатой. В конце концов, он здесь живет, ему лучше знать. Ей было неловко стоять там: из-за двери начали доноситься недвусмысленные вскрики и стоны. До прихода такси еще оставалось несколько минут, и она от нечего делать последовала за Билли. Он распахнул дверь в какую-то комнату.

– Вот здесь!

Тана вошла в нее и, оглядевшись, убедилась, что это не был рабочий кабинет ее матери. Большую часть помещения занимала огромная кровать, покрытая серым плюшевым покрывалом с шелковыми оборками; на стоявшем рядом шезлонге лежало одеяло из меха опоссума и другое – из искусственного серого меха. Ковер тоже был серый, с красивым рисунком. Тана была раздосадована.

– Очень странно! Это спальня твоего отца, разве нет?

– Да. В ней и работает твоя мать. Большую часть работы старушка Джин выполняет именно здесь.

Тане захотелось вцепиться ему в волосы и отхлестать его по щекам, но она сдержала себя. Ни слова не говоря, она повернулась, чтобы уйти, но он схватил ее за руку и втащил обратно, захлопнув дверь ударом ноги.

– Сейчас же отпусти меня, ты, дерьмо! – Тана попыталась выдернуть руку, но, к своему удивлению, обнаружила, что он сильнее, чем можно было ожидать. Билли грубо схватил ее за плечи и с силой прижал к стене, так что ей стало трудно дышать.

– А ну, покажи, сучка, как работает твоя мама! – Он больно заломил ей руки назад. Она задыхалась, на глазах выступили слезы – не столько от страха, сколько от бессильного гнева.

– Я не останусь здесь больше ни одной минуты! – Она попыталась оттолкнуть его от себя, но он снова кинул ее на стену, больно стукнув затылком о камень. Увидев его глаза, она испугалась по-настоящему. А он хохотал ей прямо в лицо, у него был вид сумасшедшего. – Не будь кретином, Билли! – Голос Таны срывался от негодования и испуга.

Его глаза зловеще сверкнули. Одной рукой он стиснул оба ее запястья – она и понятия не имела, какая сила таится в его руках, – а другой расстегнул «молнию» на ширинке и брючный ремень. Схватив ее руку, он подтянул ее к себе.

– Потрогай вот эту штуку, маленькая потаскушка!

Ее лицо побелело от ужаса, она рванулась, чтобы освободиться, но он снова ударил ее головой о стену. Она сопротивлялась изо всех сил, а он смеялся над ее беспомощностью. И тут Тану охватил панический ужас: она поняла, что происходит. Билли с силой ударял девушку головой о стену, еще и еще, пока у нее на губах не показалась тоненькая струйка крови; вцепившись в ее платье, он разодрал его надвое, обнажив смуглое от загара, стройное тело; она почувствовала на себе его грубые руки; они хватали ее, тискали, мяли, давили; они были везде: на ее животе, на грудях, на бедрах... Он нажимал на нее что было сил, проводя слюнявым языком по лицу, обдавая его спиртным перегаром; внезапно он засунул руку ей между ног, она вскрикнула и укусила его за шею, но он и тут ее не выпустил. Захватив большую прядь длинных белокурых волос, он начал зверски наматывать их на свой кулак, пока Тане не показалось, что они вырываются с корнями; при этом он кусал ей лицо. Она молотила кулаками по его спине, била коленями; ей было нечем дышать, и теперь она боролась не только за свою честь, но и за жизнь. Обессиленную, задыхающуюся от рыданий, он повалил Тану на толстый серый ковер и сорвал с нее все, что на ней оставалось, включая ажурные белые трусики. Она билась в истерике, умоляя о пощаде, а он стянул с себя брюки и, отбросив их в сторону, навалился на нее всей тяжестью, пригвоздив девушку к полу; он приподнялся лишь затем, чтобы раздвинуть ее бедра; казалось, он готов разломать ее на части; пальцы его впивались вовнутрь, раскрывая и обнажая ее плоть, после чего он приникал к ней губами и языком. Тана страшно кричала и пыталась вырваться, а он с силой швырял ее обратно; она была почти без сознания, когда он овладел ею. Взгромоздившись на свою полуживую жертву всем телом, он вламывался в нее снова и снова, пока наконец не достиг желанной кульминации. Она едва дышала, глаза ее помутнели, на сером ковре под ней расплывалось красное пятно.

Билли Дарнинг встал и довольно усмехнулся, она осталась лежать. Он поднял с ковра свои брюки и посмотрел на недвижимую девушку.

– Спасибо, Тэн.

В эту минуту дверь отворилась и вошел один из его друзей.

– О господи! Что ты с ней сделал?

Тана была почти без сознания, голоса доносились до нее смутно, будто издалека.

Билли пожал плечами.

– Пустяки! Ее старуха – платная подстилка моего отца.

Друг засмеялся.

– Похоже, вы неплохо провели время, по крайней мере один из вас. – Увидев кровь на светлом ковре, он спросил: – У нее что, месячные?

– Наверное, – равнодушно ответил Билли, застегивая брюки.

Тана все еще лежала на полу с раскинутыми ногами, точно сломанная кукла, а они стояли над ней и смотрели. Наконец Билли наклонился и похлопал ее по щекам.

– Все, Тэн! Вставай!

Она не пошевелилась. Тогда он пошел в ванную, намочил полотенце и набросил на нее, будто она сама могла что-то с ним сделать. Только через десять минут Тана с трудом повернулась и ее вырвало. Билли снова схватил ее за волосы.

– Не смей блевать на ковер! Грязная свинья!

Он рывком поднял ее на ноги и приволок в туалет. Она наклонила голову над унитазом, а он перешагнул через нее и захлопнул за собой дверь. Прошло много времени, прежде чем она пришла в себя; из ее горла вырвались сдавленные рыдания... Вызванное ею такси давно ушло, она пропустила последний поезд; но еще более страшной была мысль о случившемся с ней непоправимом несчастье: ее изнасиловали. Тану всю трясло, зубы стучали, во рту у нее пересохло; к тому же страшно болела голова, и она не могла сообразить, как ей теперь добраться до дому. Ее платье было разорвано, туфли перепачканы кровью. Она сидела, сжавшись в комок, на полу туалета, как вдруг снова появился Билли. Он бросил ей платье и туфли сестры и взглянул на нее блуждающим взглядом. Он был вдрызг пьян.

– Одевайся, я отвезу тебя домой.

– А что потом? – Она вдруг закричала на него не своим голосом: – Что ты скажешь своему отцу?

Он нервно оглянулся и посмотрел внутрь спальни.

– Про что? Про ковер?

– Про меня! – Она снова впала в истерику.

– Ну, это не моя вина, малютка! Ты сама меня раздразнила.

Эти слова привели ее в полный транс. Теперь она хотела только одного: поскорее выбраться отсюда, даже если б ей пришлось проделать весь путь до Нью-Йорка пешком. Схватив одежду в охапку, она резко оттолкнула его и кинулась в спальню Артура. Нагая, с развевающимися всклокоченными волосами, с заплаканным лицом, она проскочила мимо приятеля Билли, который при виде ее засмеялся нервическим смехом.

– А вы с Билли, видать, неплохо развлеклись, ха-ха!

Тана посмотрела на него дикими глазами и вбежала в находившуюся при спальне ванную комнату. Надев на себя платье и туфли Энн, она спустилась вниз. Последний поезд ушел, нечего было и думать найти такси. Музыканты уже уехали. Она бросилась бежать по подъездной дорожке, не думая об оставленном разорванном платье, о сумочке. Главное побыстрее уйти отсюда. Можно остановить полицейскую машину, доехать на попутке или как-нибудь еще... Слезы застилали ей глаза, не хватало воздуха. Вдруг ее осветили сзади яркие огни фар. Тана ускорила бег, инстинктивно догадываясь, что Билли едет следом за ней. Услышав, как зашуршали шины по гравийному покрытию дорожки, она свернула в сторону, под тень деревьев. Он нажал на клаксон и закричал:

– Садись, я отвезу тебя домой!

Тана не отвечала и только тихонько плакала, смачивая слезами свои длинные спутанные волосы. Она петляла меж деревьями, а он ехал, повторяя ее путь. Дорожка была совершенно пустынна. Наконец Тана обернулась и закричала на него в полной истерике:

– Оставь меня!

Она остановилась, присела на корточки и, рыдая, обняла колени. Он вышел из машины и медленно приблизился к ней. Ночной воздух немного отрезвил его, и теперь он уже не казался невменяемым. Вид у него был хмурый. На месте пассажира сидел его друг, молча наблюдающий за ними, не выходя из длинной, сверкающей зеленым лаком гоночной машины марки «ХКЕ».

– Давай я отвезу тебя домой. – Билли стоял посередине шоссе, широко расставив ноги, освещенный падающим сзади зловещим светом фар. – Садись в машину, Тэн.

– Не смей называть меня так! – Она напоминала испуганного ребенка. Билли никогда не был ее другом, а теперь, когда... Из груди у нее рвался безудержный крик при одной мысли об этом, но у нее не осталось сил даже кричать, не то что бежать дальше. Все ее члены ныли, голова разламывалась от боли, на лице и на бедрах засохла кровь. Она посмотрела на него бессмысленным взглядом и, шатаясь, заковыляла по дороге; он попытался схватить ее за руку, но она взвизгнула и бросилась бежать. Он постоял немного, глядя ей вслед, потом повернул обратно.

– Ну и черт с тобой! Было бы предложено, не хочешь – не надо.

Тана шла спотыкаясь, ничего не видя перед собой и охая от боли. Минут через двадцать он нагнал ее снова. Нажав на завизжавшие тормоза, он выскочил из машины и схватил ее за руку. Увидев, что другого парня теперь с ним нет, она решила, что Билли хочет изнасиловать ее снова. Охваченная ужасом, она начала отбиваться, но он подтащил ее к машине и, осыпая бранью, втолкнул внутрь. От него опять пахло виски.

– Какого дьявола! Сказал же я, что хочу отвезти тебя домой. Садись в эту треклятую машину и не рыпайся!

Он грубо швырнул ее на сиденье, и Тана поняла, что спорить с ним бесполезно. Они здесь одни, Билли может сделать с ней все, что захочет, – он это уже доказал. Тана покорно села позади него, и машина помчалась в ночь. Она почти не сомневалась, что он увезет ее куда-нибудь и изнасилует вторично, но он свернул на автостраду. Поднявшийся в машине прохладный ветерок, по-видимому, привел в чувство их обоих. Он то и дело оборачивался и смотрел на нее, потом указал рукой на стоявшую на полу коробку с бумажными салфетками.

– Возьми оботрись.

– Зачем?

Она смотрела прямо перед собой невидящим взором. Шел уже третий час ночи. По шоссе с шумом проносились редкие грузовики.

– Ты не можешь появиться дома в таком виде.

Она ничего не ответила, даже не повернулась к нему. Ее не покидало чувство страха, что он остановится и снова возьмет ее силой. Но теперь он не застигнет ее врасплох: она выбежит на шоссе, встанет на пути проходящих машин, и, может быть, какая-нибудь из них остановится. Тана все еще не могла поверить в то, что он с ней сделал. Теперь ее мучила мысль о том, не была ли она виновата сама: может, она не сумела оказать достаточного сопротивления? Может, сделала что-то такое, что поощрило его? Думать так было невыносимо... Вдруг она заметила, что длинная гоночная машина едет зигзагами. Повернувшись к нему, Тана увидела, что он спит, упав головой на руль. Она дернула его за рукав, он вздрогнул и взглянул на нее, ничего не понимая.

– Проклятье! Смотри, куда едешь! Так можно попасть в аварию. – «И пусть, он того заслуживает», – подумала Тана. Ей очень хотелось бы видеть его мертвым на обочине шоссе. – Ты заснул за рулем! Тебе надо проспаться.

– А? Что? – Теперь он казался не столько злым, сколько усталым.

Некоторое время машина шла ровно, потом снова начала вилять. На этот раз Тана не успела разбудить его: мимо них на большой скорости мчался грузовик с прицепом, и легкую машину Билли занесло. Послышался ужасающий визг тормозов, грузовик потерял управление и перевернулся. Машина Билли, чудом не задевшая прицеп, врезалась в дерево. Тана сильно ушибла голову; она долго сидела, вперив неподвижный взор в одну точку. Вдруг сбоку от нее послышались негромкие стоны. Лицо Билли было залито кровью, но Тана не пошевелилась. Потом дверца распахнулась, и пара чьих-то сильных рук легла ей на плечи. Не помня себя от страха девушка закричала. Все, что произошло этой нескончаемой ночью, разом нахлынуло на нее, и она потеряла контроль над собой. Безумно рыдая, Тана порывалась убежать из машины. Двое водителей остановившихся грузовиков пытались успокоить ее в ожидании прибытия полиции; глаза у нее были дикие, она не воспринимала происходящее.

У Билли шла из головы кровь, под глазом был большой синяк. Полиция не заставила себя долго ждать, следом за ней появилась «Скорая помощь». Всех троих пострадавших доставили в расположенный неподалеку медицинский пункт Ньюрошелской больницы. Водителя грузовика отпустили почти сразу: он пострадал значительно меньше, чем его автомобиль. Билли наложили швы на голову. В протоколе указали, что он вел машину, находясь в состоянии опьянения, и поскольку такое замечалось за ним уже в третий раз, это могло грозить ему лишением водительских прав сроком на один год, что расстроило его больше, чем подбитый глаз. Тана была вся в крови, но у медиков, как ни странно, по-видимому, не было желания расспрашивать ее о том, что произошло, а она каждый раз впадала в истерику, едва начинала говорить об этом. Симпатичная девушка-медсестра обтерла ее влажной фланелью, пока Тана лежала на смотровом столе и плакала. Ей дали успокоительное, и ко времени прибытия Джин она уже наполовину спала.

– Что случилось, Билли?.. Боже! – Джин увидела повязку на его глазу. – С тобой ничего страшного?

– Надеюсь. – Он смущенно улыбнулся, и она в очередной раз увидела, какой это красивый юноша, хотя он больше походил на мать, чем на отца. Внезапно улыбка погасла, и на его лице отразился испуг. – Ты позвонила отцу?

Джин Робертс отрицательно покачала головой.

– Мне не хотелось его пугать. По телефону сказали, что с тобой все в порядке, и я решила сначала посмотреть на вас обоих сама.

– Благодарю. – Он посмотрел на спящую Тану и нервно передернул плечами. – Прошу прощения за... за то, что я... что мы разбили машину.

– Главное, что никто из вас не пострадал сколько-нибудь серьезно.

Она нахмурилась, увидев спутанные волосы дочери. Однако следов крови на ней уже не было. Медсестра попыталась объяснить, в каком нервическом состоянии была Тана, когда ее привезли.

– Мы дали ей снотворное: сейчас ей необходим покой.

Джин Робертс снова нахмурилась.

– Она была пьяна?

Мать Таны уже знала, что Билли был пьян, но если еще и Тана... Однако медсестра этого не подтвердила.

– Не думаю. Скорее испугана, как мне кажется. У нее на голове здоровая шишка, а больше мы ничего не нашли – ни признаков сотрясения мозга, ни повреждений в области позвоночника. В любом случае за ней надо понаблюдать.

Услыхав их разговор, Тана открыла глаза и посмотрела на мать, не узнавая. Потом тихонько заплакала. Джин обняла ее и начала утешать:

– Ну что ты, малышка... Все в порядке.

Дочь покачала головой, горестно всхлипывая.

— Нет, не в порядке... Он... — При виде стоявшего рядом и злобно глядевшего на нее Билли слова застряли у нее в горле. Ей показалось, что сейчас он снова ударит ее, и она отвела глаза. Ее душили рыдания. Она не могла выдержать этот взгляд, не могла и не хотела видеть его самого — никогда в жизни...

Она легла на заднее сиденье материнского «Мерседеса», и Джин завезла Билли домой. Она оставалась с ним довольно долгое время. Они выдворили из сада последних гостей, выгнали с полдюжины других из воды, выволокли две пары из постели Энн и утихомирили друзей Билли, обосновавшихся в крытом бассейне. Когда Джин вернулась к машине, она уже знала, что это будет стоить ей не меньше недели работы. Они поломали половину мебели, сожгли часть растений, вспороли обивку кресел, испятнали ковры и залили содержимым пластмассовых бокалов кадушки с ананасовыми деревьями. Джин не хотела, чтобы Артур видел свой дом до того, как она приведет все в порядок. С тяжелым вздохом она села в машину и посмотрела на неподвижно лежащую дочь. Тана, находившаяся под действием седативных лекарств, выглядела до странности спокойной.

— Слава богу, что они не добрались до спальни Артура. — Она завела мотор. Тана сделала слабый жест, пытаясь что-то возразить, — говорить она не могла. — Ты не ранена? — Это было единственное, что имело значение для Джин: ведь они могли погибнуть, их спасло чудо. Когда в три часа ночи ее поднял телефон, она сразу подумала об этом. За несколько часов до звонка интуиция ей подсказала: что-то должно произойти. Трубку она сняла почти мгновенно. Предчувствие ее не обмануло. — Как ты себя чувствуешь?

Тана в упор посмотрела на мать и лишь покачала головой: у нее не было сил ни на что другое.

— Я хочу домой.

Из глаз ее снова полились слезы, и Джин опять подумала, что ее дочь пьяна. Судя по всему, ночь была ужасная и Тана была участницей кошмарных происшествий.

Наконец Джин заметила, что на дочери другое платье, не то, в котором она уехала из дома.

— Ты что, купалась там?

Тана приняла сидячее положение, чувствуя, как кружится у нее голова, и отрицательно мотнула головой. Посмотрев на нее в зеркало, укрепленное на щитке, Джин увидела какое-то странное выражение в глазах дочери.

— Что с твоим платьем?

Равнодушным, будто чужим, голосом Тана проговорила:

— Его сорвал Билли.

— Что ты сказала? — Джин искренне удивилась, потом спросила с недоверчивой улыбкой: — Он, наверное, бросил тебя в воду?

Дальше этого ее воображение не простиралось — ведь речь шла о ее обожаемом любимце! Если Билли даже и выпил немного, он, по ее мнению, был абсолютно безобидным. Им здорово повезло, что их машина не столкнулась с грузовиком. Это — хороший урок для обоих.

— Надеюсь, ты запомнишь сегодняшний урок, Тэн.

Услышав это ласковое имя, которое употреблял Билли, дочь снова начала всхлипывать. Наконец Джин съехала на обочину и спросила напрямик:

— Что это с тобой? Ты напилась? Или приняла наркотики?

В ее голосе и в глазах было осуждение, какого она не выразила в адрес Билли. «Как несправедливо устроена жизнь! — подумала про себя Тана. — Но ведь мать еще не знает, что натворил этот замечательный мальчик, Билли Дарнинг». Она посмотрела матери прямо в глаза.

— Билли изнасиловал меня в спальне своего отца.

— Тана! — Джин Робертс пришла в ужас. — Что ты такое говоришь? Билли никогда такого не допустит. — Она гневалась на своего единственного ребенка, а не на сына любовника, не в состоянии поверить, что он способен на такой поступок. Это ясно читалось на ее лице. — Это ужасно, то, что ты сказала.

«Это ужасно, то, что он сделал», – стояло в голове у Таны. Мать смотрела на нее с нескрываемым возмущением. Две круглых слезы скатились по щекам девушки.

– Он это сделал. – Ее лицо исказилось при воспоминании о кошмарной сцене. – Клянусь тебе... – У нее снова начинался нервический припадок.

Джин отвернулась и завела мотор. Больше она не смотрела на дочь, сидящую на заднем сиденье.

– Я не хочу и слышать о таких вещах – в связи с чьим бы то ни было именем! – Билли был безобидный мальчик, которого Джин знала с десяти лет. Она даже не дала себе труда задуматься над тем, что побудило Тану сказать такие слова: ее, видимо, больше волновал сам Билли, или Энн, или Артур... – Я запрещаю тебе повторять это когда бы то ни было! Ясно?

Ответом ей было молчание. Тана сидела позади нее с ничего не выражающим лицом. Она никогда больше не скажет этого. Ни о Билли и ни о ком другом. Что-то внутри ее будто умерло – навсегда.

Глава 4

Лето пролетело незаметно. Тана провела две недели в Нью-Йорке, медленно оправляясь от пережитого кошмара. Джин каждый день ходила на работу. Дочь внушала ей опасения, вызванные не вполне понятными причинами: Тана ни на что не жаловалась, но могла часами сидеть, глядя прямо перед собой и прислушиваясь неизвестно к чему; она не виделась с друзьями, не отвечала на телефонные звонки. В конце недели Джин даже решилась на то, чтобы поделиться своими сомнениями с Артуром. К этому времени в его доме был наведен порядок, а Билли со своими друзьями отправился в гости к однокурсникам, живущим в Малибу. Помещение над бассейном они разорили довольно-таки основательно, но самый большой ущерб был нанесен спальне Артура: посередине большого и дорогого ковра зияла дыра, будто вырезанная ножом. По этому поводу отец имел с сыном крупный разговор.

— Боже правый! Что вы за дикари? Мне следовало отдать тебя не в «Принстон», а в «Уэст-Пойнт»[1], чтобы там вложили тебе ума. В мое время я не знал никого, кто мог бы вести себя подобным образом. Ты видел ковер в моей спальне? Они испортили его напрочь.

Билли охотно соглашался с ним и сердился на своих друзей.

— Извини, отец. Немного недоглядел.

— Это называется «немного»! А машина? Ведь вы с дочерью Робертс уцелели лишь чудом!

Однако все сошло Билли с рук. Синяк под глазом еще оставался, но швы над бровью скоро сняли. И он попрежнему гулял вечерами вне дома, задерживаясь допоздна, пока они не отбыли в Малибу.

— Ох уж мне эти детки! — проворчал Артур, выслушав сетования Джин, которая уже не в первый раз упоминала о странностях в поведении дочери. Она начинала опасаться, что травма головы была более серьезной, чем посчитали врачи. — Как она сейчас?

— Ты знаешь, в ту ночь она была в бреду... не иначе.

Джин помнила ту странную историю, которую дочь пыталась ей рассказать в связи с Билли. Тана явно была не в себе. Артур принял тревоги Джин близко к сердцу.

— Надо добиться повторного освидетельствования, — сказал он.

Однако, когда Джин заикнулась об этом, дочь наотрез отказалась. Мать была не уверена, что Тана чувствует себя настолько здоровой, чтобы отправиться на летние работы. Однако накануне отъезда в Новую Англию Тана спокойно собрала вещи, а утром, как всегда, вышла к завтраку. Лицо ее было усталым и бледным, но, когда мать поставила перед ней стакан апельсинового сока, Тана улыбнулась — впервые за последние две недели. Джин едва не расплакалась от радости. Со дня аварии дом выглядел точно могильный склеп: ни голосов, ни му-

---

[1] «Уэст-Пойнт» — название военного училища в США.

зыки, ни смеха, ни телефонных звонков. Мертвая тишина, и потухшие глаза Таны.

– Я так соскучилась по тебе, Тэн.

При звуках этого имени глаза дочери наполнились слезами. Она кивнула, не будучи в состоянии говорить: у нее не осталось слов – ни для кого. Ей казалось, что жизнь кончена. Никогда не позволит она прикоснуться к себе ни одному мужчине – это она знала наверняка. Никто никогда не сделает с ней того, что сделал Билли Дарнинг. И самое страшное заключалось в том, что мать не стала ее слушать и не допустила даже такой мысли. По ее мнению, это было невероятно, а значит, этого не было вовсе.

– Ты в самом деле считаешь себя достаточно здоровой, чтобы поехать в лагерь?

Тана уже думала об этом: выбор имел для нее важное значение. Можно было провести остаток жизни, прячась от людей, чувствуя себя калекой, жертвой насилия, которую смяли, раздавили и выбросили на свалку. Но можно было снова выползти на божий свет и вернуться к жизни. Тана выбрала последнее.

– Я буду в полном порядке, мам.

– Ты уверена? – Дочь показалась ей спокойной, собранной, заметно повзрослевшей, как если бы травма головы положила конец ее юности. А может, в этом был повинен испуг. Во всяком случае, Джин еще не приходилось наблюдать столь разительную перемену за такое короткое время. Артур твердил о том, что Билли ведет себя, как послушный сын, хотя Джин знала, что ко времени отъезда он уже принялся за старое. Это был явно другой случай. – Тана, солнышко, если ты почувствуешь себя не совсем хорошо, сразу же возвращайся домой. До начала занятий в колледже тебе надо окрепнуть.

– Я буду в порядке, – повторила дочь, надевая на плечо ремень дорожной сумки.

Как и в предыдущие два года, она села в автобус, идущий на Вермонт. Работать летом в лагере ей нравилось, однако на этот раз все было иначе. Окружающие отметили, что Тана Робертс стала другой – молчаливой, замкнутой, неулыбчивой. Она общалась только с персоналом лагеря и с детьми. Все, кто знал ее раньше, с грустью отметили эту перемену. «Видимо, что-то случилось у нее дома, – гадали они, – а может, сама нездорова... Какая жалость, ее будто подменили». Никто не знал истинную причину. В конце лета Тана села в автобус и вернулась домой. В этот сезон она не завела новых друзей, если не считать ребятишек; но даже и у них она не пользовалась такой популярностью, как раньше. «Тана Робертс стала какая-то не такая», – единодушно решили дети. И они были правы.

Тана пробыла два дня дома, по-прежнему избегая старых друзей. Уложив вещи, она села в поезд с чувством глубокого облегчения. Ей вдруг захотелось оказаться далеко-далеко от дома, от Артура, от Джин, от Билли и даже от школьных подруг. Той беззаботной девушки, которая окончила школу три месяца назад, больше не было. Вместо нее было существо оскорбленное, преследуемое воспоминаниями, с рубцами на душе. Однако, сев в поезд, помчавший ее в сторону Юга, она начала понемногу возвращаться к жизни. Ей было необходимо уехать как можно дальше от этой лжи и обмана, от интриг, от всего, чего они не хотят видеть, чему не хотят верить. После того как Билли Дарнинг взял ее насильно, она не хотела показываться им на глаза: они больше не существовали для нее. Раз они не признают за Билли эту вину... Но кто «они»? Ведь она сказала об этом только Джин. И если уж собственная мать ей не поверила, она не хочет больше думать об этом, не хочет думать ни о ком из них. Она едет далеко на Юг и, возможно, никогда не вернется домой. Хотя вряд ли... Тана помнила последние слова матери: «Ты ведь приедешь на День Благодарения, не правда ли, Тэн?» Ей показалось, что мать боится ее глаз, видя в них нечто такое, что предпочитала бы не видеть: из них рвалась непроходящая, неприкрытая боль, которую мать была не в силах излечить. Тана не хочет приезжать ни на День Благодарения, ни после. Она бежит от их мелочной, мещанской жизни, от лицемерия, от этих варваров – Билли и его друзей, от Артура, столько лет эксплуатировавшего Джин, обманывавшего жену... от самообмана матери. Тана больше не может выносить это: она должна бежать, бежать как можно дальше... и никогда не возвращаться... никогда.

Она любила размышлять под стук колес, и ей стало жаль, когда поезд остановился в Йолане. Колледж «Грин-Хиллз» находился в двух милях от станции. За ней прислали старенький, громыхающий фургончик с седовласым стариком негром в качестве водителя. Он приветствовал ее широкой белозубой улыбкой, но Тана отнеслась к нему настороженно.

— Вы, наверное, долго ехали, мисс? — спросил он, помогая ей укладывать в кузов сумки.

— Тринадцать часов, — ответила Тана.

Всю короткую дорогу до колледжа она хранила молчание, готовая выскочить из кабины и закричать, лишь только он попытается остановить машину. Водитель уловил ее настроение и не продолжал попыток завязать дружеский разговор, начав вместо этого насвистывать какую-то мелодию, а потом запел незнакомые Тане песни далекого Юга.

Когда они прибыли на место, она приветливо ему улыбнулась:

— Спасибо за поездку.

— Пожалуйста, мисс, в любое время готов услужить — вы только зайдите в офис и спросите Сэма. Я отвезу вас, куда вы захотите, и все вам покажу. — Он весело засмеялся и добавил с характерным южным акцентом: — Правда, здесь не так уж много мест, которые стоит смотреть.

С самого момента приезда Тана не переставала любоваться здешней природой: высокие, величавые деревья, яркие клумбы, свежая, зеленая трава, а теплый, настоянный на аромате цветов воздух будто застыл в неподвижности. Хотелось идти и идти, не останавливаясь, по этой траве, дышать этим воздухом. А впервые увидев сам колледж, она замерла на месте со счастливой улыбкой на лице: именно таким он рисовался ее воображению. Прошлой зимой она собиралась приехать сюда, чтобы ознакомиться со всем лично, но не смогла — не хватило времени. Пришлось ограничиться беседой с представителем колледжа, объезжавшим города Севера, и рекламным буклетом. В академическом отношении это было одно из лучших учебных заведений страны, но Тана этим не довольствовалась: ее привлекали окружавшие его легенды и закрепившаяся за ним репутация хорошо поставленного колледжа старого толка. Даже аура старомодности не отталкивала, а скорее притягивала Тану. И теперь, глядя на симпатичные, прекрасно сохранившиеся старинные здания с высокими колоннами и красивыми балкончиками, выходящими на небольшое озеро, девушка испытывала такое чувство, что наконец-то она дома.

Тана отметилась в приемной, заполнила какие-то формы, вписала свое имя в длинный список абитуриенток, выяснила, где будет жить, и недолгое время спустя Сэм погрузил ее вещи на видавшую виды двухколесную тележку. Тане показалось, что она совершает путешествие в прошлое, и впервые за последние месяцы ей стало легко и покойно. Здесь не будет Джин и, значит, не придется постоянно объяснять, что у тебя на душе: здесь она не будет слышать ненавистные имена Дарнингов, не будет видеть отражающиеся на лице матери тайные страдания, вызванные мыслями об Артуре, не будет слышать упоминаний о Билли; ей было невыносимо тяжело даже находиться с ними в одном городе; в первые месяцы после изнасилования она хотела лишь одного — бежать, скрыться от людей. Потребовалось немалое мужество, чтобы заставить себя поехать в летний лагерь; каждый проведенный там день мог быть приравнен к выигранной битве. Тана вздрагивала всякий раз, когда кто-то из мужчин или даже подростков подходил к ней слишком близко. Здесь по крайней мере исключается этот страх: колледж женский, и ей не придется ходить на вечера танцев, на совместные экскурсии, на футбольные матчи. Общественная жизнь колледжа привлекала ее, когда она подавала сюда документы, но не теперь. В последние три месяца ее не влечет абсолютно ничто, и все же... все же... здесь даже воздух имеет какой-то особый, нежный запах.

Шагая рядом с тележкой, она взглянула Сэму в лицо и улыбнулась. Он широко улыбнулся в ответ.

— Далеконько вы заехали, мисс, — проговорил старый негр. В глазах у него плясали веселые чертенята, кучерявые белые волосы казались мягкими и пышными, точно хлопок.

— Да, далековато. Зато как здесь красиво!

Она посмотрела на озеро, потом оглянулась на белые здания, веером раскинувшиеся позади нее; впереди каждого из них стояло здание поменьше. Это напоминало богатое поместье, каковым оно и было когда-то. Здания содержались в идеальном порядке. Тана почти пожалела, что ее мать не видит такой красоты. «Надо будет привезти ее сюда», — мельком подумала она.

— А знаете, мисс, раньше здесь жили плантаторы, — Сэм рассказывал это сотням девушек, приезжающих сюда каждый год. — И мой дед был здесь рабом, — добавлял он не без хвастливой гордости: ему нравилось видеть их распахнутые от удивления глаза. Они были такие юные и почти такие же симпатичные, как его собственная дочь, если не считать того, что она теперь взрослая женщина и сама имеет детей. Эти девушки тоже выйдут замуж и нарожают ребятишек. Сэм знал, что каждый год, по весне, они возвращаются сюда с разных концов страны, чтобы совершить свадебный обряд в красивой церкви, расположенной на территории колледжа; после каждой выпускной церемонии таких пар набирается не меньше дюжины. Он взглянул на Тану, шагающую сбоку от него, и загадал, сколько времени продержится эта новенькая. Она была одной из самых красивых когда-либо виденных им студенток: длинные стройные ноги, копна белокурых волос и немыслимо зеленые глаза. А какое лицо!.. Если бы Сэм знал ее поближе, он бы не упустил случая пошутить с ней: дескать, ее можно принять за кинозвезду из Голливуда. Однако его спутница была менее общительной, чем большинство других девушек. Сэм успел заметить, что она необычайно застенчива.

— Вы бывали здесь раньше, мисс?

Отрицательно мотнув головой, Тана посмотрела на здание, близ которого остановилась тележка.

– Это и есть «Дом Жасмина», один из самых красивых наших домов. Сегодня я проводил сюда уже пятерых твоих подруг, а всего вас здесь будет жить около двадцати пяти. За вами будет присматривать домовая наставница, – тут он расплылся в лукавой улыбке, – хотя я не думаю, чтобы кто-нибудь из вас нуждался в этом. – Он рассмеялся раскатистым, мелодичным смехом, и Тана невольно улыбнулась, помогая ему выгружать свои сумки.

Она вошла следом за ним вовнутрь и оказалась в красиво убранной гостиной. Мебель была почти вся старинная: либо английская, либо в стиле первых американских поселенцев; нарядная обивка диванов и кресел радовала глаз; на письменном столе и на маленьких столиках по углам красовались в хрустальных вазах роскошные букеты цветов. В гостиной чувствовалась домашняя атмосфера и в то же время ощущался некий аристократический налет на всем: все было так презентабельно и чинно, что, казалось, сюда можно входить не иначе как в шляпе и белых перчатках. Тана невольно взглянула на свою помятую клетчатую юбку, на запыленные мокасины и гольфы. Навстречу ей шла через комнату женщина в строгом сером костюме, с седыми буклями и голубыми глазами, окруженными сетью лучистых морщинок. Это была их наставница Джулия Джонс, занимающая эту должность свыше двадцати лет. Единственным ее украшением была нитка жемчуга, видневшаяся из-под жакета. Тана решила, что она напоминает ей чью-то тетю.

– Добро пожаловать в «Дом Жасмина», моя милая, – сказала наставница, чопорно растягивая слова на южный манер. – На кампусе двенадцать таких домов, но нам хочется думать, что наш дом самый лучший.

Джулия лучезарно улыбнулась девушке и предложила ей выпить чаю. Сэм начал вносить вещи на второй этаж. Тана присела и взяла предложенную ей разрисованную чашку с серебряной ложечкой, отказавшись от маленьких, пресных на вид пирожков. Она посмотрела в окно на озеро, думая о превратностях жизни. Ей казалось, что она попала в совершенно другой мир, такой непохожий на прежний, привычный. Вот она сидит – вдали от Нью-Йорка, ото всех, кого знала раньше, – пьет чай и разговаривает с голубоглазой женщиной, у которой на шее виднеется нитка жемчуга. А всего лишь три месяца назад Тана лежала на полу в спальне Артура Дарнинга, сын которого избивал и насиловал ее...

– ...как вы полагаете, милая?

Тана непонимающе уставилась на свою собеседницу: она не слышала начала фразы и сдержанно кивнула в ответ, почувствовав внезапно усталость. Слишком много всего для одного дня...

– Да, конечно... Я с вами согласна... – сказала она наугад.

Больше всего ей хотелось уйти в свою комнату. Завершив наконец ритуал чаепития, они поставили чашки на поднос, и Тана чуть было не засмеялась, подумав о том, сколько же чашек чая пришлось выпить бедной женщине в этот день. А та, будто угадав нетерпение Таны, повела ее в назначенную ей комнату. Они поднялись по витой лестнице, миновав два изящных пролета, и оказались в длинном коридоре, стены которого были оклеены тиснеными обоями с цветочным узором и увешаны фотографиями выпускниц колледжа. Наставница открыла последнюю дверь в самом конце коридора. Стены комнаты были выкрашены в светло-розовый цвет, занавески и покрывала сшиты из набивного ситца. Тана окинула взглядом обстановку: две узкие кровати, два старинных шкафа и два кресла; в углу – маленькая раковина. Это была забавная комната в старом стиле, где потолки нависали над самыми кроватями. Наставница, ревниво следившая за выражением лица Таны, осталась удовлетворена, когда та повернулась к ней с довольной улыбкой:

– Здесь очень мило.

– В «Доме Жасмина» все комнаты такие. – Немного погодя она оставила Тану одну.

Та села и уставилась на свои сумки, не зная, что делать дальше. В конце концов она легла на кровать и стаки, куча простых рубашек, несколько свитеров с V-образным вырезом и два платья, которые Джин купила у «Сакса» перед самым отъездом дочери.

– Познакомься, Тана, – послышался очень серьезный голос наставницы. – Это – Шарон Блейк, она тоже с Севера, правда, не из Нью-Йорка, а из Вашингтона, округ Колумбия.

– Хэлло! – Тана застенчиво взглянула на девушку, тогда как та улыбнулась ослепительной улыбкой и протянула ей руку.

– Здравствуй!

– Я оставляю вас одних. – Наставница взглянула на Шарон так, будто та причинила ей физическую боль.

Тане она безмерно сочувствовала: она никогда не привела бы к ней Шарон Блейк, но ведь кто-то должен делить комнату с негритянкой. А Тана будет учиться по стипендии, то есть бесплатно. Наставница считала, что поступила по справедливости: Тана Робертс должна быть благодарна за все, тогда как другие девушки могли и не согласиться. Наставница тихонько прикрыла дверь и решительно зашагала вниз по лестнице. Такое случилось впервые не только в «Доме Жасмина», но и во всем колледже «Грин-Хиллз», и Джулия Джонс чувствовала, что чаем сегодня не обойтись. Чтобы снять это ужасное напряжение, ей требовалось кое-что покрепче.

А наверху Шарон кинулась в одно из двух страшно неудобных кресел и с улыбкой посмотрела на отливающие золотом волосы Таны. Обе девушки составляли чрезвычайно интересную, контрастную пару: одна – светлокожая, другая – цветная. Они с любопытством оглядели одна другую. Тана улыбнулась, не зная, как расценить появление Шарон в этом колледже, известном антинегритянской направленностью, ей было бы много проще учиться где-нибудь на Севере. Однако она еще ничего не знала о Шарон, кроме того, что та была несомненно красива и одета в дорогие наряды – Тана отметила это снова, когда Шарон сбросила серые модельные туфли.

ла смотреть на деревья за окном. Распаковыв
не хотелось, к тому же она не была уверена, м
нимать шкаф до прибытия соседки. Она уже
пойти прогуляться к озеру, когда послышал
дверь и на пороге появился старый негр. Тана п
села на свою кровать, и Сэм внес в комнату два
на. Он взглянул в сторону Таны с каким-то непон
выражением лица и пожал плечами.

– Сдается мне, такого у нас еще не бывало.

Не поняв, о чем он говорит, Тана смутилась, а
снова пожал плечами и исчез за дверью. Тана посмот
ла на принесенный им багаж, но не увидела в нем ниче
примечательного: два больших чемодана с железнодо
рожными бирками, один синий, другой – в зеленую клетку, ящичек для косметики, круглая шляпная картонка, в точности похожая на картонку Таны, которую та заполнила разными мелочами. Она медленно прошлась по комнате в ожидании владелицы всех этих вещей. Представив себе бесконечную чайную церемонию внизу, она приготовилась ждать долго и была удивлена тем, как быстро появилась ее соседка по комнате. Сначала вошла, постучавшись, наставница; она многозначительно посмотрела в глаза Таны и сделала шаг в сторону, пропуская вперед девушку-негритянку. Та, казалось, не вошла, а вплыла в комнату – столь грациозной была ее походка. Такого поразительного создания Тана еще не видала на своем веку: черные как смоль волосы, стянутые на затылке, блестящие, словно бриллианты, темные глаза, немыслимой белизны зубы на бледно-шоколадном лице, будто вырезанном резцом мастера с таким искусством, что оно казалось почти нереальным. Ее красота была столь вызывающей, а движения столь изящными, что у Таны захватило дух. Сняв ярко-красное пальто, новоприбывшая бросила его на одно из двух кресел; под пальто оказалось узкое, облегающее платье из светлой ангорской шерсти, одного цвета с дорогими туфлями. Она была больше похожа на картинку из журнала мод, чем на студентку колледжа, и Тана со стыдом вспомнила о своем гардеробе: юбки из шотландки, грубошерстные брю-

— Ну и как? — нежное светло-коричневое лицо вновь осветилось улыбкой. — Тебе нравится «Дом Жасмина»?

— Он прелесть, правда? — Тана все еще стеснялась ее. Однако было в этой красивой девушке что-то притягивающее к себе, что-то первобытное и смелое; какая-то отвага проступала в ее тонко очерченном лице.

— Ты знаешь, нам дали самую плохую комнату.

— Откуда тебе это известно? — удивилась Тана.

— Я смотрела, когда шла по коридору. — Шарон вздохнула и осторожно сняла с себя шляпку. — Меня это не удивляет. — Она пытливо посмотрела на свою соседку и ласково улыбнулась. — А за какие грехи поселили тебя вместе со мной?

Шарон знала, почему оказалась здесь она сама: единственная принятая в «Грин-Хиллз» негритянская девушка вряд ли могла рассчитывать на теплый прием. Это был беспрецедентный случай. Ее отец — известный прозаик, награжденный Национальной премией за лучшую книгу года, лауреат Пулитцеровской премии[1]; ее мать занимает должность прокурора в государственных органах юстиции. Естественно, Шарон не чета другим негритянским девушкам — по крайней мере ее родители рассчитывали на это и ждали от нее неординарных поступков, хотя заранее сказать было ничего нельзя. Прежде чем послать дочь в «Грин-Хиллз», Мириам предоставила ей право выбора: она может поступить в один из колледжей на Севере — скажем, в Колумбийский университет в Нью-Йорке, так как результаты выпускных экзаменов у нее довольно высокие. Если же ее намерения посвятить себя призванию актрисы серьезны, то ей надо идти в Калифорнийский университет в Лос-Анджелесе. Это был один путь.

— В качестве альтернативы, — сказала ей мать, — ты могла сделать то, что со временем станет важным для других наших девушек. — Дочь смотрела на нее, не пони-

---

[1] Пулитцеровская премия, учрежденная американским издателем Джозефом Пулитцером (1847–1911), ежегодно присуждается литераторам и журналистам за лучшее художественное либо научно-популярное произведение.

мая. – Ты можешь поступить в «Грин-Хиллз», – пояснила Мириам.

– Поехать на Юг?! – Шарон не могла прийти в себя от изумления. – Меня туда просто не возьмут!

– Ты, я вижу, не все понимаешь до конца, малышка. – Мать сверлила ее упорным взглядом. – Твой отец – Фримен Блейк, его книги читают во всем мире. Ты действительно думаешь, что в наше время тебя посмеют не принять туда?

Шарон нервно усмехнулась.

– Еще как посмеют, мам! Черт побери, от меня полетят пух и перья, прежде чем я успею распаковать свои чемоданы. – Шарон пугала одна мысль об этом. Она знала, что произошло в городе Литл-Рок три года тому назад; об этом писали газеты. Чтобы оставить черных студентов в колледже для белых, пришлось пустить в ход танки и Национальную гвардию. А «Грин-Хиллз» – не какая-нибудь маленькая второразрядная школа, это – самый фешенебельный младший женский колледж на Юге, куда посылают своих дочек конгрессмены и сенаторы, губернаторы Техаса, Южной Каролины и Джорджии, чтобы они подросли там в тепличных условиях до статуса невест, прежде чем найдут себе достойную партию. – Это безумие, мам!

– Если все темнокожие девушки в этой стране будут думать так же, как ты, Шарон Блейк, то мы и через сто лет будем ночевать в гостинице для черных, сидеть в автобусе на задних местах и пить воду из фонтанов, куда мочатся белые парни.

Шарон содрогнулась под пылающим взором матери. Мириам Блейк была всегда неистовой. Она училась по стипендии в колледже «Рэдклифф», окончила юридическую школу при Калифорнийском университете в Беркли и с тех самых пор боролась за свои идеалы, за права обездоленных простых людей. Она борется и сейчас – за свой народ; перед ней преклоняется даже собственный муж. Сила воли у нее такая, что дай бог самому несгибаемому из мужчин. Она ни перед чем не остановится, но

Шарон это страшит, и очень сильно. Она подала документы в «Грин-Хиллз» и задним числом испугалась.

«А что, если меня примут?» – со страхом подумала она и поделилась своими тревогами с отцом.

– Я ведь не похожа на нее, пап. Я вовсе не хочу что-то кому-то доказывать и для этого поступать в расистский колледж. Я хочу иметь друзей, весело проводить время. Она требует от меня слишком трудного выбора. – На глаза у нее навернулись слезы, и отец ее понял. Однако ему было не под силу изменить ни ту, ни другую: ни жену, с ее суровыми принципами, ни их беспечную и жизнерадостную красавицу дочь, гораздо меньше похожую на Мириам, чем на отца. Она мечтала быть актрисой и играть со временем на бродвейской сцене. А раз так, самое лучшее для нее было бы поступить в филиал Калифорнийского университета в Лос-Анджелесе.

– Ты можешь поступить туда через два года, – сказала ей мать, – после того, как выполнишь свой долг.

– Я никому ничего не должна! – вскричала Шарон. – Почему я обязана отдавать кому-то два года своей жизни?

– Потому что ты живешь здесь, в доме отца, в фешенебельном пригороде Вашингтона, спишь в теплой, мягкой постели. Благодаря нам ты никогда не знала жизненных тягот.

– Тогда бейте меня! Обращайтесь со мной, как с рабыней, только дайте делать то, что я хочу.

– Прекрасно! – Глаза матери вновь зажглись черным огнем. – Делай что хочешь. Но помни: ты никогда не сможешь ходить с высоко поднятой головой, если будешь думать только о себе. Ты знаешь, как вели себя черные студенты в городе Литл-Рок? На их головы были направлены дула автоматов, для их шей ку-клукс-клан приготовил веревки, но они шли в колледж, шли туда каждый день. А ты знаешь, ради кого они это делали? Они делали это ради тебя. А для кого собираешься жить ты, Шарон Блейк?

– Для самой себя! – Она взбежала к себе наверх и с силой захлопнула дверь. Но материнские слова не шли у нее из головы – так всегда получалось с ее доводами. Мириам была не самым легким человеком, чтобы жить с ней, узнавать ее и любить. Она никогда не стремилась сделать жизнь приятной для своих близких, однако по большому счету она делала то, что до́лжно делать для каждого члена семьи.

В тот вечер Фримен Блейк попытался переговорить с женой. Он понимал чувства Шарон, знал, как страстно она мечтает о Калифорнийском университете. Почему бы не позволить ей, хотя бы для разнообразия, поступить по своей воле?

– Потому что на ней лежит ответственность. Как и на нас с тобой.

– Но взгляни на дело с другой стороны. Она молода. Дай ей шанс доказать, на что она способна. Может, она не хочет сжигать себя ради идеи? Может, ты одна делаешь достаточно – за всех нас? – Однако они оба знали, что это лишь часть правды. Дику, брату Шарон, было еще только пятнадцать лет, но он был как Мириам. Весь, до мозга костей. Он разделял ее идеи, даже в еще более непримиримой, более радикальной форме. Никто не мог выбить его из седла. Фримен гордился сыном и в то же время признавал, что Шарон была другой. – Давай оставим ее в покое, и пусть она решает сама.

Они так и поступили. В конце концов в девушке возобладало чувство раскаяния. «Вот почему я здесь», – так закончила она свой рассказ Тане в тот, первый, вечер. Они сходили на обед в главную столовую и вернулись в свою комнату. Шарон надела розовый нейлоновый халат, который подарила ей по случаю отъезда ее лучшая подруга в Вашингтоне; Тана была в голубом байковом халатике, ее белокурые волосы были завязаны в «конский хвост». Она вопросительно взглянула в лицо своей новой подруги. Та вздохнула и придирчиво оглядела розовый лак, положенный на ногти больших пальцев ног.

– Я думаю поступить в Калифорнийский университет после того, как окончу двухгодичный курс здесь, – ответила она на незаданный вопрос, вновь подняв глаза на Тану. – Мать требует от меня слишком многого. –

Сама Шарон хотела лишь одного: быть красивой и элегантной, постараться сделаться известной актрисой. Этого было достаточно для нее, но не для Мириам.

Выслушав ее, Тана улыбнулась.

– Моя мать тоже возлагает на меня большие надежды. Всю свою жизнь она посвятила тому, что считает единственно правильным для дочери. Она хочет, чтобы я проучилась здесь год-другой и вышла замуж за «приличного молодого человека». – Тана сделала презрительную гримасу, показывая, как мало ее привлекает эта перспектива. Шарон засмеялась.

– В глубине души все матери мечтают о том же самом, даже моя – при условии, что я дам зарок участвовать в ее борьбе и после замужества. А что говорит твой отец? Мой, благодарение богу, выручает меня, когда может. Он считает, что вся эта возня не стоит выеденного яйца.

– Мой отец умер еще до того, как я появилась на свет. Наверное, поэтому моя мать и переживает так сильно по малейшему поводу. Она смертельно боится, что все вдруг пойдет не так, как надо, и зубами держится за то, что называют обеспеченным положением. И от меня хочет, чтобы я поступала так же. – Она посмотрела на Шарон каким-то странным взглядом. – Знаешь, помоему, твоя мама подходит мне больше. – Обе рассмеялись и долго еще после этого не выключали свет.

К концу первой недели девушки уже были близкими подругами. Они сидели рядом в аудитории, вместе шли на ленч, в библиотеку; гуляя подолгу вокруг озера, они говорили о жизни, о мальчиках, о родителях и друзьях. Тана рассказала Шарон о связи матери с Артуром Дарнингом, начавшейся еще тогда, когда он был женат на Мери, а также о том, как это действовало на нее, Тану. Лицемерие, узость взглядов, стереотипная жизнь в Гринвиче, ложь во взаимоотношениях с детьми, друзьями и служащими, постоянное пьянство, дом Дарнинга, где все устроено напоказ, тогда как ее мать работает на него как белый негр вот уже двенадцать лет и ничего от этого не имеет.

– Знаешь, Шар, я не могу это видеть. – Она не отводила от подруги глаз, которые блестели, как два зеленых изумруда. – И самое худшее заключается в том, что она с радостью принимает от него все эти дерьмовые подарки. Она считает, что с ней все в порядке. Она нигде с ним не бывает и, представь себе, всем довольна. Весь остаток жизни она готова просидеть в одиночестве, благодарная ему за то немногое, что он для нее сделал, и не догадываясь, что он не сделал для нее ровным счетом ничего. Она утверждает, что обязана ему всем. Чем это «всем»? Она работает как проклятая всю свою жизнь, а он смотрит на нее как на предмет обстановки. – «Платная подстилка» – мерзкие слова Билли все еще стояли в ее ушах, сколько она ни старалась забыть их. – Наверное, она просто иначе смотрит на вещи, но я... не знаю... меня это сводит с ума. Я не хочу находиться рядом с ними до конца своих дней и распинаться перед Артуром в благодарностях. Я многим обязана моей маме, но абсолютно ничем не обязана Артуру Дарнингу; она тоже ничем ему не обязана, но не понимает этого. Она так боится всего... Иногда я думаю, была ли она такой, когда был жив мой отец. – Джин часто рассказывала дочери, что раньше она во многом была похожа на Эндрю, и лицо ее при этом светлело.

– Я больше люблю отца, чем маму, – Шарон всегда была искренней в выражении своих чувств, особенно с Таной.

К концу первого месяца они поделились многими своими секретами, однако Тана не упоминала об изнасиловании. Сделать это было очень непросто, и Тана решила промолчать.

За несколько дней до праздника Всех Святых – Хэллоуина – Шарон забеспокоилась о карнавальном костюме. Были назначены совместные танцы с соседним, мужским, колледжем.

– Ума не приложу, что мне делать? – Шарон лежала на кровати, возбужденно вращая белками глаз. – Может, нарядиться черной кошкой? Или накинуть белую простыню с прорезями для глаз, как у куклуксклановца?

Танцы организовывались в «Грин-Хиллз», и девушки могли пойти туда одни. Это было очень кстати, так как ни Шарон, ни Тана не завели пока ни знакомых парней, ни подруг. Студентки держались от Шарон на расстоянии, соблюдая показную вежливость – и только. Преподаватели были холодно-любезны и старательно делали вид, что не замечают присутствия чернокожей девушки. Ее единственной подругой была Тана, они никогда не разлучались – в результате Тана тоже оказалась в изоляции. Все сторонились ее. Если ты хочешь якшаться с неграми – приготовься к обструкции. Шарон не раз ссорилась с ней по этому поводу.

– Какого дьявола ты привязалась ко мне? Иди к своим белым! – Она старалась быть нарочито резкой, но Тана всякий раз разгадывала эту ее хитрость.

– Перестань кипятиться.

– Ты – набитая дура!

– Верно! Такая же, как и ты. Поэтому мы и сошлись, как два сапога.

– Нет, – усмехалась Шарон, – мы с тобой сошлись потому, что ты совсем не одета, и если бы не мои платья и не мои квалифицированные советы, ты была бы похожа на пугало.

– Да, – весело смеялась Тана, – ты права. Тебе остается научить меня плясать под свою дудку.

Девушки корчились на своих кроватях от смеха, который почти не затихал в их комнате. Шарон была энергичная и живая, что называется, «с огоньком», она возрождала Тану к жизни. Порой они засиживались допоздна, шутили и смеялись до коликов в животе. Шарон имела хороший вкус и красивые наряды, каких Тана еще не видела в своей жизни. Они были примерно одного роста и сложения и спустя недолгое время начали запихивать вещи в один и тот же шкаф и надевать то, что попадется под руку, не разделяя на «твое» и «мое».

– Ну так как же, Тэн? Что ты наденешь на Хэллоуин?

Шарон в этот раз клала на ногти яркий оранжевый лак, смотревшийся очень эффектно в контрасте с ее смуглой кожей. Ожидая, когда лак высохнет, она подняла глаза на подругу, но та равнодушно смотрела в сторону.

– Не знаю... надо подумать...

– Что значит «подумать»? – Шарон сразу же уловила нечто новое в голосе Таны. Раньше она такого не замечала, за исключением одного или двух случаев, когда Шарон показалось, что она нечаянно задела некую чувствительную струну. Впрочем, полной уверенности у нее не было. – Ты идешь на танцы или нет?

– Нет, не иду.

– Боже правый! Но почему? – Шарон стала в тупик: Тана была не прочь посмеяться, обладала развитым чувством юмора; она была хороша собой, умна, любила веселье. – Ты что, не одобряешь этот праздник?

– Ну почему же? Хэллоуин по-своему хорош... для детей. – Тана еще никогда не была столь индифферентной, и это озадачило Шарон.

– Не будь такой букой, Тэн. Давай я помогу тебе с костюмом.

Она начала рыться в их совместном шкафу, вытаскивая то одно, то другое и кидая все на кровать. Тана, однако, не проявляла никакого энтузиазма. Когда они легли и выключили свет, Шарон вновь приступила к ней с расспросами:

– Как можно не желать пойти на карнавал по случаю Хэллоуина?

Шарон знала, что у Таны еще нет здесь парня. Что касается Шарон, поступить сюда значило для нее обречь себя на одиночество, но она сама выбрала свой путь. Другие девушки тоже вряд ли знали здесь кого-то, счастливые исключения составляли лишь немногие из них. Однако и те, и другие рассчитывали увидеть на танцах целую толпу молодых людей, и даже Шарон вдруг воспылала желанием показаться на люди.

– У тебя, наверное, дома есть постоянный друг? – спросила она, помолчав. Тана никогда не заикалась об этом. «К чему такая скрытность?» – подумала Шарон. Впрочем, существовали некоторые темы, которых они еще не касались. Так, обе избегали разговоров о расставании с девственностью. Шарон знала, что это было неприлично для «Грин-Хиллз»: здесь, похоже, такие вещи обсуждались взахлеб. Но Шарон безошибочно чувствовала сдержанность Таны, да и сама не горела желанием говорить на эту тему. Однако сейчас она повела себя иначе: облокотившись на подушку, она положила голову на ладони и пытливо вгляделась в лицо подруги, белевшее в темной комнате. – Да или нет, Тэн?

– Ты ошибаешься... Просто у меня нет настроения.

– Но должна же быть тому причина! У тебя что – аллергия на мужчин? Слабость в коленках? Пойдем, потанцуем, а после двенадцати я наряжу тебя вампиром, хотя, – на лице ее появилась озорная улыбка, – для карнавала на Хэллоуин можно придумать что-нибудь и позамысловатее.

– Не валяй дурака, Шар, – засмеялась Тана. – Просто я не хочу ходить на вечеринки. А ты иди, и пусть тебя это не смущает. Влюбись в какого-нибудь белого парня и преподнеси сюрприз своим родителям. – Обе девушки расхохотались при этой мысли.

– Боже правый! Да за это меня вышвырнут из колледжа. Если бы миссис Джонс могла выбирать, она выдала бы меня за старину Сэма. – Домовая наставница иногда снисходительно поглядывала на Шарон, а затем переводила глаза на Сэма, как если бы между этими двумя существовало некое родство.

– А она догадывается, кто твой отец?

Фримен Блейк только что получил вторую премию Пулитцера. Все в Америке знали это имя, независимо от того, читали они его книги или нет.

– Я не думаю, чтобы она умела читать.

– Ты должна подарить ей одну из книг отца с его автографом, – усмехнулась Тана.

– Она сойдет с ума от злости, – проворчала Шарон.

Однако все это не разрешало проблему танцев. Дело кончилось тем, что Шарон оделась страшно завлекательной черной кошкой. Она натянула до самого подбородка черное трико, из которого выглядывало светло-шоколадное лицо с огромными черными глазами; а немыслимо длинные ноги, казалось, росли от ушей. Ее появление в зале вызвало кратковременный шок, потом кто-то пригласил ее на танец, после чего Шарон весь вечер не сходила с круга. Хотя девушки ее бойкотировали, она прекрасно провела время. Когда она вернулась, Тана крепко спала – был уже второй час ночи.

– Тэн? Ты спишь? Тэн?

Подруга подняла голову, открыла один глаз и пробурчала:

– Ты хорошо повеселилась?

– Чудесно! Я танцевала весь вечер, без отдыха. – Она умирала от нетерпения рассказать ей про все, но Тана повернулась к стене лицом.

– Я рада... спокночи.

Шарон смотрела на спину подруги, гадая, почему она не захотела пойти на карнавал. Но разговор был окончен, и, когда на следующий день Шарон сделала попытку возобновить его, Тана не проявила к нему ни малейшего интереса. Другие девушки после вечера танцев начали ходить на свидания, телефон внизу не умолкал, казалось, ни на минуту. Шарон позвонил только один молодой человек. Он пригласил ее в кино, и она приняла приглашение, но когда они пришли в кинотеатр, контролер их не пропустил.

– Это вам не Чикаго, друзья. Это – Юг. – Он посмотрел на мучительно покрасневшего юношу. – Отправляйся-ка ты домой, сынок, и найди себе приличную девушку.

Шарон попыталась успокоить парня:

– Не волнуйся, Том! Правду говоря, мне не так уж и хотелось посмотреть этот фильм.

Он отвез ее обратно в общежитие. Всю дорогу они молчали, и только у самого «Дома Жасмина» она повернулась к нему со словами:

– Все нормально, Том, честно тебе говорю. Я все понимаю и уже привыкла. – Голос у нее был низкий и страстный, а глаза – добрые. Она глубоко вздохнула и слегка прикоснулась рукой к его руке – кожа у нее была как шелк. – Для этого я и поступила в «Грин-Хиллз».

Он оторопело взглянул на нее, не зная, как расценить эти странные слова. Шарон была первой темнокожей девушкой, которой он назначил свидание; она казалась ему самым экзотическим созданием на свете – он таких еще не встречал.

– Ты приехала в этот занюханный городишко для того, чтобы тебя оскорблял какой-то говнюк?! – Он еще не остыл от гнева, если не за себя, то за нее.

– Нет, – мягко возразила она, думая о том, что говорила ей мать. – Я приехала сюда затем, чтобы изменить положение вещей, во всяком случае, в этом я вижу свой долг. Начинается все вот так, как вышло у нас с тобой сегодня, и долгое время так продолжается, но в конце концов люди перестают обращать на это внимание. Темнокожие девушки ходят в кино с белыми парнями, разъезжают с ними в автомобилях, гуляют по улицам, заходят в закусочные – там, где им захочется. Вот это есть в Нью-Йорке, почему так не может быть здесь? Кто-то может коситься, но в любом случае они не могут выкинуть нас вон. И единственный путь к этому – начать с малого, вот как сегодня.

Парень посмотрел на нее, как если бы сомневался, не подставили ли его в этой игре. Но нет, было не похоже, чтобы Шарон Блейк была способна на такое. Том уже слышал про ее отца, и это произвело на него неизгладимое впечатление. То, что она сказала, заставило его восхищаться ею еще сильнее. Он был немного смущен, но знал, что в словах Шарон заключается правда.

– Мне жаль, что нам не удалось войти туда. Может, попытаемся снова на будущей неделе?

Она рассмеялась.

– Я вовсе не имела в виду, что мы должны все изменить в одночасье. – Тем не менее ей понравился его пыл. Он правильно воспринял ее мысль, и, возможно, Мириам Блейк не так уж не права. Может быть, надо служить какой-то идее, в конце-то концов.

– А почему бы и нет? Рано или поздно этому наглецу надоест выгонять нас. Черт с ним, мы можем пойти в кафе или в ресторан...

Возможности были безграничны, и Шарон весело

смеялась. Он помог ей выйти из машины и ввел в гостиную «Дома Жасмина». Она предложила ему чашку чая, и они посидели там некоторое время. Однако взгляды, которые бросала в их сторону находящаяся там молодежь, были столь неприкрыто враждебными, что Шарон не выдержала. Она встала и медленно прошла с ним к выходу. Лицо ее было печально. «Несомненно, все было бы проще в Калифорнийском университете, в любом городе Севера страны. А здесь...» Том чутко уловил ее настроение и, уже стоя в дверях, шепнул:

– Помни – не может все измениться за один вечер. – Он прикоснулся губами к ее щеке и вышел.

Глядя, как он уезжает, она думала: «Он, конечно же, прав: нам не удалось ничего изменить за один вечер».

Поднимаясь вверх по лестнице, она подумала о том, что это время потрачено не напрасно. Том ей нравился: он умел принимать поражения так, как надо. Интересно, позвонит ли он ей еще?

Тана улыбнулась ей со своей кровати.

– Ну и как? Он тебя пригласил?

– Да.

– Чудесно! А что фильм? Понравился?

– Спроси у кого-нибудь другого, – невесело улыбнулась Шарон.

– Вы туда не пошли? – удивилась Тана.

– Нас туда не пустили. Знаешь, как это бывает: белый юноша, цветная девушка... «Подыщи себе подходящую пару, сынок», – Шарон тщилась рассмеяться, но Тана, увидевшая боль в ее глазах, нахмурилась.

– Негодяй! А что сказал Том?

– Он держался очень мило. Мы немного посидели в гостиной, но это было еще хуже. Представляешь: семь «белоснежек» сидят на диванах со своими «прекрасными принцами» и сверлят нас глазами. – Она со вздохом кинулась в кресло. – А ну их к дьяволу, все эти умные идеи. Подходя к кинотеатру, я чувствовала себя такой смелой и благородной, такой возвышенной, а когда нас завернули, я подумала, что все это не стоит ломаного гроша. Мы с ним не можем пойти даже в закусочную, чтобы поесть гамбургеров. Выходит, я могу умереть с голоду в этом паршивом городишке.

– Могу поручиться, что нас обслужат, если ты пойдешь вместе со мной. – Они еще не пробовали пойти куда-нибудь на ленч: кормили их в колледже на убой, обе уже прибавили в весе по три-четыре фунта, к вящей досаде Шарон.

– На твоем месте я бы не стала ручаться в этом, Тэн. Держу пари, что они поднимут хай, увидев с тобой негритянку. Белая есть белая, а черная остается черной, как бы ты к этому ни относилась.

– Но почему бы нам не попытаться? – Тана загорелась своей идеей, и на следующий вечер они решили привести ее в исполнение.

Девушки прогулялись по городу и зашли в закусочную, чтобы заказать по гамбургеру. Официантка окинула их долгим, неприязненным взглядом и отошла, не приняв заказа. Пораженная этим, Тана поманила ее снова, но женщина сделала вид, что не замечает ее знаков. Тогда Тана поднялась с места, подошла к ней сама и спросила, можно ли им здесь пообедать. Официантка досадливо поморщилась.

– Мне очень жаль, милая, – сказала она вполголоса – так, чтобы не услышала Шарон, – но я не могу обслужить твою подругу. Надеюсь, ты меня понимаешь?

– Но почему? Она – жительница Вашингтона, – сказала Тана, как будто это имело какое-то значение. – Ее мать – прокурор на государственной службе, а отец – двукратный лауреат Пулитцеровской премии.

– Нам это без разницы. Здесь не Вашингтон, а Йолан, Южная Каролина.

– Есть у вас в городе такие заведения, где мы с ней можем пообедать?

Женщина взглянула на высокую зеленоглазую блондинку, в чьем голосе прозвучала смутившая ее настойчивость.

– Она может пройти дальше по улице... А ты можешь остаться здесь.

– Но мы хотим пообедать вместе! – В глазах Таны

сверкала зеленая сталь; впервые в жизни она почувствовала, как по спине у нее прошла нервная судорога. Сейчас она могла ударить человека, охваченная иррациональным и бессильным бешенством, какого она еще ни разу не испытывала. – Имеется ли в вашем городе такое место, где мы с подругой могли бы поесть вместе? Или нам придется садиться в поезд и ехать обедать в Нью-Йорк? – Тана вперила в официантку негодующий взгляд, и та отрицательно покачала головой. Однако Тана отступать не собиралась. – Тогда обслужите меня – я возьму два чизбургера и две кока-колы.

– Нет, не возьмешь! – Позади них встал коренастый повар, вышедший из кухни. – Ты сейчас отправишься назад в свою треклятую шикарную школу, откуда вы обе сюда заявились. – Подруги были слишком заметными в Йолане: достаточно было взглянуть на броские наряды Шарон, чтобы вычислить ее принадлежность к привилегированному колледжу. На ней была юбка и свитер, купленные в нью-йоркском магазине «Бонвит Теллер». – Вы можете есть там все что угодно за милую душу. Понятия не имею, что там на них нашло, но если уж они пускают к себе негритосов – то пусть и кормят их у себя в «Грин-Хиллз», а здесь на них не приготовили!

Он выразительно посмотрел на Тану, потом перевел взгляд на столик, за которым сидела Шарон. В его взгляде чувствовалась слепая ярость, и Тане на миг показалось, что повар может вышвырнуть их отсюда силой. После изнасилования она еще ни разу не испытывала такого страха.

Поняв, в чем дело, Шарон грациозно поднялась с места и сказала в своей спокойной аристократической манере:

– Идем, Тэн.

В ее голосе прозвучали низкие, чувственные нотки; при виде того, как повар буквально впился в нее плотоядными глазами, Тане захотелось дать ему пощечину: этот взгляд напомнил ей то, о чем она безуспешно пыталась забыть.

– Сукин сын! – кипятилась Тана, когда они медленно возвращались в колледж.

Однако Шарон выглядела на удивление спокойной. Она испытывала те же чувства, что и накануне, когда их с Томом не пустили в кинотеатр. Поначалу – спокойное сознание силы, понимание, зачем она здесь, а потом – чувство уныния. Однако сегодня депрессия еще не успела ею овладеть.

– Как странно устроена жизнь! Если бы это произошло в Нью-Йорке или в Лос-Анджелесе, практически в любом другом городе, никто бы и внимания не обратил. Но здесь, в Йолане, страшно важно, что я темнокожая, а ты белая. Моя мать, похоже, знает, что делает: видно, для нас пришло время бороться за свои права. Я всегда считала, что, если мне хорошо, я не обязана думать о других, о том, что с ними происходит. И вот теперь оказалось, что эти другие – я сама. – Шарон внезапно поняла, почему Мириам так настаивала на ее поступлении в «Грин-Хиллз». Впервые со дня приезда сюда девушка подумала, что ее мать, вероятно, права. Может быть, место Шарон здесь. Может, она в долгу перед кем-то, кому не было так хорошо все эти годы. – Я не знаю, что тебе сказать, Тэн...

– Я тоже... – Они медленно шли по улице, рука об руку. – Не думаю, чтобы я когда-нибудь чувствовала себя такой беспомощной и такой злой... – Вдруг перед ней всплыло лицо Билли Дарнинга, и она вся поникла. – Разве лишь однажды...

Обе девушки вдруг ощутили связующую их близость, какой не было раньше. Тане захотелось обнять Шарон, защитить ее от беды, а та взглянула на нее с теплой улыбкой.

– Когда это было, Тэн?

– О, очень давно!.. – Она силилась улыбнуться. – Месяцев пять тому назад.

– Это действительно очень давно. – Девушки обменялись улыбками и продолжали идти по тротуару.

По улице промчалась машина, но их никто не побеспокоил, и страх Таны прошел. Никто и никогда не сделает с ней то, что сделал Билли Дарнинг, – она скорее убьет насильника. В ее глазах Шарон отметила необычно жестокий блеск.

– Наверное, это было что-то ужасное?

– Да.

– Ты не хочешь говорить об этом? – Голос Шарон был ласковым и чутким.

Они шагали сквозь серую полутьму в полном молчании. Тана, казалось, раздумывала: у нее никогда не возникало желания рассказать об этом кошмаре кому бы то ни было – после того, как она попыталась довериться матери.

Шарон, по-видимому, ее поняла: у каждого человека есть на душе что-то такое, чем он не хочет делиться. Она и сама хранила в себе тайну.

– О'кей, Тэн...

Но едва она успела это произнести, как Тана стремительно к ней обернулась, и слова неудержимо полились сами собой, будто прорвалась некая плотина.

– Я хочу рассказать... только не знаю, как можно это сделать. – Она убыстрила шаги, будто желая убежать от самой себя, а Шарон легко поспевала за ней на своих длинных, стройных ногах. Тана нервно провела рукой по волосам, сама не заметив этого, посмотрела куда-то в сторону. Дыхание ее участилось. – Рассказ получится короткий... В июне у нас был выпускной вечер, а через неделю я пошла на вечеринку в дом патрона моей матери... у патрона есть сын, законченный негодяй... Я ей сказала, что не хочу идти... – Воздух вырывался из груди Таны короткими, быстрыми толчками, но она этого не замечала и шла все быстрее. Шарон понимала: Тана рассказывает о чем-то таком, что держать в себе ей больше невмоготу. Тана должна выплеснуть это из себя. – Моя мать сказала: «Ни в коем случае!» То есть я не должна отказываться от приглашения ни под каким видом. Она всегда так говорит, когда дело так или иначе касается этой семейки – Артура Дарнинга и его детушек... она становится как слепая... – Захлебнувшись словами, Тана все ускоряла и ускоряла шаг, будто спасаясь от преследовавших ее воспоминаний. Шарон, глядя на страдающее лицо подруги, шла с ней в ногу. Наконец Тана справилась с собой и продолжала: – Как бы то ни было, я поехала. Со мной был знакомый парень; этот кретин посадил меня в свою машину и привез в Гринвич на эту самую вечеринку... все уже были пьяные, мой кавалер тоже напился в стельку и куда-то пропал... от нечего делать я пошла по дому... и Билли, сын Артура, предложил мне показать кабинет, где работает моя мать... Я знала, где эта комната... – Слезы ручьями бежали по ее щекам, она их не чувствовала на ветру. Шарон хранила молчание. – Он привел меня совсем не туда, а в спальню своего отца... там все было серое... серый плюш, серый атлас и серый мех... даже ковер на полу был серый... – Это были единственные запомнившиеся ей детали: бесконечный серый фон... ее кровь на полу... перекошенное лицо Билли, потом – авария... Тане не хватало воздуха, она рванула ворот рубашки и снова побежала, задыхаясь от рыданий. Шарон не отставала от нее ни на шаг. Тана теперь была не одна: рядом подруга, бегущая вместе с ней сквозь этот страшный кошмар; она нашла в себе силы продолжать: – Билли начал избивать меня, сбил с ног... и все, что я ни делала... – Вновь ощутив ту беспомощность, то отчаяние, она остановилась и закрыла лицо руками. Ночную темноту огласил ее душераздирающий всхлип. – Я ничего не могла сделать... я не могла остановить его... – Ее тело сотрясалось от рыданий. Шарон молча обняла Тану и крепко прижала к себе. – Он изнасиловал меня и бросил там... я была вся в крови... меня вырвало... потом он догнал меня на шоссе, заставил сесть в машину, потом чуть не врезался в грузовик, – теперь она говорила быстро, будучи не в силах остановиться. – Мы налетели на дерево, и он поранил себе лоб – все лицо было залито кровью; нас отвезли в больницу, потом туда приехала моя мать... – Внезапно Тана снова умолкла, ее лицо потухло при воспоминании, от которого она старалась убежать все эти пять месяцев. Она взглянула Шарон прямо в глаза. – Когда я попыталась рассказать ей обо всем, она не захотела мне поверить. «Билли Дарнинг не способен на такое!» – Тана зарыдала еще более безутешно.

Шарон стояла не разжимая рук и все так же молча. Наконец сказала:

– Я верю тебе, Тэн.

Тана кивнула. Вид у нее был несчастный, как у потерявшегося ребенка.

– Никогда в жизни я не позволю прикоснуться к себе ни одному мужчине. – Шарон очень хорошо понимала подругу, хотя и по другой причине. Ее никто не насиловал – она отдалась сама, по любви. – Моя мать не поверила ни единому моему слову. И не поверит никогда. Она боготворит семью Дарнингов.

– Не думай больше об этом, Тэн. Думай о самой себе – это единственное, что имеет теперь значение.– Шарон подвела ее к скверу и усадила на пень, села сама и предложила ей сигарету. Тана сделала одну-единственную затяжку. – Знаешь, я считаю, что с тобой – полный порядок, даже лучше, чем ты думаешь. – Глубоко тронутая доверием подруги, Шарон мягко улыбнулась Тане и вытерла слезы с ее щек.

Губы Таны тронула слабая ответная улыбка.

– Ты не считаешь, что я должна презирать себя после этого?

– Какие глупости ты спрашиваешь, Тэн! На тебе это никак не отразилось.

– Не знаю... иногда мне кажется, что... что я могла бы помешать ему, если бы... не растерялась. – Ей хотелось освободиться от сомнения, высказать до конца все, что мучило ее столько дней.

– Скажи мне честно, Тэн: ты действительно веришь в это? Ты в самом деле думаешь, что его можно было остановить?

Тана надолго задумалась, потом отрицательно мотнула головой.

– Тогда перестань терзать себя. То, что с тобой случилось, ужасно, ужаснее не придумаешь. Может быть, это самое страшное из всего, что тебе написано на роду. Но это произошло. Никто и никогда не сможет сделать это над тобой снова. Ты считаешь, что он осквернил тебя? Но это не так! Что бы там ни было, он не смог взять тебя, настоящую тебя, Тэн. Забудь обо всем и продолжай жить.

– Это легче сказать, чем сделать. – Тана устало улыбнулась. – Такое не забывается.

– Надо себя заставить, Тэн. Нельзя допустить, чтобы это разрушило твою жизнь. Такой мерзавец, как он, не может одержать над тобой победу: он силен только в мерзости, во всем остальном это слабая душонка, Тэн. А ты – сильная. Не поддавайся депрессии – так ты только помогаешь ему. Как бы ни было тебе тяжело, выбрось все из головы и иди вперед.

– О, Шарон!.. – Тана со вздохом поднялась на ноги и взглянула на подругу. Вокруг был чудесный теплый вечер. – Что делает тебя такой привлекательной в глазах парней?

Шарон загадочно улыбнулась, но Тана видела, что глаза ее сегодня остаются серьезными, почти грустными.

– У меня тоже есть секреты.

– Например? – Тана теперь чувствовала себя гораздо спокойнее, чем раньше. Ей казалось, что Шарон открыла спрятанную у нее внутри клетку и выпустила из нее безжалостного зверя, который терзал ее не переставая. Теперь Тана была свободна, в душе ее снова воцарился мир. Ее мать оказалась неспособной сделать то, что сделала для нее молодая девушка, и Тана знала: что бы теперь ни случилось, они с Шарон всегда останутся друзьями. – Что с тобой произошло? – Тана отыскала взглядом глаза подруги, уже зная, что там таится нечто сокровенное.

Ответный взгляд Шарон подтвердил это. Она не захотела увиливать от ответа. Шарон никому не говорила о своих чувствах, но думала об этом постоянно. Они с отцом имели важный разговор перед ее отъездом в «Грин-Хиллз». Он сказал ей те же слова, которыми она только что подбадривала подругу: нельзя допустить, чтобы твоя жизнь оказалась разрушенной. Что случилось, то случилось – этого уже не исправишь. Нужно оставить это позади и идти вперед. Шарон, однако, не была уверена в себе.

– В этом году я родила ребенка.

У Таны на миг перехватило дыхание – она была в шоке.

– Правда?

– Да. Дома я встречалась с одним и тем же мальчиком с пятнадцати лет. Когда мне исполнилось шестнадцать, он подарил мне свое фамильное кольцо. Не могу тебе описать, Тэн, что я чувствовала... Он сложен, как африканский бог, и чертовски красив, а танцует... это надо видеть.

Лицо Шарон похорошело еще больше, когда она подумала о нем, – теперь это была прелестная юная девушка.

– Сейчас он учится в Гарвардском университете, я не встречалась с ним уже почти год. – Ее глаза погрустнели. – Я забеременела до окончания школы и сказала ему об этом, а он, похоже, запаниковал. Он стал просить, чтобы я сделала аборт у доктора, знакомого его кузины, но я отказалась. Я знала о несчастных случаях с молодыми девчонками... – При воспоминании об этом на ее глазах выступили слезы; она, казалось, напрочь забыла о том, что Тана стоит рядом и смотрит на нее. – Я хотела сказать об этом своей матери, но не решилась и рассказала отцу, а он сказал ей. Ты не представляешь, что началось... все будто посходили с ума. Мои родители позвонили к нему домой, его предки подняли крик; моя мама обозвала его «негритосом», а его отец обругал меня «сукой»... Это был самый страшный вечер в моей жизни. Под конец родители предоставили мне выбирать: я могла сделать аборт у того доктора, о котором навела справки моя мать, или же я могла родить ребенка и отдать его в чужие руки. Они мне сказали, – тут Шарон судорожно глотнула воздух, и Тана поняла, что это было самым тяжелым в откровениях подруги, – что я не могу оставить его себе... что завести ребенка в семнадцать лет – значит погубить свое будущее... – Тело Шарон сотрясалось от конвульсий. – Сама не знаю, почему я выбрала второй вариант и решилась рожать. Наверное, я надеялась, что Дэнни – отец ребенка – может одуматься... или одумаются мои родители... или случится чудо. Но ничего такого не произошло. Последние пять месяцев я провела в санатории, выполняя все, что нужно, чтобы успешно закончить школу. Ребенок родился 19 апреля, крошечный такой мальчик... – Она вся дрожала. Тана молча взяла ее за руку. – Предполагалось, что я не должна его видеть, но я все же увидела... только один раз... он был такой крохотный... я мучилась родами тринадцать часов... это было неописуемо, а он весил всего шесть фунтов. – У нее были отсутствующие глаза; она думала о малютке сыне, которого никогда больше не увидит... Наконец она опомнилась и посмотрела на подругу. – Я потеряла его, Тэн. – Она вдруг заплакала в голос, как малый ребенок; во многих отношениях она и была еще ребенком, как и ее подруга. – Три недели тому назад я подписала все бумаги, моя мать их оформила... его усыновили какие-то люди в Нью-Йорке. – Она сидела, низко опустив голову, продолжая всхлипывать. – Боже мой! Мне остается только надеяться, что они будут добры к нему... Я не должна была его отдавать, Тэн!.. И ради чего? – Она сердито посмотрела на свою спутницу, будто обвиняя ее во всех своих бедах. – Ради того, чтобы приехать в этот идиотский колледж и доказывать право других цветных девушек учиться здесь? Когда-нибудь они будут здесь учиться. Ну и что?

– Одно с другим не связано, Шарон. Твои родители хотели, чтобы ты начала жизнь с чистого листа, чтобы ты могла в положенное время иметь семью и детей.

– Они ошибались, как и я сама. Ты не представляешь себе, что я чувствовала, когда возвращалась домой одна, без ребенка... это ощущение ничем не восполнимой пустоты... – Она тяжко вздохнула. – Я не виделась с Дэнни с тех пор, как возвратилась в Мэриленд... Я никогда ничего не узнаю о сыне: где он, что с ним. С тяжелым сердцем я сдала экзамены вместе со своими одноклассниками, и никто не узнал, что творится у меня в душе.

Тана взглянула на нее и покачала головой. Вот они обе стали женщинами. Они много перестрадали, много вынесли на своих плечах. И кто знает, окажется ли их будущее более счастливым. Но одно они теперь знали наверное: каждая из них имеет друга. Тана стянула Шарон с пня, на котором та сидела, и девушки крепко обнялись; и каждая, смешивая свои слезы со слезами подруги, ощущала сейчас ее боль, как свою.

– Я очень люблю тебя, Шар! – Тана взглянула на Шарон с нежной улыбкой, и та осушила глаза.

– Я тоже...

Они шагали – рука в руке – сквозь безмолвную ночь. Придя к себе, они разделись и улеглись в кровати. Каждая думала о своем.

– Тэн? – позвал в темноте голос Шарон.

– Да?

– Спасибо тебе!

– За что? За то, что я тебя выслушала? А ты выслушала меня – на то мы и подруги.

– Я считаю, что мой отец прав: надо всегда идти вперед.

– Наверное. Только как это сделать? Может, он знает какие-то конкретные способы освободиться от груза прошлого?

Шарон рассмеялась.

– Надо будет спросить его об этом. – Внезапно ей в голову пришла новая идея. – А почему бы тебе не спросить у него самой? Давай поедем к нам на День Благодарения.

Лежа в постели, Тана не без удовольствия обдумывала ее предложение. Оно ей понравилось.

– Не знаю, что скажет на это моя мать. – Внезапно мнение матери показалось ей если не совсем безразличным, то во всяком случае менее существенным, чем это было шесть месяцев тому назад. Может, настало время опробовать свои крылья и начать поступать по своей воле? – Я позвоню ей завтра вечером.

– Хорошо. – Шарон сонно улыбнулась и повернулась на другой бок. – Спокночи, Тэн!

Спустя короткое время обе они уже спали крепким сном, гораздо более спокойным, чем в последние месяцы. Тана подложила под щеку ладошки, как это делают маленькие дети. Шарон, точно красивый черный котенок, свернулась в клубок – не разобрать, где руки, где ноги. Казалось, что она сейчас мирно замурлыкает во сне.

Глава 5

Когда Тана позвонила матери и сказала, что не приедет домой на День Благодарения, Джин Робертс очень расстроилась.

– Это окончательно, Тэн? – Она не собиралась настаивать на приезде, но ей хотелось видеть Тану. – Ты ведь не очень хорошо знаешь эту девушку.

– Мама! Я с ней живу в одной комнате. Я знаю ее, как никого другого.

– Но, может, ее родители будут возражать.

– Не будут. Она позвонила им сегодня, и они, по ее словам, пришли в восторг от того, что их дочь привезет с собой подругу. – Еще бы им не быть в восторге! Из сообщения дочери Мириам сделала вывод, что она была права: Шарон приняли в «Грин-Хиллз» благожелательно – даже при том, что она там единственная цветная студентка, и теперь она привезет с собой одну из «них» – несомненное доказательство того, как ей там хорошо. Родители не знали, что Тана была единственной подругой Шарон, что во всем Йолане нет ни одного кафе, где ее могли бы обслужить, что за все время после приезда она ни разу не была в кино и что даже в своем кафетерии студентки ее бойкотируют. Но, как сказала Шарон, если бы даже ее мать и знала все это, это не поколебало бы ее уверенности: место Шарон именно там. «Они» должны допустить к себе негров, это время пришло. Для Шарон это было хорошей встряской, в особенности после событий, происшедших годом раньше, и Мириам считала, что это отвлечет ее и не даст сосредоточиться на своих переживаниях. – Они сказали, что будут мне рады, мам.

– Ну хорошо. Только не забудь пригласить ее к себе

на рождественские каникулы. – Джин улыбнулась. – У меня есть для тебя приятный сюрприз. Мы с Артуром собирались тебе сказать на День Благодарения... – У Таны остановилось сердце: неужели они женятся... Она лишилась дара речи, между тем как ее мать продолжала: – Артур позаботился о том, чтобы ты имела возможность быть представленной нашему обществу вместе с другими дебютантками. Выезд в свет, так сказать. У нас в городе устраивается своего рода котильон[1]... Ну не совсем так, но что-то похожее, и Артур тебя записал. Все-таки ты училась не в простой школе, моя радость, а у миссис Лоусон... Ты включена в число девушек, выходящих в свет. Это чудесно, правда? – Тана не сразу нашлась что ответить. Ей это совсем не показалось чудесным, а главное, что ее убивало: мать снова пресмыкается перед Артуром... А она-то, глупенькая, вообразила, будто он женится на ней. Как бы не так! «Своего рода котильон»... Черти бы его побрали с этим треклятым котильоном! – Почему бы тебе не пригласить на него и свою новую подругу?

Тана задохнулась от неожиданности. «Потому что моя новая подруга – темнокожая», – чуть было не сказала она.

– Я спрошу у нее, но мне кажется, что на каникулы она куда-то уезжает. – Дьявольщина! Ей предназначается роль дебютантки. А кто, интересно, будет ее кавалером? Билли Дарнинг? Этот мерзавец?!.

– Я вижу, ты не в восторге от этого известия, моя радость? – В голосе Джин послышалось разочарование: мало того, что Тана не хочет приехать домой на День Благодарения, она выказывает равнодушие к заботам Артура, понимающего, как много это значит для Джин. Энн начала выезжать четыре года тому назад, ее представили официально на международном балу. Скромный «котильон» в Нью-Йорке, разумеется, не то же самое, но

---

[1] Котильон (от фр. cotillion) – название старинного танца. Здесь – первый бал молодых девушек из богатых семей.

тем не менее он должен запомниться Тане. Это будет чудесно, так, по крайней мере, считала мать Таны.

– Извини, мам. Это так неожиданно...

– Но ведь это приятный сюрприз, правда? – Нет, Тана так не думала. Она всегда была равнодушна к таким вещам, они для нее ничего не значили. Вся эта светская канитель, столь важная для людей из круга Дарнингов, не имела в ее глазах никакой цены. Иное дело ее мать, обожествлявшая Артура уже много лет, с тех самых пор, как влюбилась в него. – Ты должна подумать о том, кто будет тебя сопровождать. Я надеялась, что это сделает Билли. – Сердце у Таны бешено застучало, в груди сделалось больно. – Но он уезжает с друзьями в Европу кататься на лыжах. Счастливчик, он едет в Санкт-Мориц... – «Счастливчик... Он меня изнасиловал, мам...» – Надо подобрать кого-нибудь другого, разумеется, достойного юношу. – Разумеется, достойного... «Сколько насильников имеется среди наших знакомых, мам?»

– Как жаль, что я не могу пойти одна. – Голос Таны на другом конце провода звучал тускло и невыразительно. Джин рассердилась:

– Какие смешные вещи ты говоришь! Ну хорошо, давай прекратим этот разговор! Не забудь пригласить свою подругу, ту самую, к которой ты собираешься поехать на День Благодарения.

– Не забуду! – Тана не удержалась от улыбки. Если бы только Джин Робертс знала, что Шарон – цветная! Что бы с ней было, если бы она увидела их вместе на балу дебютанток, который собирается устроить Артур! Тана почти развеселилась, представив себе такую картину. Но вряд ли можно было воспользоваться услугами Шарон для этой цели: там соберутся нетерпимые, чванливые кретины. Она знала, что даже ее мать не сумеет подняться над их узкими взглядами. – Как ты собираешься провести День Благодарения, мам?

– Обо мне не беспокойся – Артур уже пригласил нас с тобой в Гринвич на весь день.

– Может, без меня ты сможешь остаться и на ночь? –

Ответом ей было гробовое молчание, и Тана пожалела о сказанном. – Прости, мам, я не хотела...

– Нет, ты хотела сказать именно это!

– Положим, но какое это имеет значение? Мне уже восемнадцать лет, я все понимаю... – Перед ее глазами встала огромная серая комната, где... – Извини, если тебе это неприятно.

Джин взяла себя в руки. Конечно, она будет скучать без дочери, но сейчас у нее столько дел, а Тана так или иначе должна приехать домой всего лишь через месяц.

– Будь осторожна и не забудь поблагодарить подругу за приглашение.

Тана невольно улыбнулась: мать напутствует ее, точно семилетнего ребенка. Наверное, так будет продолжаться всю жизнь.

– Я всегда осторожна, мама. Желаю тебе хорошего праздника.

– Спасибо. Я поблагодарю Артура от твоего имени.

– За что?

– За твой дебют. Не знаю, понимаешь ли ты это, но такие вещи очень важны для молодой девушки, а сама я здесь бессильна.

– Важны?.. Для кого важны?

– Ты и понятия не имеешь, что это значит. – Глаза матери жгли слезы обиды. В определенном смысле сбывалась ее мечта: дочь Энди и Джин Робертс, ребенок, которого он никогда не видел, войдет в нью-йоркское общество, пусть не самое высшее, но все равно это очень важно для них обеих... для Таны... и особенно для нее самой, для Джин. Это будет важнейшим событием в ее жизни. Ей припомнился первый бал Энн. Как волновалась тогда Джин, стараясь не упустить ни одной самой незначительной мелочи. Могла ли она думать тогда, что настанет такой день и для ее дочери?

– Извини, мам.

– Извиняю. Мне кажется, ты должна написать Артуру хорошее письмо, рассказать ему, что это значит для тебя.

Тана едва не закричала в трубку: «А что, к дьяволу,

это для меня значит? Что в один прекрасный день я подыщу себе богатого мужа, который улучшит родословную моих детей? Кому это нужно? Подумаешь, великое счастье ехать на этот дурацкий бал, где на тебя будет глазеть толпа пьянчуг! И кто будет меня сопровождать?» Тана недоуменно пожала плечами. За последние два года обучения в школе она ходила на свидания с разными мальчиками; наверное, их было с полдюжины – и ни одного сколько-нибудь серьезного. А после того, что случилось с ней в июне на вечеринке в Гринвиче, она зареклась поддерживать знакомство с кем бы то ни было.

– Мне пора, мам. – Она была не в силах продолжать этот разговор.

В свою комнату она вернулась чернее тучи. Шарон занималась своими ногтями – это было их любимым занятием на досуге. Недавно они испробовали бежевый лак «Соломенная шляпка», производства «Фаберже». Увидев подругу расстроенной, Шарон отставила флакончик с лаком в сторону.

– Она не разрешила?

– Разрешила.

– А почему ты выглядишь словно шарик, из которого выпустили воздух?

– Она это умеет. – Тана устало плюхнулась на свою кровать. – Дьявольщина! Она упросила своего ненаглядного дружка включить меня в список участниц треклятого «выездного бала». Боже мой, Шар! Я чувствую себя как последняя идиотка.

Шарон уставилась на нее, не понимая, потом засмеялась.

– Ты хочешь сказать, Тэн, что тебе предназначается роль дебютантки?

– Что-то вроде этого. – Тана была в полном смятении. – Как она могла? – Девушка застонала, будто от боли. – Ведь это надо же придумать такое!

– Это может быть забавно.

– Для кого?! И какой в этом смысл? Это все равно что аукцион по продаже молодых телок. Тебя одевают в белое платье и выставляют напоказ целой армии алкоголиков, среди которых тебе предстоит найти мужа. Неплохо придумано!

– С кем ты собираешься идти?

– Лучше не спрашивай. Она, естественно, желала бы, чтобы это был Билли Дарнинг, но он, благодарение богу, сейчас в отъезде.

– Считай, что тебе повезло. – Шарон кинула в ее сторону многозначительный взгляд.

– Да уж! Но сама затея представляется мне чудовищным фарсом.

– Вся наша жизнь – фарс, за редкими исключениями.

– Не будь так цинична, Шар!

– А ты не будь так наивна. От этого ты только выиграешь.

– Кто это сказал?

– Я. – Шарон приблизилась к ней и пристально посмотрела на нее сверху вниз. – Ты живешь, точно монахиня.

– Ты тоже так живешь.

– У меня нет выбора. – Том ей больше не звонил. Шарон понимала, что он сделал все, на что был способен, и не ожидала от него невозможного. Ее жизнь в «Грин-Хиллз» была не слишком интересной. – А у тебя он есть.

– Ну и что из этого следует?

– Ты должна начать встречаться с парнями.

Тана посмотрела ей прямо в лицо.

– Нет, только не это! Никто не заставит меня делать то, что мне противно. Мне восемнадцать лет, я свободна, как птица.

– Как хромой утенок, – усмехнулась Шарон. – Тебе пора вылезать из своего гнезда, Тэн.

Ни слова не говоря, Тана прошла в ванную, которую они делили с обитательницами соседней комнаты, заперлась изнутри и включила воду. Прошел целый час, прежде чем она вышла оттуда. Когда они улеглись и потушили свет, Шарон сказала сиплым полушепотом:

– Ты помнишь, что я тебе сказала?

– О чем?

– Что ты должна ходить на свидания.

– А ты?

– Я тоже собираюсь это делать. – Шарон вздохнула. – Возможно, когда поеду домой на каникулы. Здесь мне нет пары. – Вдруг она рассмеялась. – Черт побери, Тэн! На что мне жаловаться? В конце концов, у меня есть ты.

Тана ответила ей улыбкой. Они поболтали немного и погрузились в сон.

На следующей неделе Тана отправилась с ней в Вашингтон. У выхода из вагона их встретил отец Шарон Фримен Блейк. Он произвел на Тану большое впечатление. Это был высокий, породистый мужчина с гордым, красивым лицом, будто вырезанным из красного дерева, и с такими же длинными, как у Шарон, ногами. Он приветствовал приехавших радостной белозубой улыбкой и немедленно заключил дочь в объятия, крепко прижав к груди. Он знал, что этот год дался ей нелегко, что она героически справилась со всеми трудностями. Дочь оправдала его ожидания, и он гордился ею.

– Здравствуй, малышка! Как дела в колледже?

Она отстранилась от него и повернулась к подруге.

– Познакомься с моим отцом, Фрименом Блейком. Папа, это – Тана Робертс, моя подруга по общежитию. Мы с ней живем в одной комнате.

Он энергично потряс руку девушки, буквально загипнотизированной его глазами и звуками его голоса. По дороге он выкладывал Шарон новости: ее мать повысили в должности, ее брат завел новый роман; они перестроили свой дом, у соседей родился ребенок, сам он написал новую книгу. Эта теплая, дружеская беседа тронула Тану до глубины души, и она искренне позавидовала той жизни, которую, судя по всему, вела Шарон у себя дома.

Это впечатление усилилось вечером, когда они сели обедать в уютной, убранной в колониальном стиле столовой. У Блейков был красивый дом с большой лужайкой и задним двором; в гараже стояли три машины. «Кадиллак» со складывающимся верхом водил сам хозяин, невзирая на резкие нападки своих друзей. Он считал, что после стольких лет работы может позволить себе эту шикарную марку, о которой мечтал так давно. Всех четверых членов семьи, по-видимому, связывала тесная дружба. Мириам показалась Тане не просто властной особой: она была умна и настолько прямодушна, что это с непривычки пугало. Казалось, она хочет знать о каждом человеке абсолютно все. Никто не мог избежать ее въедливых вопросов, ее всевидящего взгляда.

– Теперь ты меня поняла? – спросила Шарон после того, как подруги остались одни в комнате наверху. – Когда сидишь вместе с ней за обедом, то чувствуешь себя так, словно тебя привели к присяге и поставили перед судьями в качестве свидетеля.

Мириам хотела знать абсолютно все о том, чем была занята ее дочь эти два месяца; она живо заинтересовалась инцидентом в кинотеатре, куда безуспешно пытались попасть Шарон с Томом, а также тем, что произошло с девушками в кафе.

– Это доказывает, что она все принимает близко к сердцу, Шар.

– Потому она и достает меня. Папа ничуть не глупее ее, но он судит обо всем гораздо спокойнее.

Тана видела, что это так и есть. Он рассказывал за столом изящные истории и анекдоты, заставлявшие всех смеяться; каждый чувствовал себя с ним непринужденно, он был наделен даром сближать людей. Так продолжалось весь вечер, к концу которого Тана решила, что отец ее подруги – самый замечательный человек из всех, кого она когда-либо встречала.

– Он потрясающий мужчина, Шар!

– Я знаю.

– В прошлом году я прочитала одну из его книг. Когда поеду домой, прочитаю все.

– Я тебе их подарю.

– Не иначе как с его автографами! – Они обе рассмеялись.

Минуту спустя в дверь постучала Мириам, которая

пришла узнать, не нужно ли им чего-нибудь. Тана застенчиво ей улыбнулась.

– Здесь есть все, что нужно. Благодарю вас, миссис Блейк.

– Не за что. Мы очень рады, что вы сочли возможным приехать. – Улыбка у нее была еще более ослепительная, чем у дочери, а глаза притягивали к себе и, казалось, знали о вас все; они проникали так глубоко и так уверенно, что это могло испугать. – Как вам понравился «Грин-Хиллз»?

– В общем понравился. Преподаватели там довольно интересные.

Мириам, однако, сразу же уловила, что это было сказано без особого энтузиазма.

– А в частности?

Тана улыбнулась ее проницательности.

– Атмосфера там не такая теплая, как хотелось бы.

– Почему же?

– Трудно сказать. Наверное, потому, что студентки держатся изолированными группами.

– А вы двое?

– Мы постоянно вместе. – Шарон с улыбкой взглянула на Тану, что не укрылось от бдительного взгляда Мириам. Она явно осталась довольна. Тана – сообразительная девочка, и в ней кроются большие возможности, значительно большие, чем думает она сама. Тана умна и находчива, порой остроумна, но вместе с тем осторожна и сдержанна. Когда-нибудь она раскроется, и один господь бог знает, что из нее выйдет.

– Может, в этом и заключаются ваши главные проблемы? Скажите мне, Тана, сколько подруг у вас в колледже?

– Только одна Шарон. Мы никогда не разлучаемся – ни в аудитории, ни в общежитии.

– Вероятно, за это вы и расплачиваетесь. Я уверена, что вам это понятно и самой: если ваша ближайшая подруга – единственная в колледже негритянка, вас обязательно накажут.

– За что?

– Не будьте такой наивной.

– А ты не будь такой циничной, мам! – рассердилась Шарон.

– Вам обеим пора взрослеть.

– Что ты хочешь этим сказать? – накинулась на нее дочь. – Проклятье, мам, я не успела провести дома и девяти часов, как ты уже тут как тут со своими проповедями и «крестовыми походами».

– Я вовсе не хочу читать вам мораль, просто я хочу, чтобы вы смотрели фактам в лицо. – Она оглядела девушек. – От них никуда не денешься, мои дорогие! В наше время не так-то просто быть цветным или другом цветного. Это нужно четко себе представлять и быть готовым расплачиваться за ваши дружеские отношения, если они будут продолжаться.

– Неужели нельзя хоть один раз обойтись без политических лекций, мам?

Мириам посмотрела на дочь, потом перевела взгляд на ее подругу.

– Я хочу попросить вас об одном одолжении, прежде чем вы вернетесь в колледж: в воскресенье в Вашингтоне будет выступать с речью один человек, самый изумительный оратор из всех, кого я знаю. Его зовут Мартин Лютер Кинг. Я хочу, чтобы вы пошли вместе со мной послушать его выступление.

– Зачем? – недоуменно спросила Шарон.

– Это нечто такое, чего ни одна из вас никогда не забудет.

Когда они ехали обратно в Южную Каролину, Тана не переставала думать об этом. Мириам Блейк была права: доктор Кинг оказался самым мудрым и самым вдохновенным оратором, каких ей доводилось слышать. В сравнении с ним все остальные выглядели недалекими слепцами. Прошел не один час, прежде чем она смогла заговорить о своих впечатлениях. Он говорил простые слова о том, что значит быть черным или дружить с черным, о гражданских правах, о всеобщем равенстве; а потом они запели все вместе, взявшись за руки и раскачиваясь в такт пению.

Спустя час после их отъезда из Вашингтона Тана взглянула на подругу.

– Это было потрясающе, правда?

Шарон коротко кивнула.

– Знаешь, мне кажется, я делаю глупость, возвращаясь в колледж. Я чувствую в себе потребность делать что-то более важное. – Она откинулась на спинку сиденья и закрыла глаза.

Тана вглядывалась в темноту за окном поезда, увозящего их на Юг. Это обстоятельство придавало словам оратора еще больший вес: здесь, на Юге, людей мучили, третировали, оскорбляли. Потом она подумала про вечер дебютанток, о котором так пеклась ее мать. Эта мысль показалась ей несовместимой с предыдущими мыслями: они были диаметрально противоположны и не могли уместиться в голове одновременно. Почувствовав на себе ее взгляд, Шарон открыла глаза.

– Что ты собираешься делать? – спросила Тана. После такой речи нельзя было сидеть сложа руки – это казалось просто немыслимым. Даже Фримен Блейк соглашался с этим.

– Пока не знаю. – У Шарон был усталый вид. С самого момента отъезда из Вашингтона она думала о том, что она в состоянии сделать, чтобы помочь своим единомышленникам, находясь здесь, в «Грин-Хиллз». – А ты?

– Не знаю, – Тана вздохнула. – То, что в моих силах, я думаю. Но после речи доктора Кинга я поняла одно: этот бал, куда меня тянет моя мать, – глупейшая вещь на свете.

Шарон улыбнулась. Возразить на это нечего, однако все имеет две стороны. Нельзя забывать и о человеческом в человеке, каким бы мелким оно ни казалось.

– Тебе это будет полезно, Тэн.

– Сомневаюсь. – Девушки обменялись понимающими улыбками.

Поезд доставил их в Йолан, где они взяли одно из двух имеющихся в городе такси, доставившее их в «Грин-Хиллз».

Глава 6

Двадцать первого декабря около двух часов пополудни поезд подкатил к платформе «Пенсильвания стейшн». Падал легкий снежок, и все было немного феерическим, как и полагалось в канун Рождества. Тана собрала свои вещи и пробилась сквозь вокзальную толпу наружу, где взяла такси. При одной мысли, что она едет домой, ею овладело уныние. Это было несправедливо по отношению к Джин, и она чувствовала себя виноватой перед матерью, однако Тана предпочла бы теперь оказаться в любом другом месте, только не на пути к дому. Ее тяготило предстоящее участие в «выездном вечере». Она знала, как вдохновляет эта перспектива ее мать. Последние две недели она звонила Тане почти каждый вечер, передавая малейшие подробности о гостях, о цветах, об убранстве стола, о ее кавалере и ее наряде. Джин ездила к «Саксу», чтобы купить дочери белое платье. Оно было шикарным: тончайший шелк отделан атласом, а по подолу вышиты бисером некрупные белые цветы. Стоило оно безумно дорого, но Артур велел ей записать расходы на его счет.

– Он так добр к нам, мое солнышко.

Сидя в такси с закрытыми глазами, Тана почти воочию видела выражение материнского лица, когда она произносит эти слова. Ну почему... почему она так безгранично благодарна ему все время? Что такого он для нее сделал? Разве что позволял работать на него не покладая рук, заставлял ждать его столько раз понапрасну... Еще когда Мери была жива и после... И даже теперь он для нее на первом месте. Если он так любил Джин, то какого дьявола не женился на ней? Эти мысли нагоняли на Тану тоску. Все это была одна сплошная комедия с участием ее матери и Артура... Дарнинги были так «добры» к ним обеим, особенно Билли... Завтра ей придется идти на этот треклятый вечер. Она пригласила молодого человека, с которым была знакома уже давно; он ей никогда не нравился, но это было то, что надо для такого случая. Его звали Джордж Чандлер Третий. Раньше она бывала с ним на танцах – раз или два, – и он нагонял на нее смертную скуку. Но Джин – Тана в этом не сомневалась – будет довольна ее выбором. Ей предстоит веселенький вечер, и поделать с этим ничего нельзя. Главное, что ее кавалер – безобидный и вышколенный молодой человек – не позволит себе ничего непристойного.

Когда Тана вошла в квартиру, там было темно: Джин еще не вернулась с работы. Включив свет, она огляделась вокруг: все по-прежнему, только меньше размерами и мрачнее. Тана устыдилась своих мыслей. Она знала, каких героических усилий стоило ее матери содержать приличный дом для них обеих, какой ценой ей это удавалось. Однако теперь все выглядело другим в глазах Таны, как если бы она сама подспудно изменилась и уже не подходила к прежним условиям. Она поймала себя на том, что вспоминает комфортабельный дом Блейков в Вашингтоне, в котором чувствовала себя так хорошо: не такой претенциозный, как дом Дарнингов, но уютный и теплый – настоящий дом для всех членов семьи. Она скучала по ним, особенно по Шарон. Они ехали вместе до Вашингтона, где Шарон сошла с поезда. Тана смотрела ей вслед, испытывая такое чувство, что теряет лучшую подругу; Шарон обернулась, чтобы улыбнуться ей широкой улыбкой и помахать на прощание рукой; она скрылась из виду, а поезд пошел дальше, на Север. И вот Тана сидит у себя в комнате и смотрит на свои сумки, готовая расплакаться.

– Кто это там приехал? Моя дорогая девочка? – хлопнула входная дверь, и раздался радостный возглас Джин. Тана испуганно оглянулась: что, если мать прочла ее мысли и узнала, как неуютно она себя здесь чувствует? Но Джин ничего этого не замечала: перед ней была любимая ею дочь, которую она заключила в объятия и прижала к груди. Потом отступила назад и оглядела Тану. – О, да ты прекрасно выглядишь!

Сама Джин выглядела не хуже: щеки ее разрумянились от мороза, на кончиках волос осел иней; на Тану смотрели огромные темные глаза. Не в силах сдержать нетерпение, она прямо в пальто побежала в свою спальню и вышла оттуда с платьем Таны в руках; оно было поистине роскошным: тончайший шелк ниспадал мягкими складками с обтянутых атласом мягких плечиков, которые Джин дали в магазине вместе с платьем. Оно смотрелось как свадебное, и Тана не смогла сдержать улыбку.

– А где же вуаль?

Мать улыбнулась ей в ответ.

– Как знать? Может, скоро понадобится и она.

Тана засмеялась и покачала головой:

– Давай не будем с этим спешить. Мне еще только восемнадцать.

– Это ничего не значит, моя радость. Завтра ты можешь встретить мужчину своей мечты. Ничего нельзя сказать заранее.

Тана смотрела на мать, не веря своим ушам: что-то в глазах Джин заставляло думать, что она говорит вполне серьезно.

– Ты в самом деле так думаешь, мам?

Джин Робертс улыбнулась: так чудесно снова видеть Тану. Она приложила к дочери платье, заранее зная, что оно будет смотреться на ней превосходно. Сплошной восторг!

– Ты красивая девушка, Тэн, и где-то есть мужчина, который будет счастлив назвать тебя своей женой.

– Но разве ты не боишься, что я повстречаю его уже теперь?

– Почему я должна бояться? – Она, похоже, не поняла того, что сказала дочь. Тана была потрясена до глубины души. – Но мне еще только восемнадцать лет! Разве ты не хочешь, чтобы я продолжала учиться и встала на ноги?

– Но ты сейчас учишься.

– Это только начало, мам. Когда я закончу двухгодичный колледж, я буду учиться дальше, чтобы приобрести специальность.

Джин нахмурила брови.

– Что плохого в том, чтобы выйти замуж и рожать детей?

— Так вот к чему все идет! — Тане чуть не сделалось дурно. — Ваш «выездной бал» не что иное, как вывеска! На самом же деле это аукцион по продаже рабынь.

Джин Робертс казалась шокированной.

— Тана! Какие ужасные вещи ты говоришь!

— Я знаю, что говорю! Молодые девушки выстроятся в ряд, приседая, точно идиотки, а мужчины будут на них глазеть. «Ну-с! — Она прищурилась, будто разглядывая девушек в лорнет. — Давайте посмотрим. Я, пожалуй, возьму вон ту...» — Тана снова раскрыла глаза, вид у нее был расстроенный. — Черт побери, неужели к этому сводится вся наша жизнь?

— Сколько бы ты ни паясничала, мне ты ничего не докажешь. Это — красивая традиция, значащая для всех очень многое. — «Нет, мам, она ничего не значит, во всяком случае для меня... Это нужно только тебе», — вихрем пронеслось в ее мозгу, но она не сказала этого вслух: Джин показалась ей такой несчастной. — Почему ты все усложняешь, Тэн? Энн Дарнинг начала выезжать четыре года тому назад. Она прекрасно провела время на том балу.

— Рада за нее. Но я — не она. Энн сбежала в Италию с каким-то кретином, от которого ее отцу пришлось потом откупаться, — припомнила Тана.

С тяжелым вздохом Джин опустилась на стул, не сводя глаз с дочери. Они не виделись целых три месяца, и теперь она чувствует растущее напряжение в отношениях с дочерью.

— Почему бы тебе просто не расслабиться и не повеселиться, Тэн? Кто знает, может, ты повстречаешь там человека по душе?

— Но я не хочу «повстречать человека по душе»! И мне вовсе не хочется туда идти.

Глаза Джин наполнились слезами.

— Я... мне только хотелось... мне так хотелось, чтобы у тебя...

Тана не могла видеть ее такой. Она встала на колени и приникла к матери.

– Прости, мам! Я была не права... Я уверена, что это будет чудесно.

Джин улыбнулась сквозь слезы и поцеловала дочь в щеку.

– А я уверена лишь в одном, моя радость: ты будешь завтра красивой.

– В таком платье просто невозможно не быть красивой. Ты, наверное, выложила за него целую кучу денег. – Тана была тронута и в то же время подумала, что это – напрасная трата: лучше бы она купила дочери что-нибудь на каждый день, чтобы ей не приходилось все время одалживать вещи у Шарон.

Джин, однако, сказала с улыбкой:

– Это подарок от Артура, мое солнышко.

Тану это неприятно поразило: еще один повод для благодарности! Она так устала от Артура и от его благодеяний.

– Зачем он это сделал? – Тана явно не была в восторге от его щедрости, а Джин не могла понять причины такого прохладного отношения к подарку. Впрочем, Тана всегда ревновала мать к любовнику.

– Он хотел, чтобы тебе было в чем пойти на бал. Смотри, какая прелесть!

Платье и впрямь было прелестное. Когда на следующий вечер Тана надела его и встала перед зеркалом со взбитыми и поднятыми кверху волосами – точь-в-точь как у Жаклин Кеннеди, фото которой Джин видела на обложке журнала мод, – она выглядела как златокудрая и зеленоглазая принцесса из сказки. Джин не могла удержаться от счастливых слез: ее дочь была само совершенство.

Некоторое время спустя за ними заехал Джордж Чандлер, и они втроем отправились на бал. Артур сказал, что постарается быть, но у него назначена на этот вечер деловая встреча. В любом случае он «сделает все возможное» – так сказала дочери Джин, когда они ехали в такси. Тана промолчала, а про себя отметила эту типичную для него фразу, за которой ничего не стояло. Он говорил так в течение многих лет – на Рождество, на День

Благодарения, на день рождения Джин. На практике это обычно означало, что он не приедет, а пришлет цветы, телеграмму или письмо с поздравлениями. Тана помнила, какое удрученное бывало в таких случаях у матери лицо, но сейчас Джин была слишком воодушевлена предстоящим событием, чтобы переживать из-за Артура. Сегодня она напоминала хлопотливую наседку. Все матери сгрудились в одном конце длинного бара, в другом его конце собрались отцы. Среди приглашенных были старые друзья и доброжелатели богатых домов. Однако большую часть зала заполняла молодежь в возрасте Таны. Девушки были в розовых, красных либо ярко-зеленых шелковых платьях, и лишь немногие могли похвастаться белыми нарядами, купленными специально для этого случая. Это была разношерстная толпа упитанных девушек с круглыми лицами и широкими талиями. Тана выигрывала на фоне своих ничем не примечательных сверстниц: высокая и стройная, она, не в пример остальным, держалась независимо и гордо.

Джин наблюдала за дочерью, стоя в другом конце зала. Но вот где-то в середине вечера наступил торжественный момент: началась церемония представления. Девушки проходили одна за другой перед гостями и, придерживая длинные юбки, делали книксен. Их вели под руку отцы. Джин даже расплакалась от гордости за дочь. Втайне она надеялась, что Тану может представить Артур, но он, конечно же, не смог выбраться. Он и так сделал для них слишком много, Джин не могла рассчитывать на большее. Порозовевшая от волнения Тана вышла, опираясь на руку Джорджа Чандлера. Изящно присев, она поклонилась гостям, опустила глаза и исчезла в толпе дебютанток. Вновь заиграла музыка и начались танцы. Все было позади – официальное представление Таны состоялось. Она оглядела зал, чувствуя себя в глупейшем положении. Не было ни воодушевления, ни радостного возбуждения, ни романтической дрожи в позвоночнике. Она исполнила желание матери, больше от нее ничего не требовалось. Начавшаяся неразбериха дала ей возможность затеряться на какое-то время в толпе. Чандлер, похоже, по уши влюбился в улыбчивую рыжеволосую толстушку в замысловатом платье из белого бархата, и Тана благоразумно устранилась, позволив ему добиваться расположения предмета своей страсти. Она прошла в альков и со вздохом облегчения села в стоявшее там кресло, закрыв глаза, благодарная уже за то, что не видит толпу танцующих, своего «кавалера», которого она терпеть не могла, слез радости в глазах своей покинутой в одиночестве матери. Подумав о Джин, она снова вздохнула и вдруг услышала над собой мужской голос, заставивший ее вздрогнуть от удивления и испуга.

– Скучаем, красавица? – Тана подняла веки: перед ней стоял высокий темноволосый юноша с почти такими же зелеными глазами, как у нее самой. Его манеры были свободными, если не развязными – это чувствовалось в небрежной прическе, в кое-как завязанном черном галстуке, в том, как он держал стакан с виски, и во всей его непринужденной позе; он стоял и смотрел на нее сверху вниз с полунасмешливой улыбкой. – И кто только придумал этот маскарад? – Во взгляде его изумрудных глаз каким-то непостижимым образом сочетались насмешка и восхищение.

Тана неуверенно кивнула ему в ответ и неожиданно для себя рассмеялась.

– Вы меня напугали. – Она с улыбкой взглянула ему в глаза: у нее было такое ощущение, что она его где-то встречала. – Что вам сказать? Это было нечто.

– Вы правы. Выставка-продажа скота. Я посещаю их каждый год.

Тане, однако, показалось, что, несмотря на свой глубокомысленный вид, он слишком молод и вряд ли успел приобрести большой опыт в таких делах.

– И давно вы к этому приступили?

Он хитро усмехнулся, будто уличенный во лжи мальчишка.

– Собственно говоря, сегодняшний бал должен был быть первым, но в прошлом году меня по ошибке пригласили на котильон и на все другие «выездные вечера». – Он комично закатил глаза. – Боже мой, какая это была скучища! – Окинув ее оценивающим взглядом, он прихлебнул из своего стакана. – А вы как попали сюда, принцесса?

Она весело улыбнулась ему.

– В такси.

– У вас прекрасный кавалер. – Он снова саркастически усмехнулся, и она невольно засмеялась. – Вы с ним уже помолвлены?..

– Боже упаси!

– Это доказывает, что вы не лишены минимального здравого смысла. – Он говорил в ленивой аристократической манере, нехотя цедя слова. Казалось, он готов иронизировать над всем и вся. Тана была очарована: в нем чувствовалось что-то дерзкое и вызывающее. При том, что он был богато и модно одет, его манеры могли показаться шокирующими, и это идеально подходило к ее настроению.

– Так вы, стало быть, знаете Чандлера?

Юноша снова усмехнулся.

– Мы с ним учились два года в одном и том же интернате. Джордж неподражаемо играет в гандбол и неплохо смотрится на теннисном корте; он не самый классный игрок в бридж; по математике, истории и биологии он, помнится, не блистал. Между ушей у него полная пустота.

Тана не удержалась от смеха. Она и сама не симпатизировала Чандлеру, а этот незнакомец обрисовал его с беспощадной хирургической точностью.

– Нарисованный вами портрет очень похож на оригинал. Вы наблюдательны, хотя и не слишком любезны.

– Мне не платят за любезности. – Он шаловливо улыбнулся и снова прихлебнул виски. Его глаза остановились на ее бюсте и тонкой талии.

– А за что вам платят?

– Пока, собственно, мне не платят ни за что. – На этот раз его улыбка была благожелательной. – И, бог даст, не будут платить.

– Где вы учитесь?

Он наморщил лоб, словно силясь припомнить что-то

важное, потом уставился на нее с совершенно идиотским видом.

— Вот беда... Я, кажется, запамятовал. — Он виновато улыбнулся, а Тана меж тем гадала, что бы это могло означать. Может, он не учится ни в каком колледже? Впрочем, это на него как будто не похоже. — А вы?

— В «Грин-Хиллз».

Он высоко поднял бровь, по лицу его снова скользнула озорная улыбка.

— Как это аристократично! И на чем же вы специализируетесь? Изучаете историю рабовладельческих плантаций или способы заварки чая?

— И то и другое, — не переставая смеяться, она встала с кресла. — По крайней мере, я учусь. Не то что некоторые.

— Это займет у вас два года. А что потом, принцесса? Может, то, ради чего вы приехали сегодня сюда? Охота на мужа номер один? — Он поднес руку ко рту, делая вид, что говорит в мегафон. — Всем кандидатам в мужья предлагается встать вдоль задней стены зала! Все здоровые, белые, молодые самцы, имеющие соответствующую родословную, берут в правую руку диплом об образовании, полученном их папашами. Нам надо также знать название школы, где вы учились, группу крови, умеете ли вы водить автомобиль, размеры вашей доли имения и как скоро вы вступите во владение ею... — Тана покатывалась со смеху, а он уже спрашивал конфиденциальным шепотом: — Вы уже подобрали себе женишка? Или вы безумно влюблены в Джорджа Чандлера?

— По самые уши, — ответила она ему в тон и медленно направилась в танцевальный зал.

Он пошел за ней следом. Заметив, что на другой стороне зала ее «кавалер» целует свою рыженькую толстушку, он повернулся к Тане и мрачно проговорил:

— У меня есть для вас печальная новость, принцесса: вам угрожает измена.

Она посмотрела в его зеленые глаза и пожала плечами.

— Тогда у нас с ним все кончено! — В ее глазах прыгали смешливые чертики. Какое ей дело до Джорджа Чандлера?

– Хотите потанцевать?

– С удовольствием.

Он обнял ее за талию и ловко ввел в круг танцующих. В нем была практичность и уверенность в себе, не свойственная людям его возраста. Тану не оставляло ощущение, что она его где-то видела. Но где? После первого танца он спросил:

– Между прочим, как вас называть, принцесса?

– Тана Робертс.

– А меня зовут Гарри. – Он вдруг отвесил ей низкий шутовской поклон. – Гаррисон Уинслоу Четвертый, если вам угодно. Но Гарри вполне достаточно.

– Наверное, я должна быть польщена? – Разумеется, она была под впечатлением услышанного, но ни за что на свете не согласилась бы это показать.

– Только в том случае, если вы регулярно читаете газетные колонки, посвященные хронике светской жизни. Гаррисон Уинслоу Третий, мой родитель, занимается тем, что валяет дурака в разных столицах планеты, чаще всего в Париже и Лондоне, иногда, если есть время, заезжает в Рим, в Санкт-Мориц, Мюнхен, Берлин. Когда нет другого выбора, наведывается в Нью-Йорк, чтобы выдержать очередное сражение с опекунами, которым моя бабушка вверила довольно-таки недурное имение. Однако он не слишком любит Штаты, а точнее – меня. – Он рассказывал это скучным, монотонным голосом, а Тана безуспешно пыталась угадать, что происходит у него в душе. – Моя мать умерла, когда мне было четыре года. Я ее совсем не помню, только иногда всплывет что-то такое, почти неуловимое... запах духов, смех на лестнице, когда они с отцом уезжали куда-нибудь в гости или в ресторан; чье-то платье, вдруг навевающее воспоминания... Она покончила самоубийством. «Женщина с крайне неустойчивой психикой, – так говорила о ней моя бабушка, – но очень недурна собой». С тех пор мой бедный отец зализывает свои раны... Я забыл упомянуть еще Монако и Антильские острова – там он тоже зализывает раны. Разумеется, не один, а с помощницами. В Лондоне имеется постоянная помощница, он останавливается у нее регулярно; есть очень красивая помощница в Париже... Еще с одной он любит ездить в горы покататься на лыжах; еще есть китаянка в Гонконге. Раньше он брал меня с собой – я тогда еще не учился, но потом оказалось, что со мной трудно ладить, и он стал ездить один. – Его глаза внезапно затуманились. – Вот такие дела... По крайней мере, – он снова глянул на нее ясными глазами и цинично улыбнулся, – теперь вам известно, что собой представляет Гаррисон Уинслоу или хотя бы один из них.

– А вы сами? – негромко спросила она. В ее глазах была грусть. Он рассказал ей больше, чем хотел рассказать: четвертая порция виски развязала ему язык, хотя и не помешала танцевать с обычной уверенностью. Он не жалел о своей откровенности: все в Нью-Йорке знали, кто такие Гарри Уинслоу, отец и сын... – Вы такой, как он? – Она сомневалась в этом: он просто не мог успеть развить в себе такие качества. На вид он казался лишь немногим старше ее.

Он беспечно повел плечами.

– Я стараюсь походить на него. – И снова улыбнулся. – Будьте осторожны, красавица! – С этими словами он схватил ее в охапку и снова потащил в круг.

Тана увидела, что за ними наблюдает ее мать. Джин не спускала с них глаз, потом стала наводить справки о кавалере дочери. Полученная информация ее не разочаровала.

– Вы часто встречаетесь с отцом? – У Таны не шли из головы слова юноши, тогда как он легко кружил ее по паркету. Его жизнь показалась ей одинокой... интернат... потеря матери в возрасте четырех лет... распутник-отец, мечущийся по свету в поисках сексуальных радостей...

– Не слишком. У него нет на меня времени. – На какие-то секунды он показался Тане маленьким мальчиком, и ей стало его жаль. Однако он поспешил перейти в наступление. – А вы кто такая, Тана Робертс? Я ничего о вас не знаю, если не считать того, что вы не умеете выбирать ухажеров. – Он взглянул в сторону Чандлера, со страшной силой прижимающего к себе свою маленькую рыжеволосую партнершу, и оба весело рассмеялись.

– Мне восемнадцать лет, незамужняя, учусь в «Грин Хиллз».

– Господи! Как это скучно. А любовники?

Ее лицо сделалось непроницаемым, будто захлопнулась некая дверь. Он не оставил это без внимания.

– Их нет.

– Успокойтесь, я не имел в виду Чандлера. – Она немного расслабилась. – Хотя, признаюсь, с ним тягаться трудно. – Бедный малый! Они оба потешались над ним; он был самым тупым созданием, каких она когда-либо знала, и постоянной мишенью насмешек своих одноклассников. – Что остается? Родители? Незаконнорожденные дети? Любимые собачки? Подруги? Хобби?.. Стойте! – Он похлопал рукой по карманам, будто ища что-то. – У меня должна быть анкета... – Оба расхохотались. – Все вышеперечисленное? Или ничего?

– Только мама. Никаких собачек. Никаких незаконнорожденных детей.

Он явно опечалился.

– Вы меня разочаровали: я думал, что вы способны на большее. – Музыка начала затихать, и Гарри огляделся вокруг. – Здесь становится скучно. Может, махнем куда-нибудь поужинать и выпить?

Она улыбнулась.

– Я не прочь. А Чандлера тоже возьмем с собой?

Гарри изящно поклонился.

– Предоставьте это мне.

Он куда-то исчез, но скоро вернулся. На лице его играла свирепая улыбка.

– О боже! Что вы с ним сделали?

– Я ему сказал, что его флирт с этой рыжей девкой вас ужасно расстроил и что я везу вас к психиатру...

– Вы так не сказали!

– Именно так! – Он принял упрямый вид, но не выдержал и расхохотался. – Собственно говоря, я ему сказал, что вы теперь прозрели и предпочли ему меня. Он передал вам поздравления с удачным выбором и сбежал вместе со своей толстухой.

Как было на самом деле, Тана знать не могла, но она видела, что Чандлер с сияющим лицом помахал им рукой, прежде чем скрыться с другой дебютанткой. Тут все было в порядке.

– Я должна сказать матери, что мы уходим. Вы не возражаете?

– Ничуть. Впрочем, я, конечно же, возражаю, но боюсь, что у меня нет выбора.

Когда Тана знакомила его с Джин, он держался как истый джентльмен и произвел нужное впечатление, к большому удовольствию Таны. Они ушли, а мать поехала домой одна, жалея, что не было здесь Артура: то-то бы он поглядел на Тану и порадовался за нее. Вечер удался на славу, и Тана, вне всякого сомнения, хорошо повеселилась. Она ушла вместе с Гарри Уинслоу Четвертым. Джин знала, кто он такой, во всяком случае ей было известно это имя.

– А что делает ваш отец? – Гарри вытянул ноги, развалившись на сиденье такси.

Перед этим он назвал водителю адрес ресторана «21» – он предпочитал его другим заведениям, когда жил в Нью-Йорке. На Тану это произвело впечатление. С ним ей было намного интереснее, чем с Джорджем Чандлером. Она уже давно ни с кем никуда не выходила и даже успела забыть, как это бывает. Ее спутники никогда не были такими, как Гарри. Обычно они всей компанией отправлялись в пиццерию, где-нибудь на Второй авеню. Было это еще до выпускного вечера... до Билли Дарнинга...

– Мой отец погиб на войне, когда я еще не родилась.

– Это было мудро с его стороны: тем, кто был искалечен, мучиться всю жизнь тяжелее. – Это навело Тану на мысль о его матери, покончившей с собой, но она так и не решилась спросить его о причине самоубийства. – Ваша мать не вышла замуж вторично?

– Нет. – Немного поколебавшись, Тана продолжала: – У нее есть друг. – Гарри казался ей человеком, которому можно рассказать об этом. Было у него в глазах нечто такое, что располагало к нему и внушало доверие. Он все воспринимал как надо.

– Ее друг женат?

Она густо покраснела, но он, к счастью, этого не заметил.

– Что заставляет вас так думать?

– Природная сметка, я полагаю. – Он переходил всякие границы. У Таны могло бы появиться желание дать ему пощечину, если бы не мальчишеская бесшабашность, которая делала его столь привлекательным в ее глазах. Его дерзость была столь откровенной, что сердиться было невозможно. – Я угадал?

При других обстоятельствах она не призналась бы в этом ни одному человеку, но тут не устояла.

– Да. Вернее, был женат раньше. Вот уже четыре года, как он овдовел, а жениться... не хочет. У него есть себялюбивый сынок, настоящий подонок. – Тана еще никогда не употребляла таких сильных выражений в беседе с посторонним лицом. Даже с Шарон она себе этого не позволяла.

Гарри, однако, не моргнул и глазом.

– Мужчины почти все такие. Видели бы вы моего предка! Его путь усеян безутешными жертвами, он меняет женщин как перчатки – только затем, чтобы не потерять форму.

– Неужели он такой неотразимый?

– Вовсе нет. Но он думает только о себе. Неудивительно, что мама решилась на самоубийство. – Он не мог простить отцу ее смерть. Когда Тана это поняла, ее сердце сжалось от сочувствия.

Такси подкатило к подъезду ресторана, Гарри заплатил, и они вышли. Через несколько секунд они окунулись в праздничную атмосферу фешенебельного ресторана. Тана была здесь лишь однажды, когда они с матерью отмечали окончание ею школы. Ей понравились игрушки, подвешенные над стойкой, изысканно одетая публика, в которой Тана сразу узнала двух кинозвезд. Метрдотель, увидев Гарри, расплылся в приветливой улыбке и направился в их сторону – он был, судя по всему, безмерно рад видеть своего завсегдатая. Они немного задержались у стойки и направились к своему столику. Гарри заказал себе бифштекс с кровью, а Тана – яичницу. Они выпили шампанского.

Вдруг он заметил, что лицо Таны омрачилось. Она смотрела в противоположную часть зала, где за столиком явно не скучала веселая компания во главе с немолодым уже человеком, сидевшим в обнимку с молодой девушкой. Проследив направление ее взгляда, Гарри похлопал Тану по руке.

– Старая любовь, как я догадываюсь? – Он был удивлен: его спутница была не похожа на тех девчонок, которые охотятся за богатыми стариками.

– Во всяком случае, не моя.

Он мгновенно понял ситуацию.

– Друг твоей матери?

– Он ей сказал, что пойдет на деловой обед.

– Может, это так и есть.

– Не думаю. – Она обратила на Гарри жесткий взгляд. – Больше всего меня бесит, что мать считает его непогрешимым. Для него всегда находятся оправдания. Она сидит целыми вечерами одна и ждет его. Чаще всего он не приходит, а она все равно испытывает к нему благодарность.

– Как долго они вместе?

– Двенадцать лет.

Он присвистнул.

– Ничего себе!

Тана бросила в сторону Артура враждебный взгляд. «Он, видать, не отказывает себе ни в чем». Эта сцена заставила ее вновь вспомнить о Билли. Она отвернулась, чтобы не видеть пирующих, однако Гарри успел заметить выражение боли в ее глазах.

– Не принимайте это близко к сердцу, принцесса, – мягко сказал он.

Тана повернулась и посмотрела на Гарри.

– Это ее дело. Не мое.

– Умница! Только не надо забывать об этом. Каждый волен сам распоряжаться своей судьбой. – Он улыбнулся. – А вы так и не ответили на мои нескромные вопросы. Что вы собираетесь делать после окончания колледжа?

– Не знаю. Может быть, поступлю в Колумбийский университет. Я хочу учиться дальше.

– Перспектива выйти замуж и завести четырех деток вас не устраивает? – Оба весело рассмеялись.

– Покорно благодарю, хотя это – голубая мечта моей мамочки. – Она взглянула на него с новым любопытством. – А вы? Где все-таки вы учитесь?

Он поставил свой бокал и вздохнул.

– В Гарвардском университете. Это звучит немного претенциозно, не так ли? Потому вам и не захотел сказать сразу.

– Это правда?

Он усмехнулся.

– К несчастью, да. Однако я не теряю надежды вылететь оттуда к концу учебного года и прилагаю к этому все усилия.

– Не верю. Если бы вы были слабым учеником, вы бы не смогли туда поступить.

– Как это не смог бы поступить? Это абсурд! Я – Уинслоу, моя дорогая! Такие, как мы, всегда поступают. Собственно говоря, этот университет построен на наши деньги.

– Ясно. – Его слова произвели сильное впечатление. – Тем не менее вы не хотите там учиться?

– Не очень. Я хотел уехать куда-нибудь на Запад: в Стэнфорд или в Калифорнийский университет, но у моего отца это что-то вроде идеи фикс. Переубеждать его не имело смысла, вот я и поступил. А теперь валяю дурака, вынуждая своих профессоров раскаиваться в том, что они меня приняли.

– Похоже, вы для них не подарок, – засмеялась Тана.

Она заметила, что Артур и его компания только что ушли. Он ее не видел, и она не знала, радоваться этому или нет.

– Вы должны приехать ко мне туда как-нибудь. Ну, скажем, во время весенних каникул.

Она засмеялась и отрицательно покачала головой.

– Не думаю, что это возможно.

– Вы мне не доверяете? – Гарри искренне удивился. В эту минуту Тана увидела в нем вполне зрелого молодого человека со светскими манерами.

– Честно говоря, нет. – Она прихлебнула шампанского, и оба рассмеялись. Она была настроена на веселый лад, ей было хорошо с ним. Впервые за долгое время она встретила парня, который ей нравился. Просто как друг. Он был остроумен, с ним можно было посмеяться; ему она могла открыть то, что не могла сказать никому другому, кроме Шарон. Вдруг ей пришла в голову идея.

– Я могу приехать, но не одна.

– А с кем? – подозрительно спросил он.

– С подругой по общежитию. – Она рассказала ему о Шарон Блейк. Он был заинтригован.

– Дочь Фримена Блейка? Это меняет дело. Она и в самом деле такая замечательная, как вы ее расписываете?

– В сто раз лучше. – Тана рассказала ему, как они с Шарон ходили в йоланское кафе, где их не стали обслуживать; потом рассказала про лекцию Мартина Лютера Кинга. Он слушал с видимым интересом.

– Я хотел бы ее увидеть. Вы действительно думаете, что сможете приехать с ней в Кембридж этой весной?

– Это не исключается, но я должна спросить у нее.

– Разве вы с ней срослись, как сиамские близнецы? – Он оглядел ее критическим взором. Это была одна из самых симпатичных девушек, каких он когда-либо знал. Ради того, чтобы повидать ее лишний раз, он был согласен на все. Пусть она привозит с собой кого ей угодно.

– Вроде того. Я ездила к ним в Вашингтон на День Благодарения и хочу сделать ответное приглашение.

– Но почему бы вам не пригласить ее сюда?

Последовала долгая пауза, после чего Тана подняла на него глаза.

– Мою мать хватит удар, если она узнает, что Шарон цветная. Я рассказываю ей все, кроме этого.

– Чудно! – засмеялся Гарри. – Не помню, говорил ли я вам, что моя бабушка со стороны матери была темнокожая? – Это было сказано с такой серьезностью, что она почти поверила. Гарри не выдержал и рассмеялся, а она сделала обиженное лицо.

– Ничего себе, шуточки!.. Приходите к нам в гости, Гарри.

– Но я хочу, чтобы вы были моей гостьей.

Он позвонил ей на следующий день, чтобы пригласить ее через два дня на ленч. На Рождество мать с дочерью остались вдвоем.

– Это звонил тот самый молодой человек, с которым ты познакомилась вчера? – Было субботнее утро, и Джин читала, лежа в постели. Артур не звонил со вчерашнего дня, и она умирала от нетерпения рассказать ему о том, как прошел бал. Однако Джин не решалась его побеспокоить, ей приходилось ждать, когда он позвонит сам – так повелось еще при жизни его жены. Ко всему прочему, он, наверное, занят рождественскими заботами, своими детьми.

– Тот самый, – ответила ей дочь.

– Он показался мне симпатичным.

– Не только тебе.

Тана, однако, знала, что критерии оценки у них с матерью разные. Гарри может быть язвительным и непредсказуемым, он слишком много пьет и, судя по всему, испорчен воспитанием. Однако накануне он вел себя вполне прилично, когда проводил ее до дому: просто пожелал ей доброй ночи – и ничего больше. Напрасно она нервничала из-за этого. Когда он через два дня зашел за ней перед ленчем, на нем был блейзер с галстуком и серые брюки. Но стоило им спуститься вниз, как он нацепил роликовые коньки, клоунскую шляпу и повел себя как сумасшедший. Так и ехал по улицам города, а она покатывалась со смеху, глядя на его проделки.

– Гарри Уинслоу, вам известно, что вы спятили?

– Да, мадам! – отвечал он с идиотской ухмылкой, косясь на нее глазами.

Так, на коньках, он и въехал в «Дубовый зал», где они собирались позавтракать. Метрдотель был не в восторге, но он знал посетителя в лицо и не решился его остановить. Гарри заказал бутылку шампанского и мгновенно выпил целый бокал, как только ее откупорили. Поставив на стол пустой бокал, он с улыбкой взглянул на Тану.

– Кажется, это вошло у меня в привычку.

– Вы хотите сказать, что вы – алкоголик?

– Так точно! – Он самодовольно улыбнулся и заказал завтрак для обоих.

Покончив с едой, они прошли через Центральный парк к катку «Уолмана», где простояли битый час, глядя на катающиеся пары и беседуя о жизни. Гарри ощущал в ней какую-то непонятную скованность: она не лезла к нему в душу, была осторожна и замкнута и вместе с тем – умна и отзывчива. Ей были небезразличны люди с их проблемами. Однако она не предлагала ему себя, он не чувствовал протянутой ему руки. В ее лице он приобрел нового друга – и не более того. Она видела, что он это понимает и что это возбуждает его любопытство.

– У вас есть знакомый парень в «Грин-Хиллз»?

Она отрицательно покачала головой, глаза их встретились.

– Нет. Никого. Сейчас я не хочу заводить никаких знакомств.

Ее откровенность его удивила. Это было нечто вроде вызова с ее стороны, и он не удержался от дальнейших расспросов:

– Почему так? Вы напуганы тем, что произошло с вашей матерью?

Тана, однако, никогда не думала в этом направлении. Еще раньше Гарри сказал ей, что не хотел бы иметь детей, не желая, чтобы они были травмированы, как был травмирован он сам. Тана рассказала ему, как Артур в очередной раз подвел Джин в это Рождество.

– Вполне возможно. Но есть и другие причины.

– Какие же?

– Я не хочу о них говорить. – Она посмотрела мимо его лица, тогда как он пытался представить себе, что именно так на нее повлияло. Она сохраняла безопасную дистанцию между ним и собой, и даже когда они смеялись и шутили, Тана, казалось, все время посылала предупреждающие сигналы: «Не приближайтесь ко мне слишком близко!» Он надеялся, что с ней все в порядке в смысле секса – вряд ли у нее есть какие-нибудь отклонения. Однако было что-то такое, что она предпочитала прятать под своим защитным панцирем, и он не понимал почему. Кто-то должен был довести ее до такого состояния, но он не знал кто.

– В вашей жизни, наверное, было какое-то важное событие?

– Нет. – Она взглянула ему прямо в глаза. – Я не хочу говорить об этом.

У нее было такое лицо, что он потерял охоту продолжать расспросы. Оно выражало боль и что-то еще, чего он не мог определить, но от чего у него перехватило дыхание, а он был неробкого десятка. Однако на сей раз он все же что-то увидел – это заметил бы даже слепой.

– Извините меня, – он переменил тему беседы, заговорив о каких-то пустяках.

Тана ему очень нравилась, и они несколько раз встречались во время рождественских каникул: ходили на обед, на ленч, на каток, в кино. Она даже пригласила его пообедать у них дома, но сразу же пожалела об этой ошибке: мать подвергла его форменному допросу, будто он был готовым кандидатом в мужья. Она спрашивала его о планах на будущее, о родителях, о видах на карьеру и даже об экзаменационных оценках. Едва дождавшись его ухода, Тана накинулась на Джин с упреками.

– Что ты ему устроила? Он пришел пообедать, а не делать мне предложение.

– Тебе уже восемнадцать лет, Тэн. Пора начинать думать о таких вещах.

Тана была взбешена.

– Зачем?! Он мне всего-навсего друг. Уж не думаешь ли ты, что я выскочу замуж на будущей неделе?

– Ну а когда ты думаешь выйти замуж?

– Никогда! За каким дьяволом я буду это делать?

– Но что ты тогда собираешься делать всю оставшуюся жизнь? – Материнские глаза преследовали ее, загоняли в угол, не давая ни минуты покоя. Тана ненавидела эту ее манеру.

– Откуда мне знать? Ты хочешь, чтобы я вычислила это прямо сейчас? Сегодня? На будущей неделе? Какой бред!

– Не смей так разговаривать с матерью! – Джин потеряла наконец терпение и рассердилась.

– Чего ты от меня хочешь?

– Я хочу, чтобы ты имела уверенность в завтрашнем дне, Тана. Я не хочу, чтобы ты оказалась в моем положении, когда тебе будет сорок. Ты заслуживаешь большего.

– Ты тоже. Тебе это приходило когда-нибудь в голову, мам? Я не могу видеть твои страдания, когда ты сидишь и ждешь его, точно какая-нибудь рабыня. Все, что ты имеешь после стольких лет, – сожитель Артур Дарнинг! – Тане очень хотелось рассказать ей, что она видела его в ресторане с другой женщиной, но она не решилась причинить матери такую боль. Только этого ей и не хватало. Тана сдержалась, но Джин тем не менее сочла себя оскорбленной.

– Это неправда! Ты несправедлива к нему.

– Тогда почему ты так боишься, что меня постигнет твоя участь?

Тана отвернулась от нее, чтобы не видеть ее слез, но мать снова развернула ее к себе лицом. В ее глазах стояла скопившаяся за эти двенадцать лет и за предыдущие годы мука.

– Я хочу, чтобы ты имела все то, чего была лишена я: разве это так уж много?

Сердце Таны устремилось ей навстречу, и голос ее прозвучал почти мягко, когда она сказала:

– Но, может быть, я не хочу иметь то, чего хотела ты?

– Как можно не хотеть этого? Муж, дом, дети, обеспеченное положение – разве в этом есть что-то зазорное? – Джин выглядела шокированной.

– Конечно же, нет, мам. Но я еще слишком молода, чтобы думать о таких вещах. Что, если я мечтаю сделать карьеру?

– Какую карьеру?

– Почем мне знать? Я говорю теоретически.

– Ты будешь одинокой, Тана, – с горечью сказала Джин. – Тебе лучше прекратить учение, если, конечно, найдется хороший человек.

Но дочь не хотела сдаваться. Уже сидя в поезде, она не переставала думать об этом. В первый же вечер в «Доме Жасмина» они с Шарон долго разговаривали, лежа в кроватях при выключенном свете.

– Боже мой, Тэн! Она так похожа на мою мать! В другом отношении, конечно. Все матери хотят для нас того, чего хотели для самих себя, не думая о том, чем мы от них отличаемся, что мы думаем и чувствуем, о чем мечтаем. Мой отец меня понимает, но мама... Я только и слышу: юридический колледж, гражданское неповиновение, чувство ответственности за черных. Черт возьми, я так устала быть «ответственной», что мне хочется вопить от злости. Я поступила в «Грин-Хиллз», тогда как хотела поехать туда, где есть другие черные. Проклятие! Здесь я даже не могу завести парня, а она мне твердит, что с этим, мол, успеется – когда-нибудь после. Но я хочу развлекаться теперь, хочу ходить в рестораны, в кино, на футбольные матчи!..

Ее красивая белокурая подруга улыбнулась в темноте, внезапно вспомнив о чем-то.

– Хочешь поехать со мной в Гарвард на весенние каникулы?

– Зачем? – Шарон облокотилась на подушку и с интересом уставилась на Тану. Та рассказала ей о Гарри Уинслоу. – Он, похоже, нормальный парень. Ты влюблена в него?

– Нет.

– Почему?

Последовала пауза, значение которой было понятно им обеим.

– Сама знаешь.

– Нельзя мучить себя этим всю жизнь, Тэн.

– Ты заговорила, как моя мать. Она задалась целью устроить мою помолвку хоть завтра, лишь бы только нашелся кто-нибудь, кто захочет на мне жениться, купить мне дом и наградить меня детьми.

– А что сказать об этих «сидячих забастовках», где нас забрасывают тухлыми яйцами? Тебе это нравится больше?

– Конечно же, нет.

– Твой гарвардский друг, видать, симпатичный?

– Да. – Тана улыбнулась при мысли о нем. – Он мне очень нравится – как друг. Это – самый честный и искренний человек изо всех, кого я встречала.

Он позвонил ей спустя несколько дней, и она лишний раз поняла, чем он ей симпатичен. Он представился владельцем исследовательской лаборатории в Йолане, которая якобы проводит эксперименты над девушками.

– Мы пытаемся выяснить уровень интеллекта молодых леди в сравнении с юношами, – сказал он, изменив голос. – Мы, разумеется, понимаем, что он невысок, но...

Она вовремя узнала его голос, не успев дать волю своему негодованию.

– Ну вы и болтун!

– Привет, малютка! Как жизнь?

– Нормально.

Поговорив немного, она передала трубку Шарон. Девушки стояли у телефона и разговаривали с ним по очереди, пока наконец Шарон не ушла наверх, а Тана продолжала говорить и не могла наговориться. Это был не диалог влюбленных, скорее, Гарри напоминал заботливого брата. Через два месяца частых звонков они сделались самыми близкими друзьями. Гарри выражал надежду увидеться с ней по весне. Она пыталась привлечь к этому Шарон, однако безуспешно. Тана было решилась уговорить свою мать и пригласить подругу к себе домой, но Мириам Блейк звонила дочери, почитай, каждый вечер: на Пасху был назначен грандиозный слет негров в Вашингтоне, всенощное бдение со свечами в защиту гражданских прав, и мать хотела, чтобы Шарон в нем участвовала. Она считала, что это станет важным событием в их жизни. «Теперь не время для каникул», – сказала она. Шарон была страшно подавлена, когда подруги покидали «Грин-Хиллз».

– Тебе просто надо было ответить отказом, Шар. – Тана взглянула на подругу и встретила сердитый взгляд ее блестящих черных глаз.

– Ха! Помнишь, как ты «отказалась» от участия в «выездном бале»?

Тана помолчала, потом медленно наклонила голову. Ее подруга права: невозможно противостоять им все время. Она передернула плечами и смущенно улыбнулась.

– О’кей, сдаюсь. Мне очень жаль. Я буду скучать без тебя в Нью-Йорке.

– Мне тоже будет тебя недоставать. – Она одарила Тану ослепительной улыбкой.

В поезде они болтали о разных пустяках и играли в карты. Шарон сошла в Вашингтоне, а Тана поехала дальше, в Нью-Йорк.

Было темно, и в воздухе пахло весной, когда она вышла из поезда и наняла такси. Дома все было по-старому, но девушке почему-то стало грустно. В их квартире абсолютно ничего не менялось и не добавлялось: ни новых драпировок, ни свежих цветов, которые могли бы порадовать глаз. Всегда одно и то же, из года в год – та же потертая кушетка, те же чахлые цветы в горшках. Когда она жила здесь постоянно, это не казалось таким унылым, но теперь – иное дело. Все теперь выглядело обветшавшим, комнаты будто уменьшились в размерах.

Ее мать еще не вернулась с работы. Тана свалила сумки на пол в своей спальне и вдруг услышала звонок телефона. Она поспешила обратно в гостиную.

– Алло!

– Говорит Уинслоу. Как дела, малютка? – Это было как глоток свежего воздуха в душном помещении. Тана заулыбалась.

– Здравствуй!

– Когда ты приехала?

– Только что. А ты?

– Вчера вечером, вместе с двумя сокурсниками. И вот

я снова здесь. – Он обвел взглядом номер, который оставлял за собой его отец в гостинице «Пьерра». – Тот же город, та же тюрьма. – Он озорно улыбнулся в трубку. Они столько узнали друг о друге за время разговоров по телефону за эти месяцы, что чувствовали себя старыми друзьями. – Давай приезжай, организуем выпивку. Согласна?

Тана была рада возможности его увидеть.

– Спрашиваешь! Ты где?

– В гостинице «Пьерра», – сказал он, будто о чем-то не заслуживающем внимания.

Тана усмехнулась.

– Грандиозно!

– Не слишком. Мой родитель в прошлом году пригласил дизайнера и все здесь переделал. Теперь это выглядит как обыкновенный притон, но хорошо уже то, что я могу здесь остановиться, когда приезжаю в Нью-Йорк.

– Твой отец тоже там? – Она была смущена.

Гарри иронически усмехнулся.

– Не смеши меня! Я думаю, что мой предок теперь в Мюнхене, он любит проводить там пасхальную неделю. Немцы очень ревностно блюдут христианские праздники, а также осенний праздник урожая. – В его голосе прозвучало на этот раз нетерпение. – Какая тебе разница? Приезжай, и мы устроим сабантуйчик. Я велю подать ленч в номер. Что ты хочешь? Заказ надо дать заранее, его исполнят через два часа.

Это произвело на нее впечатление.

– Я, право, не знаю... Может, гамбургер и коку? Как ты считаешь? – Ей это было в диковинку, но Гарри, по-видимому, ничуть не смущало окружающее его великолепие.

Когда она вошла к нему, он лежал на диване с босыми ногами, в джинсах и смотрел по телевизору футбол. Он сгреб ее в охапку и приподнял над полом, заключив в свои медвежьи объятия: было несомненно, что он искренне рад ее видеть, даже больше, чем она могла ожидать. Его пронизала дрожь, когда он запечатлел братский поцелуй на ее щеке. Наступила некоторая неловкость: им предстояло перенести ту близость, которая установилась между ними по телефону, в реальную обстановку. Но это длилось недолго, к концу ленча они вели себя как закадычные друзья, и Тана явно огорчилась, когда пришло время уходить.

– Тогда оставайся! Я сейчас обуюсь, и мы махнем в «21».

– В таком виде? – Она с сомнением оглядела свою клетчатую юбку и ноги, обутые в мокасины с шерстяными носками. – Мне надо домой: я не виделась с мамой целых четыре месяца.

– А я уже начал забывать эти семейные ритуалы, – сказал он скучным голосом.

Он выглядел еще красивее, чем раньше, однако Тана ничего не ощущала к нему, кроме чувства дружбы, которое все росло с момента их первой встречи. Только дружба. Она была уверена, что он тоже испытывает к ней чисто платонические чувства.

Она взяла с кресла свой плащ и повернулась к нему.

– Ты когда-нибудь видишься со своим отцом, Гарри? – Голос ее прозвучал мягко, в глазах было искреннее сочувствие. Она знала, как он одинок. Все каникулы он проводил либо у товарищей по университету, либо в пустой квартире или гостиничном номере. Об отце он упоминал только в ироническом контексте, рассказывая о его женщинах, собутыльниках, о том, как он мыкается по разным городам.

– Я вижу его очень редко: наши дороги пересекаются раз или два в год, как правило, здесь либо на юге Франции. – Это прозвучало очень впечатляюще, но Тане не составило труда распознать его скрытую печаль. Он был бесконечно одинок, потому и открыл ей так много. Что-то внутри его искало выхода, жаждало понимания и любви. В себе она ощущала нечто похожее. Какая-то часть ее существа страдала от того, что у нее нет полноценной семьи: отца, сестер, братьев. Только одна мать, одинокая женщина, посвятившая свою жизнь человеку, который ее не оценил. А у Гарри нет даже и этого. Тана подумала о его отце с недобрым чувством.

– Какой он?

Гарри пожал плечами.

– Женщины находят его симпатичным... умный... холодный... – Он взглянул на девушку в упор. – Каким, по-твоему, может быть человек, убивший мою мать? – Тана съежилась под его взглядом, не находя, что ему ответить. Она уже жалела, что задала этот вопрос, но Гарри обнял ее за плечи и проводил до дверей. – Не забивай себе голову, Тэн: это было очень давно.

Но она не могла последовать его совету, считая, что Гарри не заслуживает одиночества: он такой красивый, остроумный, такой порядочный... и в то же время избалованный, дерзкий на язык, дурашливый. Когда они завтракали в номере в первый раз, он выдавал себя за англичанина; во второй раз вдруг заговорил с французским акцентом. Официантки не знали, что о нем и думать, а они с Таной держались за бока от хохота. Можно было предположить, что он паясничает так везде, и на обратном пути ей вдруг показалось, что ее жизнь вдвоем с матерью в их унылой квартирке не так уж и плоха.

В любом случае это лучше, чем роскошный и холодный декор в отеле «Пьерра». Номера там огромные, повсюду хром и стекло, предметы роскоши, рассчитанные на толстый кошелек. На полу невероятных размеров белые ковры, на стенах бесценные произведения живописи – но и только. Никто там его не ждет, когда он приезжает из университета, никто не будет ждать ни завтра, ни послезавтра. Гарри всегда остается один на один с батареей бутылок в холодильнике, с глазу на глаз со шкафом, заполненным дорогими костюмами, да еще с ТВ.

– Привет, мам, это я! – закричала она с порога.

Джин бросилась ей навстречу и прижала ее к груди. Лицо матери сияло от счастья.

– О, беби! Ты замечательно выглядишь. – Эта радостная встреча вновь заставила ее подумать о Гарри и обо всем, чего он лишен, несмотря на его богатство и громкое имя. У него нет того, что имеет она, Тана. Ей вдруг нестерпимо захотелось, чтобы он был счастлив. Джин смотрела на дочь такими счастливыми глазами, что Тана в кои-то веки и сама почувствовала радость от того, что она дома. – Я увидела твои сумки и не могла понять, куда ты подевалась.

– Мне надо было повидаться кое с кем. Я не думала, что ты вернешься так рано.

– Сегодня я ушла с работы пораньше по случаю твоего приезда.

– Извини, мам.

– К кому ты ездила? – Джин, как всегда, хотелось знать, что делает ее дочь, с кем встречается, но Тана уже отвыкла давать отчет в своих поступках. Она помолчала, решая, надо ли рассказывать все. Потом заставила себя улыбнуться.

– Я была в отеле «Пьерра», у Гарри Уинслоу. Ты его вряд ли помнишь.

– Как не помнить! – Джин выказала живейший интерес. – Он сейчас в городе?

– У него там постоянный номер. – Тана сказала это по возможности безразличным тоном. В глазах матери отразились смешанные чувства. Это хорошо, что он такой состоятельный и такой солидный, чтобы платить за номер в дорогой гостинице, однако для Таны бывать там рискованно.

– Вы были одни? – озабоченно спросила Джин.

Тана рассмеялась.

– Конечно. Мы ели сандвичи и смотрели ТВ. И то, и другое абсолютно безопасно, мам.

– И все же... Мне кажется, что тебе не следует...– Она выразительно посмотрела в глаза своей красавицы дочери.

Лицо Таны помрачнело.

– Он мой друг, мам.

– Он – молодой мужчина. Никогда нельзя предвидеть, что может произойти в такой ситуации.

– Я знаю это лучше, чем ты думаешь! – Ее глаза вдруг стали жесткими. Она знала это слишком хорошо. Только случилось такое не в гостинице, а в заполненном гостями доме ее обожаемых Дарнингов, в собственной спальне отца Билли. – Я знаю, кому можно доверять.

– Ты слишком молода, Тэн, чтобы судить об этом.

– Нет. Я уже взрослая. – Тана сидела с каменным лицом. То, что сделал с ней Билли, перевернуло всю ее жизнь. Она теперь имеет печальный опыт, и если бы почувствовала хоть малейшую опасность со стороны Гарри, то никогда не вошла бы в его номер, тем более не осталась бы в нем. Интуиция ей говорила, что его можно не опасаться. Гарри совсем не то, что сын любовника ее матери. – Мы с ним просто друзья.

– Как ты наивна, Тана! Между юношами и девушками не может быть дружбы. Это противоестественно.

Глаза Таны изумленно распахнулись: она не верила своим ушам.

– Как ты можешь говорить это, мам?

– Но это правда! Если он приглашает тебя в номер, значит, у него есть что-то на уме. Может, он хочет улучить момент, а ты об этом и не подозреваешь. – Внезапно она улыбнулась. – Ты считаешь, у него серьезные намерения, Тэн?

– Что значит «серьезные намерения»? – Тана едва сдерживала себя. – Говорят тебе, мы только друзья!

– А я говорю, что не верю в такую дружбу. – Теперь Джин улыбалась почти интригующе. – Знаешь, Тэн, это был бы неплохой улов.

Это было уже слишком! Тана вскочила на ноги и окинула мать презрительным взглядом.

– Что он, рыба, по-твоему?! Я не хочу никого «ловить»! Я не желаю выходить замуж, не хочу, чтобы меня продавали, точно вещь. Я хочу учиться и иметь друзей. Можешь ты это понять? – В ее глазах стояли слезы, отражавшиеся в глазах Джин.

– Почему непременно надо так раздражаться по любому поводу? Раньше ты не была такой, Тэн. – Печальный голос матери разрывал ей сердце, но она уже не владела собой.

– Раньше ты не давила на меня так.

– Разве я на тебя давлю? – Джин страшно обиделась. – Ведь я тебя почти не вижу, Тэн. Мы встречаемся два раза в полгода, какое же может быть давление?

– Еще какое! «Выездной вечер», намеки в адрес Гарри, бесконечные разговоры о том, что надо не упустить добычу, «пристроиться», – что это, по-твоему? Ради всего святого, мам! Мне только восемнадцать лет.

– Тебе уже почти девятнадцать. А что впереди? Когда же ты собираешься думать об этом, Тэн?

– Не знаю. Может быть, никогда. И что из того? Может, я вообще не хочу выходить замуж. Если мне хорошо, какое кому дело?

– Матери до всего есть дело, Тэн. Я хочу видеть тебя женой хорошего человека, хочу, чтобы у тебя был свой дом, были дети...

Джин теперь плакала в открытую: она всегда хотела этого для самой себя и в конце концов осталась одна... Любимый человек навещает ее лишь изредка, а теперь она теряет и дочь... Она наклонила голову и зарыдала. Тана подошла и крепко ее обняла.

– Не надо, мам, перестань... Я знаю, что ты хочешь мне добра, но позволь мне идти своим путем.

Мать посмотрела на нее огромными грустными глазами.

– Ты хоть понимаешь, кто такой Гарри Уинслоу?

– Да, – негромко ответила ей Тана. – Он мой друг.

– Его отец – один из богатейших людей в Соединенных Штатах. Даже Артур Дарнинг нищий в сравнении с ним.

«Артур Дарнинг! – невесело подумала Тана. – Единственное мерило всему».

– Ну и что?

– Ты представляешь себе, какая жизнь у тебя может быть с ним?

Тану охватила грусть – за мать и за самое себя. Джин не понимает главного в жизни и, вероятно, не понимала никогда. При всем том она сумела дать дочери многое, и Тана чувствовала себя обязанной ей. Однако в дни каникул девушка редко виделась с матерью. Не признаваясь ей в этом, она почти каждый день встречалась с Гарри. Ее страшно разозлили сказанные Джин слова: «Ты хоть понимаешь, кто он такой?» Как будто Тане есть до этого дело! Интересно, сколько вокруг него людей, которые подходят к нему с такой меркой? Наверное, это очень противно, когда тебя оценивают по твоей громкой фамилии.

Один раз она осторожно спросила Гарри об этом, когда они отправились на пикник.

– Тебе это не претит, Гарри? Тебя не раздражают те люди, которые ищут знакомства с тобой только потому, что ты Уинслоу? – Ей казалось это ужасным, а он лишь пожал плечами. Они лежали на траве в Общественном парке, и он грыз яблоко.

– Так уж устроены люди, Тэн. Когда они видят сильных мира сего, это приводит их в восторженное состояние. Я уже насмотрелся на окружение моего отца.

– Они его не раздражают?

Гарри глядел на нее с улыбкой.

– Не думаю, чтобы его это трогало: он слишком бесчувственный. Я вообще сомневаюсь, что он может испытывать эмоции.

Тана уставилась на него в немом изумлении.

– Неужели он в самом деле такой, каким ты его представляешь?

– Такой. Даже еще хуже.

– Тогда почему ты другой?

Он рассмеялся.

– Наверное, мне просто повезло. А может, я унаследовал гены матери.

– Ты все еще помнишь ее? – Она спросила об этом впервые; Гарри посмотрел куда-то мимо нее.

– Иногда... очень смутно... Я не уверен, Тэн. – Он повернулся к ней. – Когда я был ребенком, я делал вид перед сверстниками, приходившими поиграть со мной, что она жива – ушла в магазин или еще куда-нибудь. Но они каждый раз меня разоблачали. Начинали спрашивать у родителей, и те им открывали глаза. Меня считали чокнутым, но я не сдавался. Мне так хотелось быть как все, хотя бы на несколько часов, и я начинал говорить, что она куда-то вышла... или поднялась наверх, в свою комнату. – В его глазах заблестели слезы, и он посмотрел на нее почти сердито. – Такая глупость – тосковать по матери, которую никогда не знал!..

Тана отозвалась на его печаль всем сердцем.

– На твоем месте я поступила бы точно так же, – мягко произнесла она.

Он промолчал, взор его блуждал где-то далеко. Но позднее, когда они гуляли по парку и говорили совсем о другом: о Фримене Блейке, о Шарон, о занятиях Таны в «Грин-Хиллз», Гарри вдруг взял ее за руку и неожиданно сказал:

– Спасибо тебе за те слова.

Она сразу поняла, какие слова он имеет в виду. С самой первой их встречи между ними установилось полное взаимопонимание.

– Не за что. – Она сжала его руку, и они продолжили свой путь.

Тана не переставала дивиться, почему ей так легко с ним. Он не имел обыкновения на нее давить и больше не спрашивал, почему у нее нет парня. Он принимал ее такой, как есть, и она была признательна ему за это и за многое другое: за его веселость и юмор, постоянно заставлявшие ее смеяться. И кроме того, было так чудесно знать, что рядом есть человек, разделяющий твои мысли, твои взгляды на жизнь. В нем, точно в резонаторе, находило отклик все, что было у нее на душе. Это его качество она оценила сполна по возвращении в «Грин-Хиллз».

Когда они вновь повстречались с Шарон, ей показалось, что подругу будто подменили. От прежней умеренности политических взглядов не осталось и следа – она вдруг стала такой же неистовой, как и ее мать. Тана не верила своим ушам. Наконец она не выдержала и закричала на Шарон:

– Ради всего святого, Шар! Я тебя не узнаю! За эти два дня после твоего возвращения наша комната превратилась в политическое ристалище. Прекрати митинговать, подружка, и скажи мне наконец, что произошло.

Шарон вдруг села и уставила глаза в одну точку; из них градом покатились слезы. Она наклонила голову, плечи ее затряслись от сдерживаемых рыданий. Тана не знала что и подумать. Ясно было одно: с ее подругой случилось нечто ужасное. Она обняла Шарон и начала ее утешать. Прошло не менее получаса, прежде чем девушка смогла заговорить. Тана слушала, и сердце ее разрывалось от жалости.

– Они убили Дика... в Страстную субботу... они убили его, Тэн!.. Ему было пятнадцать лет... они его повесили. – Тане чуть не сделалось плохо. Этого не может быть! Такого еще не бывало с теми людьми, кого она знала – ни с черными, ни с кем другим. Однако она видела по лицу Шарон, что это правда. Вечером того дня ей позвонил Гарри, и она со слезами рассказала ему об этом.

– О боже! Я что-то такое слышал в университете. Говорили, что убит сын видного негра, но я не врубился... Так это был брат Шарон, еще совсем мальчик...

– Да. – На сердце у Таны лежала свинцовая тяжесть.

Когда через несколько дней позвонила Джин, она сразу уловила ее настроение.

– Что случилось, солнышко? Ты поссорилась с Гарри? – Мать теперь избрала новую тактику, делая вид, что у дочери с ним роман. Она надеялась навести Тану на эту мысль, но та нетерпеливо ее оборвала:

– Умер брат моей подруги по комнате.

– Какая страшная потеря! – ужаснулась Джин. – Несчастный случай?

Тана помолчала, обдумывая, что ей можно ответить: «Нет, мам, его повесили... Ты знаешь, он был черный». Вместо этого она сказала:

– Вроде того. – Собственно говоря, смерть всегда несчастный случай. Разве ее кто-нибудь ждет?

– Передай ей мои соболезнования. Это та самая подруга, у которой ты гостила в День Благодарения?

– Да. – Голос Таны звучал еле слышно.

– Какой ужас!

Тана была не в состоянии продолжать этот разговор.

– Мне надо идти, мам.

– Позвони мне через несколько дней.

– Постараюсь. – Она нажала на рычаг и повесила

трубку. Ей ни с кем не хотелось говорить, однако с Шарон они снова проговорили допоздна.

Жизнь подруги теперь кардинально изменилась. Она даже вошла в контакт с местным темнокожим священником и начала помогать ему организовывать акции ненасильственного протеста в выходные дни, оставшиеся до наступления лета.

– Ты уверена, что тебе надо это делать, Шар?

Та сердито на нее посмотрела.

– А разве у меня есть выбор? Я этого не думаю. – Теперь ее душа была охвачена гневом, который нельзя сдержать; в ее крови полыхал пожар, который не могла затушить никакая любовь. Убили мальчика, с которым она вместе росла. – Дик был такой живчик, как веретено. – Она улыбнулась сквозь слезы. Подруги лежали в темноте и разговаривали. – Он был очень похож на маму, и вот...

Шарон еле сдерживала рыдания, и Тана села к ней на кровать. Так продолжалось каждую ночь: Шарон не переставая говорила о маршах протеста где-то на Юге, о «живых цепочках» в их городе, о докторе Мартине Лютере Кинге; она будто помешалась на этом.

К началу семестровых экзаменов Шарон ударилась в панику: материал оказался основательно запущен, и немудрено: она почти совсем не занималась. Шарон была способная девушка, но теперь она боялась, что провалится. Тана помогала ей, как могла: давала свои конспекты, подчеркивала нужные места в книгах, но надежды все равно было мало. Между тем голова Шарон была занята другим: она готовила акцию протеста, которую предполагалось провести в Йолане на будущей неделе. Горожане уже дважды жаловались на нее декану, но, учитывая заслуги ее отца, тот ограничивался внушением. Он понимает ее состояние после... э... после «печального случая» с ее братом, но тем не менее надо держать себя в рамках. Одним словом, он не желает, чтобы она сеяла смуту в городе.

– Уймись, Шарон, так будет лучше для всех. Они могут вышвырнуть тебя из колледжа, – не раз уговаривала ее Тана, но не преуспела в этом. Шарон не имела выбора: она считала, что должна делать именно это.

Накануне решающего дня она повернулась к подруге, прежде чем они выключили свет на ночь. Выражение ее глаз было столь необычно, что Тана почти испугалась.

– Что-то случилось, Шар?

– Я хочу попросить тебя об одном одолжении. Если ты откажешься, я не обижусь, обещаю тебе. Ты вправе поступить как знаешь. Договорились?

– О'кей. Но в чем дело? – Тана молилась про себя, чтобы Шарон не попросила ее смухлевать на экзамене.

– Мы говорили сегодня с доктором Кларком и пришли к выводу, что, если в нашей завтрашней акции примут участие белые, это произведет гораздо большее впечатление. Мы хотим войти в церковь для белых.

– О господи! – Тана была потрясена услышанным. А Шарон лишь усмехнулась.

– Он недалек от истины. Его преподобие доктор Кларк обещал подумать, кого он может вовлечь, а я... не знаю, Тэн... может, я допускаю ошибку, но я хочу попросить тебя. Подумай хорошенько: если тебе не хочется, то не надо.

– Но что из того, что я войду в церковь для белых? Ведь я – белая.

– Если ты войдешь вместе с нами, все будет по-другому: ты станешь для них «белой тварью», если не хуже. Когда ты встанешь рядом с нами, между мной и доктором Кларком или другим темнокожим... все поменяется, Тэн.

– Понимаю. – Где-то внутри у нее пополз холодок страха, и в то же самое время ей захотелось помочь подруге. – Мне надо подумать, Шар.

– Что ты сейчас испытываешь? – Шарон посмотрела ей прямо в глаза; Тана ответила ей тем же:

– По правде говоря, я боюсь.

– Я тоже, мне всегда страшно. Дик тоже боялся, – негромко добавила она. – Но он пошел. Я тоже пойду. Я буду ходить на каждую доступную мне акцию протеста до конца своей жизни, если не изменится положение вещей. Но это – мои проблемы, а не твои. Ты если и пойдешь, то только как моя подруга. И если откажешься, я тебя не разлюблю.

– Спасибо. Я подумаю.

Тана знала, что это может иметь серьезные последствия, если дойдет до декана: ей вовсе не улыбалось лишиться казенного содержания на следующий год. Поздно вечером она позвонила Гарри, но его не было дома. Утром она проснулась чуть свет. Она лежала и вспоминала о том, как ходила в церковь еще совсем маленькой девочкой и как мать говорила ей, что все люди одинаковы в глазах господа: бедные и богатые, белые и цветные. Потом она подумала о Дике, брате Шарон, пятнадцатилетнем мальчике, который был зверски повешен расистами. Когда Шарон на восходе солнца повернулась в кровати, она увидела, что Тана не спит.

– Ты выспалась?

– Более или менее. – Она села на край кровати и потянулась.

– Уже встаешь? – Шарон посмотрела на нее вопросительно. Тана улыбнулась.

– Да. Ведь мы сегодня идем в церковь.

Широко улыбнувшись, Шарон вскочила с постели, обняла подругу и чмокнула ее в щеку. Вид у нее был торжествующий.

– Я так рада, Тэн!

– Не могу сказать, чтобы я очень уж радовалась, но думаю, что поступаю правильно.

– Это точно. – Шарон подумала о том, что борьба предстоит долгая и трудная. Сама она пойдет до конца, а ее подруга примет в ней участие лишь однажды.

Тана надела простое спортивное платье из хлопчатобумажной ткани небесного цвета, завязала свои длинные белокурые волосы в тугой «конский хвост» и надела на ноги мокасины, после чего они рука об руку спустились вниз.

– В церковь собрались, девочки? – с улыбкой спросила их домовая наставница, и обе ответили утвердительно.

Они знали, что она имела в виду разные церкви, на

самом же деле Тана шла вместе с Шарон в церковь для черных, где уже ждали их доктор Кларк и большая группа добровольцев, состоящая из девяноста пяти черных и одиннадцати белых. Им сказали, чтобы они вели себя спокойно, улыбались, если это будет воспринято должным образом, а если улыбки будут раздражать кого-то, то надо сохранять серьезное выражение лица и хранить молчание, что бы им ни говорили. Они должны взяться за руки и войти внутрь церкви торжественно и чинно, группами по пять человек. Шарон и Тана были в одной пятерке, с ними была еще одна белая девушка и двое черных мужчин, оба высокие и крепкие на вид. По дороге они рассказали Тане, что работают на мельнице. По возрасту они были не намного старше девушек, но оба были женаты и имели детей, один – троих, другой – четверых. Казалось, их не удивляло присутствие Таны, которую они называли «сестрой». Взявшись за руки и обменявшись тревожными взглядами, все пятеро разом шагнули на паперть.

Это была небольшая пресвитерианская церковь, расположенная в жилом районе города; при ней была воскресная школа, охотно посещаемая детьми и их родителями. В то воскресное утро в церкви собралось много верующих. Когда в нее стали входить темнокожие, на всех лицах отразилось изумление; орган замолк, одна женщина истерично закричала, другая упала в обморок. Спустя некоторое время начался настоящий содом: священник вопил не своим голосом, кто-то кинулся вызывать полицию, и только одни добровольцы доктора Кларка оставались спокойными. Они встали плотными рядами вдоль задней стены храма, никому не мешая. Белые, пришедшие в церковь помолиться, оглядывались на них, отпускали язвительные замечания, осыпали их оскорблениями, забыв о том, где находятся. В считанные минуты прибыл специальный отряд, приданный малочисленной городской полиции с целью «охраны общественного порядка». Он был создан на основе дорожной полиции, прошедшей специальную подготовку, – их учили подавлять начавшиеся в последнее время акции протеста. Они начали теснить и выталкивать черных, вытаскивать их волоком, тогда как те не оказывали никакого сопротивления и позволяли себя тащить, словно это были неживые тела. Внезапно Тана осознала, что происходит: она была следующей на очереди, теперь это касалось не каких-то далеких «их», а непосредственно «нас», ее самое. Две мощные туши нависли над девушкой, грубые руки схватили ее за плечи, размахивая перед лицом резиновыми палками.

– И тебе не стыдно, белая тварь!

Глаза у нее сделались огромными, когда ее поволокли вон. Каждая ее жилка рвалась сопротивляться, кусаться, лягаться при воспоминании о Ричарде Блейке и его мученической смерти, однако она не решилась на это. Ее бросили в кузов грузовика вместе с другими добровольцами; через какие-нибудь полчаса у нее сняли отпечатки пальцев и бросили в тюрьму. Она просидела в тюремной камере до конца дня вместе с пятнадцатью черными девушками. По другую сторону коридора она увидела Шарон. Каждому из них, во всяком случае белым, разрешили один телефонный звонок; черные, по словам полицейских, еще «не прошли процедуру».

– Позвони моей маме! – крикнула Шарон подруге, и та позвонила.

К полуночи Мириам была уже в Йолане. Она добилась их немедленного освобождения и принесла им свои поздравления. Тана отметила, что Мириам осунулась, лицо у нее стало еще суровее, чем полгода назад. Тем не менее она была довольна, что девочки решились на протест. Ее не расстроила даже новость, принесенная на следующий день дочерью: Шарон исключили из колледжа, проявив завидную оперативность. Наставница «Дома Жасмина» уже упаковала ее вещи, она должна была покинуть кампус еще до наступления полудня.

Узнав об этом, Тана впала в шок. Когда ее вызвали в деканат, она уже знала, чего ей можно ожидать. Опасения девушки подтвердились: ее попросили уехать; стипендию на будущий год сняли, а это означало, что второго курса у нее не будет. Все было кончено для нее, как и для Шарон. Единственное различие состояло в том, что ей предложили, если она пожелает, остаться до конца учебного года на положении стажера. Это по крайней мере давало ей право на сдачу экзаменов за первый курс и возможность подать документы в другое учебное заведение. Но в какое? После отъезда Шарон она сидела в своей комнате в полной прострации. Шарон уезжала с матерью в Вашингтон, где еще раньше велись разговоры о том, что она некоторое время поработает волонтером у доктора Кинга.

— Я знаю, что папа будет огорчен — он хотел, чтобы я училась, — но, если честно, Тэн, я уже сыта этим. — Она грустно посмотрела на Тану. — Но что будет с тобой? — Шарон была убита, узнав, какую цену пришлось заплатить ее подруге за участие в «живой цепочке». Тана еще ни разу не подвергалась аресту, и, хотя их предупреждали, что такая опасность вполне реальна, она была к этому не готова.

— Может, все к лучшему. — Тана храбрилась, стараясь подбодрить подругу, но, когда та уехала, она оказалась в полной изоляции. Ей разъяснили, что в качестве стажера она не может питаться в общей столовой, не имеет права покидать свою комнату по вечерам; ей не разрешалось участвовать в общественных мероприятиях, включая концерты, даваемые новичками. Она была настоящей парией. Утешением служило лишь то, что через три недели занятия в колледже должны закончиться.

Самое же неприятное, что они поставили в известность Джин. Тану предупредили об этом, но от этого ей было не легче. В тот же вечер мать позвонила ей и закатила истерику.

— Почему ты мне не сказала, что эта маленькая стерва — цветная? — рыдала она в трубку.

— Какое значение имеет цвет ее кожи? Она — моя лучшая подруга. — Переживания последних дней вдруг нахлынули на Тану, и ее глаза наполнились слезами. Все в колледже смотрят на нее как на убийцу, а Шарон больше нет с ней; она не знает, где будет учиться на будущий год, а тут еще мать выступает... Девушке показалось, что ей снова пять лет и ей говорят, что она очень и очень плохая, только неизвестно почему.

– И ты еще называешь ее подругой? – Джин саркастически засмеялась сквозь слезы. – Она стоила тебе стипендии, из-за нее тебя выкинули из колледжа! Не думаешь ли ты, что после этого тебя примут куда-нибудь еще?

– Разумеется, примут, глупенькая, – заверил ее Гарри, когда она позвонила ему на следующий день и, рыдая, поведала о своих горестях. – Черт побери, Тэн, в Бостонском университете полно радикалов! Их там тьма-тьмущая.

– Но я не радикал, – всхлипывала Тана.

– Я это знаю, Тэн. Вся твоя вина состоит в том, что ты участвовала в «живой цепочке». Ты сама во всем виновата: за каким дьяволом тебя понесло в это захолустье? В этот задрипанный колледж? Какая-то чертовщина, Тэн: ведь ты целый год обреталась вне цивилизации! Почему бы тебе теперь не поступить в нормальный колледж, где-нибудь на Севере?

– Ты действительно думаешь, что меня возьмут?

– Не смеши меня! С твоими-то отметками? Да они оторвут тебя с руками.

– Ты просто утешаешь меня... – Она снова заплакала.

– Перестань морочить мне голову, Тэн! Сейчас же садись писать заявление, потом перешлешь его мне, а там посмотрим.

И посмотрели. Она оказалась в числе принятых – к ее собственному удивлению и к немалой досаде матери.

– Бостонский университет? Что это за учебное заведение?

– Одно из лучших в стране. И мне даже дали стипендию.

Гарри сам отвез заявление и замолвил за нее словечко, что тронуло ее до глубины души. К первому июня все было улажено: с осени ей предстояло начать учебу в Бостонском университете.

Тана еще не вполне оправилась после всех треволнений, когда ее мать предъявила ей новую претензию.

– Я считаю, что ты должна какое-то время поработать, Тэн. Не все же тебе учиться, так и вся жизнь пройдет.

Тана не на шутку испугалась.

– Мне осталось три года, мам. После этого я получу степень бакалавра.

– И что тогда? Что тебе это даст?

– Приличную работу.

– Ты можешь работать в «Дарнинг Интернэшнл» прямо сейчас. Я уже говорила с Артуром на прошлой неделе...

Их разговоры теперь велись на самых высоких тонах, но Джин было невозможно переубедить.

– Ради бога, мам, сколько можно меня наказывать?

– Наказывать?! Как ты разговариваешь с матерью! Тебя арестовали, исключили из колледжа, а ты еще качаешь какие-то права! Твое счастье, что такой человек, как Артур Дарнинг, несмотря ни на что, согласен взять тебя на работу.

– Его счастье, что я не подала в суд на его сынка в прошлом году! – Эти слова вырвались у нее непроизвольно, прежде чем она смогла остановиться.

Джин смотрела на нее в совершенном изумлении.

– Как ты смеешь говорить мне такие вещи!

Голос Таны был тихим и печальным, когда она сказала:

– Но это правда, мам.

Джин повернулась к ней спиной, будто не желая ее видеть и слышать.

– Я не хочу выслушивать подобные бредни!

Тана молча вышла из гостиной. Через несколько дней она уехала.

Они с Гарри отдыхали в Кэйп-Код, на вилле его отца – играли в теннис, купались, катались на лодке, ходили в гости к друзьям. Она его совершенно не остерегалась. Между ними установились вполне платонические отношения, во всяком случае со стороны Таны, что было очень удобно для нее. Чувства Гарри были несколько иными, но он тщательно их скрывал. Она послала Шарон несколько писем; Шарон отвечала коротко и маловразумительно – она явно писала второпях. За всю свою жизнь она никогда еще не была так занята – и так счастлива. Ее мать оказалась права: работать волонтером у доктора Мартина Лютера Кинга страшно интересно. Просто удивительно, как изменилась их жизнь всего лишь за один год.

Когда Тана начала учиться в Бостонском университете, ее поразило, как сильно он отличается от «Грин-Хиллз». Обстановка здесь была свободная, люди интересные, с передовыми взглядами. Ей нравилось учиться вместе с юношами. Все время проводились какие-то диспуты. Она успешно занималась по всем избранным ею предметам.

В глубине души Джин гордилась дочерью, хотя теперь они понимали друг друга не так хорошо, как раньше. Она говорила себе, что с годами это пройдет. Сама Джин была занята другим: к весне Энн Дарнинг вновь собралась замуж. Предстояло грандиозное торжество в христианской епископальной церкви, расположенной в Гринвиче, штат Коннектикут, и прием, организованный Джин в доме Артура. Стол в ее кабинете был завален фотографиями, списками приглашенных, счетами от поставщиков. Энн звонила ей по двадцать раз на дню. Могло показаться, что выходит замуж собственная дочь Джин; целых четырнадцать лет она была любовницей и правой рукой Артура и, естественно, привязалась к его детям.

На этот раз Энн сделала удачный выбор, порадовавший Джин: молодой человек тридцати двух лет, приятной наружности тоже вступал в брак вторично. Он был партнером в адвокатской фирме «Шерман и Стерлинг» и подавал большие надежды. Ко всему прочему, у него было собственное состояние. Артур тоже его одобрял. Он подарил Джин золотой браслет от Картье в знак благодарности за ее хлопоты.

– Ты поистине удивительная женщина, – сказал он ей, сидя у нее в гостиной за бокалом виски. Он смотрел на нее и удивлялся, почему он на ней так и не женился. Одно время он подумывал об этом, но теперь ему было хорошо и так. Он уже привык быть один.

– Спасибо за комплимент.

Она поставила перед ним его любимую закуску: кусочки доставленной из Шотландии лососины, положенные на тонкие ломтики черного хлеба; бифштекс с кровью на белых тостах, поджаренные орешки, которые она постоянно держала на случай его визита – вместе с его любимым виски, любимыми пирожными и всем остальным. Она изучила его вкусы досконально, вплоть до сорта мыла и названия одеколона. Теперь, когда Таны нет в доме, ей легче поддерживать состояние готовности. Это и хорошо и не очень. Джин стала теперь свободнее и доступнее; она всегда готова принять его, когда он заглядывает к ней на часок. Но, с другой стороны, в отсутствие дочери она острее чувствует одиночество и больше нуждается в его обществе. В ней пробудилась ненасытность, и ей труднее мириться с его пренебрежением, когда он, случается, не бывает в ее постели полмесяца, а то и больше. Она говорит себе, что ей следует быть благодарной за то, что он все-таки пришел, и за все то, что он сделал для нее и Таны. Но ей хочется большего, страстно хочется видеть его чаще. Так было всегда, со дня их первой встречи.

– Тана, конечно, придет на свадьбу? – спросил он, пережевывая бифштекс.

Джин пожала плечами: она звонила дочери совсем недавно. Тана не ответила на посланное ей приглашение, и мать ее отчитала. Это невежливо по отношению к Энн, она не поймет усвоенные Таной бостонские манеры, сказала Джин. Однако дочь осталась непреклонной.

– Но ведь на ответ требуется одна минута!

Ее тон, как это часто бывало, покоробил девушку. И она сухо сказала:

– Отлично. Тогда передай ей мой отказ.

– И не подумаю. Пошли ответ по почте. В любом случае я считаю, что ты должна принять приглашение.

– Меня это не удивляет: еще один командирский окрик клана Дарнингов. Когда же мы научимся говорить им «нет»! – Каждый раз, когда Тана представляла себе зверское лицо Билли, она вся съеживалась внутренне. – Вряд ли я смогу найти время.

– Ты можешь сделать это, хотя бы ради меня.

– Скажи им, что я тебя не слушаюсь, что я стала совершенно невозможная, прямо лезу на стенку. Говори им что хочешь, дьявол их забери!

– Это твое последнее слово? – Джин с трудом воспринимала слова дочери: по ее понятиям, они были кощунственными.

– Я об этом не думала, но раз ты спрашиваешь, я отвечаю «нет».

– Ты настроилась на отказ уже заранее.

– Ради всего святого, мам! Пойми, я не люблю их – ни Энн, ни Билли, – запомни это раз и навсегда. Энн мне не симпатична, а Билли я ненавижу всеми своими потрохами. Артур, извини меня, твой предмет, зачем ты втягиваешь меня в свои любовные дела? Я уже взрослая, они – тоже. Мы с ними никогда не дружили.

– Но ведь это – свадьба, и Энн хочет видеть тебя на ней.

– Чепуха! Просто она приглашает всех, кого знает, – для счета. А меня она зовет, желая оказать любезность тебе.

– Ты не права!

Однако обе они знали, что это так и есть. Джин видела, что дочь отбивается от рук, все более подпадая под влияние Гарри. Теперь Тана имела свои суждения практически обо всем, и они чаще всего совпадали с мнением Гарри. Он побуждал ее размышлять о том, что она чувствует и что думает – по самым различным поводам, – и они стали ближе друг другу, чем когда-либо раньше. Он оказался прав насчет Бостонского университета: тамошняя атмосфера подходила ей гораздо больше, чем обстановка в «Грин-Хиллз». Она и сама ощущала, что заметно повзрослела за этот год. Ей было уже двадцать лет.

– Мне непонятно, Тана, твое поведение. – Мать не хотела оставлять ее в покое и донимала своими глупостями.

– Неужели нам не о чем больше поговорить? Расскажи, как ты живешь?

– Я живу отлично. Но мне хотелось бы, чтобы ты подумала...

– Ну, хорошо! – крикнула Тана в трубку. – Я подумаю. Могу я привести с собой парня? – Может, хоть присутствие Гарри облегчит ей эту пытку.

– Я ждала этого вопроса. Почему вы с молодым Уинслоу не хотите последовать примеру Энн и Джона? Я имею в виду помолвку.

– По той простой причине, что мы не любим друг друга.

– В это трудно поверить. Столько времени...

– Факты упрямая вещь, мам.

В разговоре с дочерью Джин продолжала гнуть свою линию, и Тана на другой день пожаловалась на нее Гарри:

– У меня такое впечатление, что она целыми днями только и думает, как бы достать меня побольнее, и это ей всегда удается – она каждый раз попадает в точку.

– Мой отец тоже на этом собаку съел. Это – необходимое условие.

– Чего?

– Родительства. По их мнению, мы должны проходить проверку некими тестами. Если мы ее не выдерживаем, они повторяют все снова и снова, пока мы не начинаем делать все, как им нужно. Потом эти испытания периодически возобновляются, пока – к пятнадцати или к двадцати годам – они не доводят нас до ручки. – Тана смеялась, слушая его филиппики. Он теперь был еще красивее, чем год назад, когда они познакомились; девчонки сходили по нему с ума. Около него постоянно увивалось с полдюжины претенденток, но он всегда находил время для нее. Тана была у него на первом месте, она была его другом. На самом деле она значила для него гораздо больше, даже не догадываясь об этом. – Это все пустышки, Тэн. Они как мыльные пузыри, тогда как ты – надолго. – Он не принимал их всерьез, независимо от того, как страстно они его добивались. Он никого не обманывал, не внушая ложных надежд, и никогда не забывал о контрацептивах. – К чему мне всякие сюрпризы, Тэн? Покорно благодарю! Жизнь и так коротка, в ней и без того хватает всякого рода стрессов.

Гарри Уинслоу любил удовольствия – и только. Никаких тебе признаний в любви, никаких обручальных колец, сияющих глаз: единственное, что нужно, – пара каламбуров, батарея пивных бутылок и приятное времяпрепровождение, по возможности в постели. Сердце его было занято, хотя он всячески это скрывал, а другие части тела – отнюдь.

– Разве они не хотят большего, Гарри?

– Конечно, хотят. У них есть матери, вроде твоей, и они прислушиваются к материнским советам внимательнее, чем ты. Все они стремятся как можно быстрее выйти замуж и бросить колледж, но я с самого начала даю понять, что я им не помощник в этом деле. А если какая-нибудь из них этому не верит, то очень скоро убеждается в моей правоте. – Он лукаво усмехнулся, и Тана весело рассмеялась. Она знала, что девушки падают «штабелями», едва он посмотрит на них.

Они с Гарри были неразлучны весь год, и подруги завидовали Тане. Им с трудом верилось, что между этими двумя ничего нет – однокашники были заинтригованы этим не меньше, чем Джин. Тем не менее их отношения оставались вполне невинными. Гарри, успевший узнать Тану достаточно хорошо, не делал попыток разгадать причины ее сексуальной сдержанности. Один или два раза он пытался познакомить ее с кем-нибудь из своих друзей, устраивая вполне дружеское «свидание вчетвером», но она отнеслась к этому прохладно. Его товарищ по комнате даже решил, что она лесбиянка, но Гарри его разуверил. Он был убежден, что ее что-то травмировало, но она не выказывала желания говорить на эту тему даже с ним. И он не стал досаждать ей расспросами. Она бывала везде с ним, с его друзьями либо одна, но у нее ни с кем не было романа, в этом он был уверен.

– Как много времени ты теряешь напрасно, малютка, – дразнил он девушку, но она всегда ставила его на место.

– Зато ты не теряешься, успевая работать за нас обоих.

– Но тебе-то что от этого?

– Я подожду до свадебной ночи, – смеялась она.

– Это – благое намерение. – Он церемонно поклонился, и она расхохоталась.

И в Гарварде, и в Бостонском университете их привыкли видеть вместе: они могли все поставить вверх дном, дразня и разыгрывая друг друга и своих товарищей. В один из уик-эндов Гарри купил на распродаже велосипед-тандем, и теперь они гоняли на нем по Кембриджу; Гарри надевал в таких случаях енотовую шапку зимой и соломенное канотье летом.

– Хочешь пойти со мной на свадьбу Энн? – Они шли через кампус Гарварда на следующий день после телефонного разговора Таны с матерью.

– Не очень. Разве там будет интересно?

– Исключено. – Тана улыбнулась с ангельской кротостью. – Но моя мать настоятельно требует, чтобы я пошла.

– Это на нее похоже.

– Она считает, что мы с тобой должны обручиться.

– Я – тоже.

– Прекрасно! Устроим двойное торжество! Нет, Гарри, кроме шуток, ты хочешь пойти?

– Зачем?

В глазах Таны отразилась какая-то непонятная нервозность, и Гарри пытался угадать ее причины. Он знал ее достаточно хорошо, но время от времени она пряталась, будто улитка в раковину, хотя это ей не вполне удавалось.

– Мне не хочется идти одной. Я не люблю их семью и эту избалованную зазнайку Энн. Она уже была замужем, а теперь ее отец, похоже, решил устроить пир на весь мир. Кажется, на этот раз она не промахнулась.

– Что это значит?

– Это значит, что у ее жениха есть баксы. Что же еще?

– Как трогательно! – Гарри возвел очи горе, чем вызвал смех Таны.

– Всегда полезно знать, чем люди дышат, не правда

ли? Свадьба состоится в Гринвиче, после окончания семестра.

– На той неделе я собирался полететь в Южную Францию, Тэн, но, если нужно, я отложу отъезд на несколько дней.

– Тебе это не слишком спутает карты?

– Конечно, спутает. – Он сделал уморительную гримасу. – Но для тебя я готов на все.

Гарри галантно поклонился, и она рассмеялась. Он схватил ее за руку и помог забраться на заднее сиденье велосипеда. Ссадив Тану у общежития Бостонского университета, он заторопился уезжать. В тот вечер у него было назначено решающее свидание: он уже «вложил» в девушку четыре обеда в ресторане «21» и теперь считал себя вправе рассчитывать на дивиденды.

– Как ты можешь так говорить! – возмущалась Тана, еле удерживаясь от смеха.

– Какого дьявола! Что мне, угощать ее до скончания века, ничего не имея взамен? Видела бы ты, сколько она поедает бифштексов и омаров! Мой бюджет трещит по всем швам, а эта особа... – Он улыбнулся при воспоминании о ее необъятном бюсте. – Я потом тебе расскажу, чем у нас кончится.

– Не думаю, чтобы мне это было интересно.

– Ах, простите! Это не для ушей невинной девушки... Ну, я поехал. – Он помахал ей рукой и укатил к себе.

В тот вечер Тана написала письмо Шарон и вымыла голову. На другой день они завтракали вместе с Гарри, и тот рассказал ей о постигшей его неудаче с «обжорой», как он ее теперь называл. Она съела свой бифштекс и большую часть его порции, покончила со своими омарами, а потом принялась за его. После обеда она сказала, что чувствует себя неважно и что ей надо идти готовиться к экзаменам. В результате Гарри не имел за свои старания ничего, кроме внушительного ресторанного чека и ночи спокойного, безмятежного сна.

– Все, я завязал с нею, Тэн. Черт побери, в наши дни они стали ушлые, только и смотрят, как бы тебя захомутать.

Однако стороной Тана слышала, что кто-кто, а Гарри Уинслоу не может пожаловаться на одинокую постель. Она вышучивала и поддразнивала его всю дорогу до Нью-Йорка. Он высадил девушку у ее дома и отправился к себе в гостиницу.

Когда на следующий день Гарри заехал за ней, чтобы отправиться на свадьбу, она должна была признать, что он смотрится очень эффектно: на нем были белые фланелевые брюки, блейзер из голубого кашемира и шелковая кремовая рубашка, сшитая для него по заказу отца в лондонском ателье. Наряд дополнял красно-синий галстук фирмы «Гермес».

– Боже мой! – воскликнула при виде его Тана. – Если у невесты есть хоть капля здравого смысла, она немедленно бросит своего жениха и убежит с тобой.

– Очень мне нужна эта головная боль! – Он невольно залюбовался своей подругой: зеленое шелковое платье выгодно подчеркивало цвет ее глаз; золотистые волосы, прямые и длинные, падали ей на спину – перед этим она расчесывала их щеткой, пока они не заблестели.

Глаза Таны искрились, когда она посмотрела на своего спутника.

– Спасибо, что согласился пойти со мной. Там будет очень скучно, но я к этому готова и ценю твою жертву.

– Глупости! Я вовсе никуда не собирался сегодня. Завтра вечером я вылетаю в Ниццу.

Оттуда он должен поехать в Монако, где его заберет отец на яхту своего друга. Гарри собирается провести с ним две недели, после чего отец продолжит морское путешествие с друзьями, оставив сына одного в доме на Кап-Ферра. «То-то будет житуха!» – хвастливо сказал Гарри, намекая на привольную жизнь, когда он сможет без помех волочиться за француженками. Но Тана при этом подумала с грустью: совсем один в целом доме, не с кем слова сказать, некому о нем позаботиться. С другой стороны, сама она целое лето будет вынуждена оставаться с Джин, выслушивая ее осточертевшие наставления. Она согласилась пойти на работу в «Дарнинг Интернэшнл» на два летних месяца в минуту слабости, чувствуя себя виноватой перед матерью за то, что отвоевала, хотя и не без борьбы, свободу действий.

– Я готова убить себя, как подумаю об этом, – жаловалась она Гарри. – Какая несусветная глупость! Но мне порой ее становится жалко: она бывает так одинока, когда я уезжаю в колледж. Вот я и надумала сделать матери доброе дело, но... Господи, Гарри! Что я сделала самой себе!

– Может, все обойдется, Тэн.

– Хочешь пари?

Стипендию на следующий год ей оставили, но она хотела иметь карманные деньги, чтобы тратить на собственные нужды. В этом смысле работа была кстати, но ее безумно пугала перспектива провести лето в Нью-Йорке, вместе с Джин, ежедневно наблюдая, как она унижается перед Артуром на работе. Самая мысль об этом делала ее больной.

– Мы с тобой проведем неделю на Кэйп-Код, когда я вернусь.

– Хвала всевышнему за это!

Они выехали в Коннектикут и немного погодя вместе с другими гостями уже стояли в епископальной церкви, изнывая от июньской жары и духоты. Но вот церемония закончилась, и все вздохнули с облегчением. Свадебный кортеж двинулся к дому Дарнингов и въехал в неимоверно широкие ворота. Гарри внимательно следил за выражением лица Таны. Она приехала сюда впервые за два года, прошедших после той кошмарной ночи. Ровно два года. Ее бросило в жар при одной мысли об этом.

– Тебе, я вижу, неприятно быть здесь, Тэн?

– Приятного мало. – Она отвернулась и бросила безучастный взгляд из окна кабины.

Он смотрел ей в затылок, ощущая, как внутри ее поднимается напряжение, которое возросло еще больше, когда они припарковались и вышли из машины. Они прошли мимо хозяев праздника, встречающих гостей, и произнесли подобающие случаю слова. Тана представила Гарри Артуру, невесте и жениху и заказала коктейль.

Вдруг она увидела устремленные на нее глаза Билли. Он смотрел слишком уж пристально; заметив это, Гарри отошел в сторону.

Тана будто оцепенела. Она несколько раз протанцевала с Гарри, с какими-то незнакомыми людьми, поболтала с Джин и вдруг, в промежутках между танцами, оказалась лицом к лицу с Билли.

– Хэлло! Я сомневался, что ты придешь.

У нее было непреодолимое желание надавать ему пощечин, но вместо этого она отвернулась от него. Ей было невыносимо тяжело даже смотреть на Билли. Они не виделись с того самого вечера, и он выглядел таким же недоброжелательным и злобным, таким же порочным и испитым, как тогда. Она вспомнила, как он избивал ее, а потом...

– Отойди от меня, – сказала она чуть слышным шепотом.

– Зачем так нервничать? Сегодня свадьба моей сестры... Романтическое событие, так сказать...

Тана видела, что он сильно под градусом; недавно состоялся его выпуск из «Принстона», и с тех самых пор он, похоже, пьянствовал без просыпу. Отец взял его в семейную фирму, где сынок будет слоняться без дела и волочиться за секретаршами. Тане захотелось его спросить, кого он изнасиловал в последнее время, но вместо этого она повернулась, чтобы уйти. Он грубо схватил ее за руку.

– Это довольно невежливо с твоей стороны!

Она круто обернулась, стиснув зубы, бешено сверкая глазами.

– Сейчас же убери свои лапы, или я выплесну этот бокал тебе в лицо! – прошипела она.

Рядом с ней, будто из-под земли, вырос Гарри. Не понимая, в чем дело, он насторожился, заметив в ее глазах выражение, какого не видел раньше. Глаза Билли недобро сверкнули.

– Шлюха! – прошептал он со злобой в глазах, сделав омерзительный жест.

Гарри схватил его руку и заломил ее за спину. Билли

застонал от боли и хотел дать сдачи, но побоялся привлечь внимание гостей. Гарри схватил его свободной рукой за галстук и едва не задушил.

– Довольно с тебя, приятель? – прошептал он ему в самое ухо. – Тогда давай отваливай отсюда, да побыстрее! – Билли выдернул руку и, ни слова не говоря, отошел. Гарри взглянул на свою спутницу: Тана дрожала с головы до ног. – С тобой все в порядке? – Она кивнула, но он все же не был в этом уверен. Лицо у нее было белое как мел, зубы стучали, несмотря на жару. – Кто это такой? Старый друг?

– Обожаемый сынок мистера Дарнинга.

– Мне кажется, вы с ним встречались раньше.

Она кивнула.

– При не слишком благоприятных обстоятельствах.

Они побыли там еще немного. Заметив, что Тане хочется уйти, Гарри первый предложил это. Они выехали обратно в город. Некоторое время оба молчали. Потом он, видя, что она по мере удаления от дома Дарнингов понемногу приходит в себя, решился задать вопрос. Дело показалось ему слишком серьезным, и он боялся за нее.

– Что это было, Тэн?

– Ничего особенного. Просто старая ненависть.

– Но из-за чего?

– Он – грязный подонок, вот из-за чего! – Для нее это были непривычные слова, и Гарри удивился, когда она произнесла их без тени юмора. – Мерзкий сукин сын! – Слезы жгли ей глаза, руки тряслись, когда она пыталась закурить сигарету, что делала крайне редко.

– Насколько я могу судить, вы с ним не самые близкие друзья, – улыбнулся Гарри, но она ничего ему не ответила. – Что он тебе сделал, Тэн, что ты так люто его ненавидишь? – Гарри было необходимо это знать. Ради нее и ради самого себя.

– Теперь это неважно.

– Нет, важно!

– А я говорю, нет! – вскричала она, и слезы ручьем полились по ее щекам. Два года она держала это в себе и никому не рассказывала, кроме Шарон. Она не встречалась с парнями, не влюблялась, не ходила на свидания. Эта боль гнездилась в ней, не уменьшаясь ни на йоту. – Это больше не имеет значения.

Гарри помолчал.

– Кого ты пытаешься убедить, меня или самое себя? – Он передал ей свой носовой платок, она высморкалась, а слезы все текли по ее лицу.

– Извини, Гарри.

– Не надо извиняться, Тэн. Я – твой друг, не забывай об этом.

Она улыбнулась сквозь слезы и похлопала его по щеке. Однако ужасное воспоминание не покидало ее.

– Ты – лучший из моих друзей.

– Я хочу, чтобы ты рассказала мне о нем.

– Зачем?

Он улыбнулся.

– Я сейчас пойду и убью его по первому твоему слову.

– О'кей! Иди! – Она засмеялась – впервые за этот день.

– Серьезно, Тэн. Мне кажется, что ты должна выговориться, освободиться от этого.

– Нет, не должна. – Ее это страшило. Как заговоришь о таком? Лучше уж держать это в себе.

– Он к тебе приставал?

– Вроде того... – Тана посмотрела в окно.

– Расскажи мне...

Она посмотрела на него с холодной улыбкой.

– Зачем?

– Затем, что для меня это важно. – Гарри съехал на обочину, выключил зажигание и посмотрел ей в лицо. Он вдруг понял, что разгадка близка: наглухо закрытая дверь может отвориться, он обязан ее отворить ради самой Таны. – Расскажи мне все.

Она взглянула ему в глаза и молча покачала головой, но Гарри не хотел отступать. Он нежно взял Тану за руку и услышал ее безжизненный голос:

– Два года тому назад он меня изнасиловал. Завтра вечером будет ровно два года, славный юбилей.

Гарри стало не по себе.

— Как это было? Ты что, ездила с ним куда-нибудь?

Она мотнула головой.

— Нет, — ее голос звучал еле слышно. — Моя мать настояла, чтобы я пошла в их дом на вечеринку, устраиваемую здесь, в Гринвиче. На его вечеринку. Я поехала не одна, а с парнем, который напился и куда-то пропал, а Билли увидел меня, когда я бродила по коридору. Он предложил показать мне комнату, где будто бы работала моя мать, и я, как последняя дура, согласилась. А он завел меня в спальню своего отца, повалил на пол, начал избивать... Он насиловал и избивал меня очень долго, а потом повез домой и разбил машину. — Она начала всхлипывать, слова застревали у нее в горле, казалось, она выталкивает их почти физически. — В больнице со мной случилась истерика... это было уже после того, как приехала полиция... потом приехала моя мать... она мне не поверила, подумала, что я пьяная... а паинька Билли, по ее мнению, не способен сделать ничего дурного... я пыталась рассказать ей в другой раз... — Она закрыла лицо руками. Гарри обнял ее и начал тихонько укачивать. Никто не укачивал в детстве его самого, но он не мог слышать ее горестный рассказ — его сердце обливалось кровью. Так вот почему она ни с кем не хочет встречаться! Вот почему она такая скованная и напряженная.

— Бедный ребенок... бедная Тана...

Он привез ее обратно в город, нашел такое место, где они могли спокойно пообедать, после чего вернулись в гостиницу и долго разговаривали. Тана знала, что ее мать снова останется на ночь в Гринвиче: она жила там всю эту неделю, чтобы ничего не упустить в подготовке свадьбы. Высаживая девушку у ее дома, он спрашивал себя, как повлияет все это на Тану и на их взаимоотношения? Она была самая замечательная девушка из всех, кого он знал, и, если бы только он разрешил это себе, он влюбился бы в нее без памяти. Но Гарри слишком хорошо изучил ее за два года и боялся испортить то, что у них есть. И ради чего? Секса у него хватало, а Тана значила для него гораздо больше. Потребуется немалое время, прежде чем она излечится от ужасной травмы, если излечится вообще. Он может быть ей полезен как друг, если не будет думать о своих собственных потребностях и тащить ее к себе в постель, претендуя на роль врачевателя.

Гарри позвонил ей на следующий день, потом послал цветы, написав в записке: «Забудь о прошлом. С тобой все хорошо. Г.» Из Европы он звонил от случая к случаю, когда выдавалась свободная минутка. Его каникулы были гораздо интереснее, чем ее: они сравнили свои дневники, когда он вернулся в город за неделю до Дня труда; Тана к тому времени закончила работать, наконец-то вырвавшись из фирмы «Дарнинг Интернэшнл». Это было ошибкой, но она выдержала характер до конца. Они уехали на Кэйп-Код.

– Ты не завела какой-нибудь жуткий роман, пока меня не было? – спрашивал ее Гарри.

– Нет. Помнишь, я тебе сказала: это откладывается до первой брачной ночи.

Однако теперь он знал истинные причины ее сдержанности: она была травмирована насилием, и ей надо было переступить через это. После признания ей стало легче. Она наконец начала выздоравливать.

– Не будет у тебя брачной ночи, глупышка, если ты будешь сидеть дома.

Она улыбнулась: было так приятно видеть его снова.

– Ты заговорил, как моя мама.

– Как она, кстати?

– Все так же: верная рабыня Артура Дарнинга. Это выводит меня из себя. Я никогда никому не позволю так обращаться со мной.

Он всплеснул руками в притворном отчаянии.

– Черт побери! А я-то надеялся... – Оба расхохотались.

Неделя пролетела незаметно – так бывало всегда, когда им было хорошо. Вдвоем на Кэйп-Код – об этом она могла только мечтать. Гарри прятал свои истинные чувства, и их отношения оставались прежними. Потом они разъехались по своим общежитиям, начав учебу на младшем курсе продвинутого колледжа. Год пролетел незаметно. Следующим летом Тана осталась работать в Бостоне, а Гарри улетел в Европу. По его возвращении они снова отправились на Кэйп-Код, и на этом счастливое время окончилось. Оставался один год до вступления в реальную жизнь. Они, каждый по-своему, старались не слишком забивать себе этим голову.

– Что ты собираешься делать? – хмуро спросила его Тана как-то вечером.

Уступив его настояниям, она согласилась познакомиться с одним из его товарищей, но дело у них не клеилось. Тана не интересовалась им всерьез, чему Гарри был втайне рад. Но он все же надеялся, что такие, ни к чему не обязывающие встречи будут ей полезны.

– Он не в моем вкусе, – возражала ему Тана.

– Откуда тебе это знать? Ведь ты ни с кем не встречалась целых три года.

– Я теперь вижу, что ничего не потеряла.

Он усмехнулся.

– Ты – настоящая стерва.

– Нет, серьезно, Гарри. Что мы будем делать после окончания колледжа? Ты думал о магистерской степени?

– Ну, нет! С меня довольно. Не протирать же мне штаны за школьной партой до конца жизни! Я выхожу из игры.

– И что потом? – Тана мучилась этим вопросом уже два месяца.

– Откуда мне знать? Наверное, поживу какое-то время в Лондоне, в доме отца, пока он смотается в Южную Африку. Может быть, поеду в Париж или в Рим, потом вернусь сюда. Я хочу развлекаться, видеть мир. – Не признаваясь в этом самому себе, он бежал от нее – от того, чего желал, но пока не мог получить.

– Разве ты не собираешься работать? – изумилась она.

– Зачем? – пробурчал он.

– Безделье недостойно мужчины!

– Что тут недостойного? Мужчины в моей семье никогда не работали, зачем же мне нарушать святую семейную традицию?

– Как ты можешь это говорить?

– Но это правда. Все они – просто богатые, ленивые бездельники, вроде моего отца.

Тана пришла в ужас от услышанного.

– А что скажут о тебе твои дети? – Ей хотелось думать, что его слова не более чем рисовка.

– Я надеюсь, что у меня хватит ума не заводить детей.

– Вот теперь ты похож на меня.

– Упаси бог!

Оба рассмеялись.

– Серьезно, Гарри. Ты совсем не хочешь работать? Даже для приличия?

– А зачем?

– Сейчас же перестань паясничать!

– Кому нужно, чтобы я работал, Тэн? Тебе? Мне? Моему старику? Репортерам светской хроники?

– Зачем же тогда ты учился?

– Я не знал, куда себя девать, а в Гарварде было интересно.

– Неправда! Ты был прилежным студентом. – Она перекинула свою золотистую гриву на спину и настойчиво продолжала: – Ты готовился к экзаменам не разгибая спины. Ради чего же ты старался?

– Ради самого себя. А ты? Ты можешь сказать, для чего ты училась?

– То же самое. Но теперь я не знаю, что делать дальше.

За две недели до Рождества ее выбор был сделан. Позвонила Шарон Блейк и спросила Тану, не хочет ли она принять участие в марше протеста, организуемом доктором Кингом. Тана размышляла над ее предложением всю ночь, а на следующий день позвонила Шарон.

– Ты снова достала меня, подружка.

– Ура! Я знала, что ты согласишься.

Она засыпала Тану подробностями: марш состоится в Алабаме, за три дня до Рождества; риск сравнительно невелик. Все это выглядело весьма увлекательно, и девушки болтали без умолку, как в прежние времена. Шарон так и не стала больше учиться, к большому огорчению своего отца. Она влюбилась в одного молодого чернокожего юриста, этой весной они собираются пожениться. Тана была безумно рада за нее и, повесив трубку, долго не могла успокоиться. Назавтра она рассказала Гарри о марше.

– Твоя мать не будет в восторге, Тэн.

– Я не обязана ей докладывать об этом. По-твоему, она должна знать каждый мой шаг?

– Но что как тебя снова арестуют?

– Тогда я позвоню тебе, и ты внесешь за меня залог. – Она сказала это совершенно серьезно, но он с сомнением покачал головой.

– Не выйдет – я в это время буду в Швейцарии.

– Вот бродяга!

– Я тебе не советую, Тэн.

– Оставь свои советы при себе.

Однако накануне вылета она слегла в постель с очень высокой температурой. У нее оказался вирулентный грипп. Вечером она попыталась встать и уложить вещи, но ее шатало от слабости. Она позвонила в Вашингтон. К телефону подошел Фримен Блейк.

– Вы слышали печальную новость... – В голосе, звучавшем точно со дна глубокого колодца, была неизбывная печаль.

– Какую?

Он не мог говорить, только плакал, и Тана, еще ничего не зная, тоже начала плакать.

– Она мертва... ее убили вчера вечером, они ее застрелили... мою девочку... мое дитя... – Он не мог продолжать. Тана рыдала вместе с ним, напуганная почти до истерики.

Наконец трубку взяла Мириам. Она тоже была расстроена, но держалась лучше, чем муж. Мириам сказала ей, на какое время назначены похороны, и в утро Сочельника Тана, вся в жару, вылетела в Вашингтон. К тому времени гроб с телом Шарон уже привезли домой.

Проститься с нею приехал Мартин Лютер Кинг, который произнес надгробное слово.

В программе новостей центрального ТВ было передано сообщение о смерти Шарон Блейк; фотокорреспонденты ломились в церковь, бесцеремонно направляя вспышки юпитеров в лица убитых горем людей. Фримен Блейк совершенно не владел собой: он потерял обоих своих детей, отдавших жизнь за одно и то же дело. После похорон Тана провела недолгое время в доме своих друзей. Они сидели и тихонько разговаривали.

– Употребите свою жизнь на что-нибудь полезное, дитя, – сказал ей Фримен Блейк, глядя на нее потухшими глазами. – Выходите замуж, рожайте детей. Не надо следовать примеру Шарон. – Он снова заплакал. Доктор Кинг увел его наверх, а к Тане подсела Мириам. Слезы лились в этом доме не переставая, Тана была совершенно обессилена горем и лихорадкой.

– Я так опечалена, миссис Блейк.

– Я тоже. – Ее глаза казались реками, из которых струилась боль. Она прошла через это, но удержалась на ногах. Такую, как она, не могло сломить ничто, и Тана невольно залюбовалась ею. – Что вы собираетесь делать, Тана?

Она не совсем поняла, что имелось в виду.

– Полечу домой. – Тана хотела успеть на последний авиарейс, чтобы провести Рождество с матерью. Артур, как всегда, уехал куда-то с компанией друзей, и Джин осталась одна.

– Я хотела сказать – после окончания колледжа.

– Пока не знаю.

– Вам никогда не хотелось поработать в государственных структурах? Наша страна испытывает нужду в энергичных людях. – Тана с улыбкой вспомнила, что говорила Шарон о ее несгибаемой твердости. Вот и сейчас, не успев похоронить дочь, она уже готова вернуться на поле битвы. Это и пугало, и привлекало девушку. – Вы можете заняться юриспруденцией. Вы из тех людей, которые могут изменить положение дел; вам это под силу.

– Я в этом не уверена.

– Можете не сомневаться. Вы наделены сильной волей. Шарон тоже была волевая, но у нее был другой склад ума. В некотором отношении вы похожи на меня, Тана. – Это утверждение испугало девушку: она находила Мириам чересчур холодной и не хотела походить на нее.

– Разве? – спросила она чуть удивленно.

– Вы знаете чего хотите и добиваетесь этого.

Тана улыбнулась.

– Не скажите.

– Вы не дрогнули даже тогда, когда вас выбросили из «Грин-Хиллз».

– Мне просто повезло: один из моих друзей посоветовал пойти в Бостонский университет.

– Но вы в любом случае приземлились бы на ноги. – Она помолчала, потом сказала со вздохом: – Подумайте над моими словами. У нас не хватает хороших юристов, Тэн; вы нужны нашей стране.

Пожалуй, это было сказано слишком сильно в отношении двадцатилетней девушки. Сидя в самолете, Тана пережевывала эти все еще звучавшие в ее ушах слова, но они заглушались рыданиями убитого горем отца Шарон, словами, сказанными ее подругой, когда они жили в «Грин-Хиллз», когда гуляли по улицам Йолана; Тану захлестывали воспоминания, она снова и снова вытирала лицо, а слезы все не иссякали. Под конец она вспомнила про ребенка Шарон, которого отдали в чужие руки четыре года назад. Где он? Что с ним? Тане представилось, что Фримен тоже думает сейчас об этом. Теперь у четы Блейков не осталось никого.

И в то же время она продолжала думать о советах Мириам. «Страна нуждается в вас...» Тана заикнулась об этом своей матери, прежде чем ехать в университет. Джин Робертс пришла в ужас.

– Какая еще юридическая школа?! Разве ты мало училась? Сколько же можно учиться? Всю жизнь?

– Но если это принесет мне пользу...

– Почему ты не хочешь устроиться на работу? Там ты можешь повстречать кого-нибудь.

– Ради всего святого, мам!

Джин зациклилась на одном: «встретить кого-нибудь», «пристроиться», «нарожать детей». Но Гарри, когда она поделилась с ним своими планами, тоже отнесся к ним прохладно.

– Господи Иисусе! Зачем это тебе?

– А почему бы и нет? Это может оказаться интересным. Вдруг у меня получится. – Она все больше загоралась этой идеей, пока наконец не уверовала, что юриспруденция – ее призвание. Она увидела в ней смысл и цель жизни. – Я подаю документы в юридическую школу при Калифорнийском университете, в Беркли. – Решение было окончательным. Существовало еще два юридических колледжа, куда она собиралась обратиться на всякий непредвиденный случай, но предпочтение отдавалось Калифорнийскому университету.

Гарри уставился на нее, еще не поверив до конца.

– Ты это серьезно?

– Вполне.

– Но это безумие, Тэн!

– Ты не хочешь присоединиться ко мне?

– Ну нет! – Он пренебрежительно усмехнулся. – Как я уже сказал, это не для меня. Я хочу малость порезвиться.

– Тебе не жаль на это времени?

– Жду не дождусь желанной свободы.

С не меньшим нетерпением Тана ожидала ответа на свое заявление. В мае ей сообщили, что она принята. Она даже получила право на неполную стипендию; кроме того, у нее были сбережения.

– Я выбрала свой путь.

Они с Гарри сидели на лужайке возле ее общежития.

– Ты уверена, что не ошиблась?

– Как никогда прежде. – Они обменялись долгими взглядами, думая о скорой разлуке.

Она поехала в Гарвард на церемонию выпуска, где лила обильные слезы – о Гарри, об ушедшей из жизни Шарон Блейк, о Джоне Кеннеди, убитом семь месяцев тому назад, о людях, которых она встречала, и о тех, с кем никогда не встретится. Заканчивалась некая эра в жизни их обоих. На своей собственной выпускной церемонии она снова плакала, как и ее мать. Приехал даже Артур Дарнинг. А Гарри сидел в заднем ряду, делая вид, что старается завоевать симпатии молоденьких девушек-новичков. Однако его взоры были прикованы к Тане. Сердце его устремилось ей навстречу и вслед за тем упало, когда он подумал, что их пути отныне разойдутся. Они неизбежно пересекутся вновь, и он будет ждать этого. Он всем сердцем желал ей удач на ее пути. Пусть ей будет хорошо и спокойно в Калифорнии! Но это так далеко – у него защемило сердце при одной мысли об этом. Однако другого выхода нет – он должен ее отпустить... пока. Слезы выступили у него на глазах, когда она спускалась со сцены, держа в руках диплом бакалавра, – такая юная и свежая, с большими зелеными глазами, блестящими золотистыми волосами и яркими губами, которые он так страстно мечтал поцеловать целых четыре года. Когда он поздравлял ее, эти самые губы скользнули по его щеке, и на какой-то миг – всего на один миг – он ощутил ее близость, заставившую его вздрогнуть.

– Спасибо, Гарри! – В ее глазах стояли слезы.

– За что? – спросил он, едва сдерживаясь, чтобы не заплакать.

– За все.

На них надавили стоявшие вокруг люди, и счастливый момент был утрачен. Гарри показалось, что ее оторвали от него насильно. С этого момента началась их раздельная жизнь.

Часть II

ЖИЗНЬ НАЧИНАЕТСЯ

Глава 7

В этот раз дорога до аэропорта показалась нескончаемой. Тана взяла такси. Джин решила проводить ее. Бесконечное молчание, короткие отрывистые фразы, словно автоматные очереди вдогонку противнику, скрывшемуся в кустах... Но наконец они приехали. Джин так настаивала на том, чтобы заплатить за такси, словно это была последняя возможность что-то сделать для своей девочки, единственный в жизни шанс. Видно было, что она с трудом сдерживает слезы. Тана сдавала багаж.

– И это все, что ты взяла с собой, родная? – Джин нервно повернулась к дочери, и Тана кивнула, улыбаясь.

Ей тоже было трудно в это утро. Не надо больше притворяться. Долго-долго она еще не приедет домой. Ну разве что на каникулы, на пару дней. А если ей удастся зацепиться в Боалте, скорее всего она больше никогда не будет жить в своем доме. Когда она ездила учиться в «Грин-Хиллз» или в Бостонский университет, ей не приходилось решать жилищную проблему, а сейчас она была готова уехать насовсем. Но на лице Джин застыло выражение паники. То самое выражение, что она носила вот уже двадцать три года, с тех пор, как Энди Робертс ушел на войну. Понимание того, что ничто и никогда уже не будет по-прежнему.

– Ты ведь позвонишь мне вечером, дорогая, не забудешь?

– Нет, мама, не забуду. Но на будущее не могу обещать, – улыбнулась Тана. – Если верно все, что я слышала, то полгода у меня времени не будет вздохнуть.

Она уже предупредила мать, что на Рождество приехать не сможет, да и дорога слишком дорога. Джин с этим смирилась. Она надеялась, – может быть, Артур купит ей билет, чтобы слетать к дочери, но тогда нечего и думать о том, чтобы провести Рождество вместе с ним. Ах, жизнь так нелегка. А для многих она – одни трудности.

Ожидая объявления посадки, они выпили по чашке чаю, смотрели, как улетают самолеты. Тана не раз ловила на себе пристальный взгляд матери. Двадцать два года мать заботилась о ней, формально сейчас это кончалось, и обеим было нелегко.

Неожиданно Джин взяла дочь за руку и посмотрела ей в глаза:

– Ты действительно хочешь именно этого, Тэн?

– Да, мама, – спокойно ответила Тана.

– Ты уверена?

Тана улыбнулась:

– Конечно. Знаю, тебе это покажется странным, но я хочу именно этого. Никогда еще я не была так уверена, хотя мне придется нелегко.

Джин нахмурилась и задумчиво покачала головой. Странное время для такого разговора, перед ее отъездом, и место странное, среди множества людей, ну что ж, они сейчас здесь... Джин снова подняла глаза на дочь и высказала то, что было у нее на сердце:

– Такая карьера больше подходит мужчине. Я никогда не думала...

– Я знаю, – печально ответила Тана, – ты хотела бы, чтобы я была вроде Энн. (Энн жила в Гринвиче с отцом, у нее только что родился первенец. Муж ее был полноправным партнером в фирме «Шерман и Стерлинг», имел «Порше», а Энн – «Мерседес»-седан. Любая мать мечтала бы о таком счастье для дочери.) – Но это не для меня, мама. Я никогда не стремилась к такой жизни.

– Но почему? – не могла понять Джин. Возможно, в чем-то она ошиблась. Наверное, это ее вина.

Тана покачала головой:

– Может быть, мне нужно что-то большее. Может быть, я хочу, чтобы это было достижением моим, а не моего мужа. Не знаю, но мне кажется, что я не могла бы быть счастлива, имей я все, что есть у Энн.

– Я думаю, что Гарри Уинслоу влюблен в тебя, – голос матери звучал мягко, но Тана не хотела вслушиваться в слова.

– Ты ошибаешься, мама. (Ну вот, опять начинается.) Мы очень любим друг друга, нежно, по-дружески, но не влюблен он в меня, и я тоже нет.

Тана хотела вовсе не этого. Он ей нужен как брат, как друг.

Объявили посадку на самолет. Джин кивнула и ничего не сказала. Она предприняла последнюю попытку изменить решение Таны, но ничего не могла предложить взамен: ни увлекательной жизни, ни мужчины, ни подарка, перед которым нельзя устоять, – все равно ничто не заставило бы ее дочь отказаться от своего пути. Тана взглянула в глаза матери, потом крепко обняла ее и шепнула на ухо:

– Мам, я так хочу. Я уверена. Клянусь.

Попрощались. Тане казалось, будто она улетает в Африку. Словно в другой мир, в другую жизнь, – в каком-то смысле так оно и было. Мать горевала, разрывая сердце Таны. Джин не утирала слез, струящихся по щекам, махала рукой. Поднимаясь на борт самолета, Тана крикнула:

– Я позвоню вечером!

– Но уже никогда не будет по-прежнему, – шептала про себя Джин, глядя на закрывающиеся двери, на отъезжающий трап, на гигантскую птицу, набиравшую разбег и наконец оторвавшуюся от земли. И долго-долго глядела ей вслед, пока та не превратилась в сверкающую точку. Вышла на улицу, чувствуя себя очень маленькой и очень одинокой, остановила такси и поехала назад в контору, туда, где Артур Дарнинг нуждался в ее помощи. Хоть кто-то пока еще нуждается в ней. Но она боялась возвращаться домой сегодня. И так будет не только сегодня, а еще несколько лет.

Глава 8

Когда Тана вышла в аэропорту Окленда, он показался ей маленьким и дружелюбным. Меньше, чем в Бостоне и Нью-Йорке, и гораздо больше всего Йолана, где вообще не было аэропорта. Она взяла такси до студгородка

Беркли, загрузила весь свой багаж, получила ключ от своей комнаты (комнату сняли специально для нее: это входило в стипендию), распаковала вещи и огляделась: все было по-другому, новым и незнакомым. В этот прекрасный теплый солнечный день люди в джинсах, свободных летящих рубашках – кто в чем – выглядели такими спокойными. Так и мелькали шорты и футболки, сандалии, кеды, кроссовки, тапочки, а то и босые ноги. «Еврейские принцессы» из Нью-Йорка в своих дорогих шерстяных и кашемировых нарядах от Бергдорфа не маячили здесь, не то что в Бостонском университете. Ходи в чем хочешь – так было принято, и можно было встретить все что угодно, кроме опрятного костюмчика. И во всем чувствовалось какое-то возбуждение.

Тана с приятным оживлением оглядывалась вокруг. Это оживление не покинуло ее и тогда, когда началась учеба, и следующий месяц: она радостно переходила из одного кабинета в другой, весело бежала домой и погружалась в учебники до поздней ночи. Единственным местом, куда она еще заходила, была библиотека. Ела она обычно у себя в комнате или на бегу. За этот первый месяц она похудела на два с половиной килограмма, хотя в этом не было необходимости. И одно только было хорошо в таком насыщенном расписании: она не тосковала по Гарри так сильно, как ожидала. Три года они ходили буквально рука об руку, даже когда учились в разных школах, и вот вдруг его нет рядом, хотя он и звонит в свободные часы.

В этот день, пятого октября, она сидела у себя; в дверь постучали и позвали к телефону. Она решила, что это опять мать, и ей очень не хотелось спускаться. Завтра предстоял зачет по договорному праву, и по другому предмету надо было написать реферат.

– Узнай, кто это. Можно ли перезвонить?

– Хорошо, сейчас, – дежурная ушла, вернулась. – Это из Нью-Йорка.

«Опять матушка».

– Я позвоню сама.

– Он сказал, что это невозможно.

«Он? Гарри?» Тана улыбнулась. Для него она готова даже отвлечься от учебы.

– Сейчас приду.

Она схватила с кресла смятые джинсы, натянула и побежала к телефону, застегивая по дороге.

– Алло?

– Что, черт побери, ты делаешь? Развлекаешься на четырнадцатом этаже с каким-нибудь парнишкой? Я уже целый час торчу здесь, Тэн.

Ее натренированное ухо уловило его раздражение и то, что он пьян. Уж она-то хорошо его знала.

– Прости, пожалуйста. Я была у себя, читала. И вообще, я думала, что это мама.

– Тебе не повезло.

Его голос звучал необычно серьезно.

– Ты в Нью-Йорке? – Тана улыбалась, она была счастлива слышать его голос.

– Да-а.

– Я думала, ты до следующего месяца не вернешься.

– Я и не вернулся. Я приехал повидать своего дядю. По всей видимости, он решил, что ему нужна моя помощь.

– Какого дядю? – Тана была в недоумении: Гарри никогда о нем раньше не говорил.

– Мой Дядюшка Сэм. Помнишь, тот, на плакатах, в нелепом красно-синем костюме, с длинной седой бородой?

Нет, он явно напился, и Тана рассмеялась было, но смех тут же замер на ее губах. Он не шутил. О господи...

– Какого дьявола, что ты имеешь в виду?

– Меня призвали, Тэн.

– О, черт.

Она закрыла глаза. Да, повсюду только и было слышно: Вьетнам... Вьетнам... У каждого было свое мнение по этому поводу... Задать им как следует... Держаться от этого подальше... Вспомните, что произошло с французами... Давай, вперед!.. Сиди дома... Жесткие меры... Война... Невозможно было разобраться в том, что происходит, но, что бы это ни было, ничего хорошего оно не сулило.

– На кой черт ты приехал сюда? Почему ты не остался у себя?

– Не хотел. Отец даже предложил отмазать меня, если сможет, в чем я сомневаюсь: есть все-таки что-то, чего даже его деньги не купят. Но это не в моем духе, Тэн. Не знаю, может быть, втайне я хотел попасть туда и быть хоть чуточку полезным.

– Придурок. Господи, да ты даже хуже. Тебя могут убить. Хоть это ты понимаешь? Гарри, возвращайся во Францию, – она уже кричала на него, кричала на Гарри в Нью-Йорке, стоя в коридоре. – Почему, черт побери, тебе не поехать в Канаду или не прострелить себе ногу... сделать что-нибудь, не участвовать в этом. Сейчас ведь 1964-й, а не 1941 год. Не будь таким благородным, ничего в этом нет благородного, ты, задница. Возвращайся. – Глаза ее наполнились слезами, она боялась спросить о том, что хотела узнать. Но надо. Она должна знать. – Куда тебя посылают?

– В Сан-Франциско. (Сердце ее сжалось.) Сначала туда. Часов на пять. Хочешь встретить меня в аэропорту, Тэн? Пообедаем или что-нибудь еще придумаем. Мне нужно в какой-то Форд-Орд к десяти вечера, а я прилетаю в три. Мне сказали, что от Сан-Франциско туда часа два езды... – Его голос затих, оба они думали об одном и том же.

– И что потом? – внезапно охрипшим голосом спросила Тана.

– Полагаю, Вьетнам. Чудненько, а?

Она вдруг почувствовала раздражение.

– Ничего в этом чудненького, ты, тупоумный сукин сын. Надо было тебе идти со мной учиться на адвоката. Но ты вместо этого захотел порезвиться и обнюхать все бордели Франции. А теперь нате вам, пожалуйста, отправляешься во Вьетнам, чтобы тебе отстрелили яйца...

По щекам ее катились слезы, и никто в холле не осмеливался пройти мимо нее.

– Однако у тебя это звучит завлекательно.

– Болван.

– Ну, и что еще новенького? Ты еще не влюбилась?

– Как будто у меня есть время. Я только и делаю, что читаю. Когда прилетает твой самолет?

– Завтра в три.

– Я приеду.

– Спасибо.

Его голос опять зазвучал по-юношески, а когда Тана увидела его на следующий день, он показался ей бледным и усталым, уже не выглядел так хорошо, как в июне, и этот его краткий визит прошел нервно и натянуто. Она не знала, что с ним делать. Но пять часов – это не слишком много. Сначала она привезла его к себе в Беркли, потом они поехали в Чайнатаун[1] пообедать, немного погуляли, и Гарри все время посматривал на часы. Ему надо было успеть на автобус. Он решил не брать такси до Форт-Орда, но это сокращало время, которое можно было провести вместе. Они не смеялись так, как бывало, оба были расстроены.

– Гарри, почему ты это делаешь? Ты мог бы откупиться.

– Это не по мне, Тэн. Уж это ты должна понимать. И, может быть, в глубине души я думаю, что поступаю правильно. Есть, видимо, во мне какой-то патриотизм, о котором я и не подозревал.

Сердце Таны упало.

– Ради бога, никакой это не патриотизм. Это не наша война, – ее ужаснуло, что, вероятно, был какой-то выход, а он его не использовал. Он показал себя с той стороны, которая ей была неведома. Беспечный Гарри повзрослел, и теперь она видела в нем мужчину, прежде ей незнакомого. Упрямого и сильного. И хотя то, что он собирался сделать, страшило его, было ясно: он знает, чего хочет.

– Думаю, скоро это станет нашей войной, Тэн.

– Но почему ты?

Они долго сидели молча, и день пролетел слишком

---

[1] Китайский квартал.

быстро. Прощаясь, она крепко обняла его и взяла обещание, что он будет звонить, как только выдастся случай. Но прошло шесть недель, а он не звонил, и к этому времени начальная подготовка кончилась. Он собирался вернуться в Сан-Франциско, повидать ее, но вместо поездки на Север стал готовиться к отправке на Юг.

Позвонил в субботу:

– Вечером я отправляюсь в Сан-Диего, а в начале недели – в Гонолулу.

У нее как раз был зачет, вырваться на пару дней в Сан-Диего никак нельзя.

– Проклятье! А в Гонолулу ты побудешь хоть немного?

– Наверняка нет.

Она тут же почувствовала: он что-то утаивает от нее.

– Что это значит?

– Это значит, что к концу следующей недели меня пошлют в Сайгон.

Его голос звучал холодно и твердо, как сталь, – совсем не похоже на Гарри. Она недоумевала, как это случилось. Именно этому удивлялся и он, каждый день все эти шесть недель. «Я считаю, просто повезло», – говорил он в шутку друзьям, но ничего шуточного в этом не было; когда ожидали вручения предписания, напряжение стало настолько ощутимым, что страшно было произнести лишнее слово. Никто не осмеливался говорить о своих чувствах, меньше всего те, кому повезло с распределением, может, другие не так удачливы. А Гарри был одним из неудачников.

– Скотство, конечно, но так уж оно есть, Тэн.

– Твой отец знает?

– Я звонил вчера вечером. Никому не известно, где он. В Париже думают, что он в Риме. В Риме думают, что он в Нью-Йорке. Я пытался позвонить в Южную Африку, но потом решил насрать на сукиного сына. Рано или поздно сам узнает, где я. (Почему, черт возьми, у него такой отец, которого невозможно поймать? Тана попыталась бы даже разыскать его, будь он другим, но он всегда казался ей не тем человеком, с которым хочется познакомиться.) Я написал ему по лондонскому адресу и оставил записку у «Пьерра» в Нью-Йорке. Это все, что я мог сделать.

– Вероятно, это даже больше, чем он заслуживает. Гарри, я могу что-нибудь сделать?

– Молись за меня.

Похоже, он не шутил, и Тана была потрясена. Это невозможно. Гарри, ее лучший друг, ее брат, по сути, ее двойник, – и его посылают во Вьетнам. Ее охватила паника, доселе ей неизвестная, и абсолютно ничего нельзя было поделать.

– Позвонишь мне еще перед отъездом?.. И из Гонолулу?..

Глаза ее наполнились слезами. «А если с ним что-нибудь случится? Нет, – она стиснула зубы, – не надо позволять себе даже думать об этом. Гарри Уинслоу непобедим, и он принадлежит мне, часть моего сердца отдана ему». Но, постоянно ожидая звонков, несколько дней она ходила как потерянная. Он звонил дважды до отъезда из Сан-Диего. «Прости, что долго не звонил, был занят, совсем затрахался, триппер, наверное, подхватил, ну и черт с ним». Почти всегда он был пьян, а на Гавайях, откуда тоже пару раз позвонил, вообще не просыхал, а потом он уехал – в безмолвие, джунгли и бездны Вьетнама. Ее воображение рисовало опасности, которым он подвергался, а позже стали приходить веселые разухабистые письма о жизни в Сайгоне, о проститутках, наркотиках, уютных некогда гостиницах, изящных девушках, о том, что ему пригодился его французский, – и она стала успокаиваться. Старина Гарри, он нисколько не меняется: что в Кембридже, что в Сайгоне – один и тот же. Тана успешно сдала все экзамены, прошел День Благодарения и первые два дня рождественских каникул, которые она провела у себя в комнате в окружении груды книг, и вот около семи вечера кто-то заколотил в ее дверь:

– Вас к телефону.

Мать часто звонила ей, и Тана знала почему, хотя они не говорили об этом. Праздники были трудным временем для Джин. Артур никогда не проводил с нею много времени, и все-таки она надеялась на лучшее. Всегда находились оправдания и причины, он посещал вечеринки, на которые не мог пригласить ее. Тана даже подозревала, что у него есть и другие женщины, а теперь еще Энн с мужем и ребенком, и, может быть, Билли тоже с ними, а Джин просто не была членом семьи, несмотря на то что уже много лет она все время рядом.

– Сейчас приду, – отозвалась Тана, натягивая халат и спускаясь к телефону.

В холле было холодно, а на улице туманно. Туманы так далеко на Востоке – редкое явление, но иногда случались такие ненастные ночи.

– Алло?

Она ожидала услышать мать, и то, что это был Гарри, ее ошеломило. Его голос был хриплым и очень усталым, будто он провел на ногах всю ночь, и неудивительно, если он сейчас в городе. Казалось, что он очень близко.

– Гарри?.. – Ее глаза наполнились слезами. – Гарри! Это ты?

– Ну да, кто же еще? – Он почти зарычал, и она ясно представила – почти почувствовала – прикосновение его заросшего подбородка.

– Ты где?

Мимолетная пауза.

– Здесь. В Сан-Франциско.

– Когда ты прилетел? Боже, если бы я знала, я встретила бы тебя.

Гарри вернулся, какой чудесный рождественский подарок!

– Да только что.

Это неправда, но легче сказать так, чем объяснять, почему сразу не позвонил.

– Слава богу, что ты там не задержался. – Тана была так счастлива слышать его голос, что и не пыталась сдержать слез. Она плакала и улыбалась, и Гарри на том конце тоже. Он уже и не надеялся снова услышать ее, и любил ее еще больше, чем раньше. Сейчас он даже не был уверен, что ему удастся скрыть свое чувство. Но придется постараться ради нее да и ради себя самого. – Почему тебя так скоро отпустили?

– Думаю, я устроил им там веселенькую жизнь. И жратва тухлая, и девчонки вшивые. Черт, я дважды подцепил мандавошек и самый гнусный триппер за всю свою жизнь... – Он попробовал рассмеяться, но было слишком больно.

– Кретин. Ты что, вообще не можешь вести себя как следует?

– Нет, если есть выбор.

– И где ты сейчас?

Опять пауза.

– Да вот, меня ремонтируют у Леттермана.

– В больнице?

– Ага.

– Из-за триппера? – Она произнесла это так громко, что две девушки в холле оглянулись, и она рассмеялась. – Слушай, ты невыносим. Ты самый гадкий человек из всех, кого я знаю, Гарри Уинслоу Четвертый или как тебя там. Тебя можно навестить или мне тоже грозит подцепить это? – Она все еще смеялась, а его голос звучал все так же хрипло и устало:

– Да, только не садись на мой стульчик.

– Не волнуйся, не буду. Я даже не подам тебе руки, пока ты свою не прокипятишь. Одному богу известно, где она только не побывала.

Он улыбнулся. Было чертовски здорово слышать опять ее голос.

Тана взглянула на часы:

– Можно приехать прямо сейчас?

– Тебе что, нечего больше делать в воскресный вечер?

– Я собиралась заняться любовью со стопкой книг по юриспруденции.

– Вижу, ты осталась такой же забавницей, как прежде.

– Да, но я гораздо умнее тебя, болван, и меня никто не посылал во Вьетнам.

Опять какое-то странное молчание, и когда Гарри заговорил снова, в его голосе не было улыбки.

– И слава богу, Тэн. – Слушая его, она ощутила неприятный холодок, пробежавший по позвоночнику. – Ты правда хочешь приехать ко мне сейчас?

– Черт возьми, конечно. Ты что, думаешь, я не приеду? Я просто не хочу подхватить триппер, и только.

Он улыбнулся:

– Я буду пай-мальчиком.

Но надо было что-то ей сказать... сейчас, пока она не приехала... иначе будет несправедливо.

– Тэн...

Он осекся. Пока он никому ничего не сказал. Даже с отцом еще не говорил: того нигде не могли найти, хотя Гарри знал, что в конце недели он должен быть в Гстаде, где всегда проводил Рождество, – с Гарри или без него. Для него Швейцария была неотделима от Рождества.

– Тэн... У меня кое-что похуже триппера...

Странный холод заледенил ее спину, она закрыла глаза.

– Да-а? И что же?

Она хотела, чтобы он этого не говорил, хотела, чтобы он смеялся, чтобы был здоров, если с ним что-то случилось, но поздно... уже не вернешь слов, не закроешься от правды...

– Меня немножко подстрелили...

Голос его надломился, и она почувствовала внезапную боль в груди, борясь с подступившими рыданиями.

– Да ну? Значит, ты поперся туда именно для этого? – Она еле сдерживала слезы, да и он тоже.

– Да как-то ничего лучшего не нашлось. Девчонки там, честно говоря, смотреть не на что... – его голос стал печальным и мягким, – не сравнить с тобой, Тэн.

– Господи, тебе, должно быть, все мозги продырявили.

Они немного посмеялись, но, казалось, холод от ее босых ног превратил всю ее в ледышку.

– Значит, Леттерман, так?

– Ага.

– Я буду через полчаса.

– Не спеши. Я никуда не ухожу.

И долго еще не сможет никуда пойти. Но Тана ни о чем не догадывалась, натягивая джинсы, всовывая ноги в туфли, не замечая какие, выныривая из черного свитера с высоким воротом, продираясь расческой через гриву волос, хватая с изножья кровати гороховую куртку. Сейчас же к нему, посмотреть, что с ним... «Меня немножко подстрелили...» Только эти слова звучали в ее голове, когда она ехала в автобусе в город и когда поймала такси до больницы Леттермана в Президио. Дорога заняла около часа, но она мчалась изо всех сил, и уже через пятьдесят пять минут после того, как повесила трубку, входила в больницу.

У женщины в регистратуре она спросила, где палата Гарри, на что та попросила уточнить, в каком он отделении, и Тане очень хотелось ответить «в трипперном», но сейчас ей было не до шуток и уж совсем расхотелось шутить, когда она подошла к дверям с табличкой «Нейрохирургия», молясь про себя, чтобы все было хорошо. Она вошла в палату бледная, почти серая, но и он выглядел не лучше. Он лежал на спине, над головой зеркало, рядом – респиратор. Кругом были разные держатели и трубки, и медсестра присматривала за ним. Сначала Тана решила, что Гарри парализован: абсолютная неподвижность, – и только потом заметила движение руки, и глаза ее наполнились слезами. Но ошиблась она только наполовину: от пояса и ниже он действительно был парализован.

– Пуля попала в позвоночник, – объяснил ей Гарри со слезами на глазах.

Наконец-то он говорит с ней, плачет вместе с ней, рассказывает о том, как себя чувствует. А чувствовал он себя дерьмово. Хотел умереть. С того самого момента, как его принесли.

– Вот такие дела... – Слова давались ему с трудом, а слезы бежали по щекам, по шее, на простыню. – Теперь я буду прикован к коляске... – Он плакал навзрыд.

Ему казалось, что он никогда больше ее не увидит, и вот она здесь, такая прекрасная, такая хорошая, такая светловолосая... Точно такая, какой была всегда. Все здесь казалось таким же, как всегда. Никто ничего не знал ни о Вьетнаме, ни о Сайгоне, ни о Дананге, ни о вьетконговцах... Ты даже не видел ни одного из них. Он просто прострелил твою задницу из укрытия на дереве, и, может быть, это был девятилетний мальчишка, или просто он выглядит как мальчишка. Но здесь никому до этого нет никакого дела.

Тана смотрела на него, сдерживая рыдания. «Как хорошо, что он остался жив. Это просто чудо, что он выжил», – думала она, слушая его рассказ о том, как он пять суток лежал в джунглях, уткнувшись лицом в грязь, под проливным дождем. «Ну и пусть он не сможет никогда ходить. Он ведь жив, не так ли?» И сейчас в характере Таны проявилось то, что давным-давно в ней разглядела Мириам Блейк.

– И поделом тебе, болван, за то, что ты путался с дешевыми шлюхами. Ну что ж, пока полежи тут, если угодно, но вот что я тебе скажу: я не собираюсь слишком долго все это терпеть. Понял?

У них не было сил сдерживать слезы. Тана встала, крепко схватив его за руку.

– Ты поднимешь свою задницу и будешь что-то делать для себя. Ясно? – произнесла она дрожащим голосом. Сердце ее болело и не умещалось в груди.

– Слушай, ты просто сумасшедшая. Ты знаешь это, Тэн?

– А ты – ленивый сукин сын, но ты не слишком радуйся тому, что отлеживаешь задницу, потому что это ненадолго. Ты понял, придурок?

– Да, мадам.

Он отдал честь, а через пару минут пришла медсестра и сделала ему обезболивающий укол. Тана, держа его за руку, смотрела, как он засыпает, слезы катились по ее щекам, она молча плакала и шептала слова благодарности. Несколько часов просидела она так, глядя на него, держа его руку, и наконец, поцеловав в щеки и в глаза, ушла. Было уже за полночь, и в автобусе до Беркли она думала, что эта ночь – Ночь Благодарения. Слава богу, что он выжил. Слава богу, что он не сгинул в этих богом забытых джунглях, у черта на рогах. Сейчас Вьетнам приобрел для нее особое значение. Место, куда люди уходят, чтобы быть убитыми. Это не просто место, о котором можно прочесть, поговорить о нем с друзьями или преподавателями между уроками. Для нее сейчас Вьетнам стал реальным. Она точно знала, что это значит. Это значит, что Гарри Уинслоу никогда больше не будет ходить. И, выбираясь этой ночью из автобуса в Беркли с мокрыми от слез щеками, стиснув в карманах кулаки, входя в свою комнату, она знала, что ни она, ни он уже никогда не будут прежними.

Глава 9

Следующие два дня Тана провела рядом с ним, отлучаясь лишь для того, чтобы немного поспать, принять душ, переодеться, и возвращалась опять, держала его за руку, разговаривала с ним, когда он просыпался. Они говорили о том, как учились – он в Гарварде, а она в Бостонском университете, вспоминали велосипед-тандем, на котором они катались, каникулы на Кэйп-Код. Почти все время он находился под действием наркотиков, но иногда бывал таким ясным, что больно было смотреть на него и сознавать, какие мысли роятся в его голове. Он не хотел остаток жизни провести парализованным, желал смерти и не раз говорил Тане об этом. А она вопила на него и обзывала сукиным сыном. Но еще очень боялась оставлять его одного на ночь: вдруг он что-нибудь с собой сделает. Она предупредила медсестер о его состоянии, но такое им было не в диковинку и не слишком их обеспокоило. Они хорошо за ним присматривали, но у них были и другие, более тяжелые больные, например, парнишка внизу, которому оторвало обе руки и изуродовало лицо ручной гранатой, которую ему дал шестилетний мальчик.

Как-то утром в Сочельник, когда Тана уже собиралась в больницу, позвонила ее мать. В Нью-Йорке было десять утра, она пришла в контору на несколько часов и решила, что неплохо бы позвонить Тане и справиться о ее делах. До последней минуты она надеялась, что дочь передумает и приедет на Рождество домой, но все эти месяцы Тана настойчиво повторяла, что нет никакой возможности, что у нее куча работы, и добавляла даже, что не видит смысла в приезде матери к ней. Но Джин казалось, что Тане предстоят унылые рождественские каникулы, почти такие же унылые, какие всегда бывают у нее самой. Артур проводит Рождество с семьей на Палм-Бич, там будут Энн с мужем и ребенком и Билли. Конечно, она понимала, что ему было бы очень неудобно пригласить ее.

– Ну что, милая, чем занимаешься? – Джин уже две недели не звонила ей. Слишком подавлена была и не хотела, чтобы Тана это услышала. Раньше, когда Артур бывал в Нью-Йорке после каникул, она, по крайней мере, надеялась, что он заедет хотя бы на несколько часов, но в этом году у Джин не было даже надежды, и Тана так далеко... – Усердно учишься, как и собиралась?

– Да... я... нет... – Тана еще не проснулась как следует. Она просидела у Гарри до четырех утра. Накануне у него неожиданно поднялась температура, и она боялась оставлять его одного, но в четыре медсестра чуть ли не силой выпроводила ее домой спать. Ей еще пригодится все ее здоровье. Это продлится не один день, и она должна быть готова помочь ему, когда он больше всего будет нуждаться в ней. – Нет, я не училась. Последние три дня, по крайней мере.

Тана чуть не падала от усталости, сидя у телефона на стуле с прямой спинкой.

– Гарри вернулся из Вьетнама. – Взгляд ее остекленел. В первый раз она говорит об этом вслух, а при мысли о том, что еще предстоит сказать, ее просто замутило.

– Ты виделась с ним? – В голосе Джин зазвучало раздражение. – Я-то думала, что ты учишься. Если бы я предполагала, что у тебя есть время развлекаться, я не сидела бы здесь в одиночестве в рождественские праздники... Но раз у тебя нашлось время для развлечений с ним, самое малое, что ты могла бы сделать...

– Прекрати! – гневный возглас Таны прокатился по

пустому холлу. – Прекрати! Он у Леттермана. Никто и не думает развлекаться, бога ради!

На другом конце провода воцарилось молчание. Джин никогда не слышала, чтобы Тана так кричала. В ее голосе звучало какое-то истерическое отчаяние и пугающая безнадежность.

– У Леттермана? – Джин подумала было, что это гостиница, но что-то тут же подсказало ей, что она ошибается.

– В военном госпитале. Ему прострелили позвоночник... – Чтобы не заплакать, Тана стала глубоко дышать, но это не помогло. Ничего не помогало. Она все время плакала, как только уходила от него. Никак не могла поверить, что это случилось с ним. И сейчас, сидя на стуле, она рыдала, как ребенок. – Он парализован, мам... он даже может умереть... вчера у него был страшный жар...

Тана содрогалась от рыданий, не в силах остановиться, но ей нужно было выпустить все это. А Джин сидела у себя в конторе, уставившись в стенку, потрясенная, и думала о мальчике, которого видела столько раз. Он был такой уверенный, почти бесстыжий, если уместно говорить так о юноше его лет, он все время смеялся, такой забавный и яркий, такой непочтительный, и он почти всегда раздражал ее, а теперь она благодарила бога за то, что Тана не вышла за него замуж... Ну и жизнь была бы у нее сейчас.

– Ох, милая... Мне так жаль...

– И мне тоже, – голос ее звучал точно как в детстве, когда умер ее щенок, и сердце Джин разрывалось. – А я ничего не могу поделать, просто сижу и смотрю.

– Не стоит тебе сидеть там. Это слишком большое напряжение.

– Я должна быть с ним. Неужели ты не понимаешь? – сказала она жестко. – У него никого нет, кроме меня.

– А что его семья?

– Отец до сих пор не появился и, вероятно, никогда не появится, сукин сын, а Гарри лежит там, еле живой.

– Ну что же, ты здесь ничем не поможешь. И я не уверена, что тебе нужно все это видеть, Тэн.

— Да? — уже воинственно. — А что мне нужно, мам? Званые обеды в Ист-Сайде? Вечеринки в Гринвиче с семейством Дарнингов? Это самые идиотские слова, что я когда-либо слышала! Мой лучший друг вернулся из Вьетнама с простреленной задницей, а ты мне говоришь такое! И как, по-твоему, я должна поступить с ним? Вычеркнуть его из своего списка только потому, что он не может больше танцевать?

— Не будь так цинична, Тэн, — твердо возразила Джин Робертс.

— А почему бы и нет, черт возьми! И вообще, в каком мире мы живем? Что со всеми случилось? Почему никто не видит, что мы получили во Вьетнаме, не говоря уж о Шарон и Ричарде Блейк, о Джоне Кеннеди и обо всем прочем, что неладно в мире.

— Это не в твоей власти и не в моей.

— Почему же никого не волнует, что мы думаем?.. Что думаю я... что думает Гарри... Почему никто не спросил его, прежде чем отправлять на войну?

Она разрыдалась, не в силах продолжать.

— Возьми себя в руки, — Джин выждала минутку и продолжала: — Я думаю, тебе стоит вернуться домой на праздники, Тэн, особенно, если ты собираешься провести их в больнице, у постели этого юноши.

— Сейчас я не могу приехать, — резко ответила Тана, и глаза Джин внезапно наполнились слезами.

— Но почему? — теперь она говорила, как ребенок.

— Я не хочу сейчас оставлять Гарри одного.

— Неужели он так много значит для тебя?.. (Больше, чем я...)

— Да. А разве ты не проводишь Рождество, хотя бы несколько дней, с Артуром? — Тана высморкалась и вытерла глаза, но Джин там, у себя, помотала головой.

— Не в этом году, Тэн. Он с ребятами собирается в Палм-Бич.

— И не пригласил тебя? — Тана была потрясена. Вот уж действительно законченный эгоистичный сукин сын, наверное, только отцу Гарри уступит.

— Это было бы неудобно.

– Почему? Его жена уже восемь лет как умерла, и ваша связь давно ни для кого не секрет. Почему он не мог пригласить тебя?

– Это неважно. И потом, у меня все равно здесь есть работа.

– Ну, конечно, – она просто выходила из себя, когда думала о стремлении матери услужить ему и посвятить этому всю свою жизнь, – работа для него. Почему бы тебе в один прекрасный день не предложить ему убираться на все четыре стороны, а? Тебе только сорок пять, ты можешь подыскать себе кого-нибудь, ведь никто не будет обращаться с тобой хуже, чем Артур.

– Это неправда! – Джин немедленно оскорбилась.

– Неужто? Тогда почему ты проводишь Рождество в одиночестве?

Джин парировала быстро и язвительно:

– Потому что моя дочь не приедет домой.

Тана с трудом сдержалась, чтобы тут же не повесить трубку.

– Не надо играть со мной в такие игры, мам.

– Не говори со мной в таком тоне. И ведь это правда, разве нет? Ты хочешь быть с ним, будто у тебя нет никаких других обязанностей. Но это не всегда срабатывает, знаешь ли. Ты можешь, конечно, не приезжать домой, но не притворяйся при этом, что поступаешь правильно.

– Мама, я учусь на юриста. Мне двадцать два. Я взрослая. Я больше не могу все время быть рядом с тобой.

– Вот и он не может. А его обязанности гораздо важнее твоих. – Сейчас она потихоньку плакала.

Тана помотала головой и заговорила снова, уже спокойно:

– Не на меня ты должна злиться, мам, а на него. Я очень сожалею, что не приеду, но ты пойми, я никак не могу.

– Понимаю...

– Нет, ты не понимаешь. О чем я тоже сожалею.

Джин вздохнула:

– Видимо, теперь уж ничего не поделаешь. Хотелось бы думать, что ты поступаешь правильно, – она фыркнула. – Но, пожалуйста, родная, не сиди все время в больнице. Ведь это так угнетает, и парнишке лучше от этого не будет. Он сам выкарабкается.

Такая ее позиция вызвала у Таны новый приступ дурноты, но она сказала только:

– Хорошо, мам.

У обеих были свои убеждения, и ни та, ни другая не собирались уступать. Это уже безнадежно. Каждая идет своим путем, и Джин это тоже хорошо понимала. Она подумала, как повезло Артуру: его дети так часто бывают с ним вместе. Энн всегда нужна его помощь, и денежная, и любая другая, а муж ее, можно сказать, ноги целовал Артуру, и даже Билли жил в отчем доме. «Да, как ему хорошо», – думала она, повесив трубку. Это означало, что у него действительно никогда не было времени для нее. Деловые обязательства, старые друзья, которые слишком привязаны к Мери, чтобы принять Джин (так, во всяком случае, он говорит), Билли, Энн – да, ему с трудом удается выкроить время для нее. И все равно, между ними существует нечто совершенно особенное, и она знала, что так будет всегда.

«Это оправдывает долгие одинокие часы ожидания», – пыталась она убедить себя, наводя порядок на рабочем столе, возвращаясь домой, где долго взирала на пустую комнату Таны. Комната выглядела такой болезненно аккуратной, пустой и необжитой. Такой непохожей на ее теперешнюю комнату в Беркли, где все было разбросано по полу: у Таны не было времени наводить порядок. Она схватила, что попалось под руку, и помчалась в больницу к Гарри. После разговора с матерью она позвонила туда, и ей сказали, что у Гарри опять поднялась температура. Ему только что сделали укол, и он спал, но она хотела быть рядом с ним, как только он проснется. Причесываясь и влезая в джинсы, Тана думала о словах матери. Как несправедливо с ее стороны укорять Тану за свое одиночество. Как она смеет рассчитывать, что дочь всегда будет с ней рядом? Она пытается снять ответственность с Артура. Целых шестнадцать лет Джин находила ему оправдания, выгораживала его перед Таной, перед собой, перед друзьями, перед сотрудницами. Сколько можно оправдывать мужчину?

Тана сорвала с вешалки куртку и сбежала вниз. Полчаса на то, чтобы переехать по Бэй-Бридж, еще двадцать минут до больницы Леттермана, уютно расположившейся в Президио. Транспорт ходил еще хуже, чем пару дней назад, и неудивительно – ведь сегодня Сочельник. Выходя из автобуса, она старалась не думать о матери. Та, в конце концов, может позаботиться о себе сама, чего сейчас не скажешь о Гарри. С этой мыслью она подошла к двери его комнаты на четвертом этаже и проскользнула внутрь. Он все еще спал, шторы были задернуты. На улице сиял солнечный зимний день, но сюда не проникало ни лучика света и радости. Темно, тихо, мрачно. Тана тихонько села на стул рядом с кроватью и стала смотреть на его лицо. Он был погружен в тяжелый наркотический сон и битых два часа даже не пошевелился. Тана вышла в коридор, просто чтобы немного подвигаться, походила туда-сюда, стараясь не смотреть в палаты и на устрашающие приспособления, пришибленные лица родителей, пришедших навестить сыновей или то, что от них осталось, – бинты, части лиц, выглядывающие из-под них, переломанные, изувеченные руки и ноги. Это было почти невыносимо, и, дойдя до конца коридора, она глубоко вздохнула, как вдруг увидела мужчину, от которого у нее буквально перехватило дыхание. Самый высокий, самый прекрасный мужчина из всех, кого ей довелось видеть. Высокий, темноволосый, с яркими синими глазами, загорелый, широкоплечий, длинные – почти нескончаемые – ноги, изысканного покроя темно-синий костюм и пальто из верблюжьей шерсти, перекинутое через руку. Рубашка словно с обложки журнала – само совершенство сливочной белизны. Все в нем было несказанно прекрасным, безупречным и великолепно ухоженным. На левой руке его был перстень-печатка, а в глазах – тревога; время от времени он бросал мимолетные взгляды на девушку, внимательно рассматривающую его.

— Вы не знаете ли, где нейрохирургическое отделение?

Она кивнула, вдруг почувствовав себя маленькой и глупой, а потом робко улыбнулась.

— Да, это вниз по коридору. — Она показала туда, откуда пришла, и он улыбнулся тоже, но глаза его в этом не участвовали. Что-то безнадежно печальное было в этом мужчине, словно он потерял то единственное, о чем заботился. Так оно и было. Или почти так.

Тана терялась в догадках, что привело его сюда. Казалось, ему около пятидесяти, хотя было в нем что-то мальчишеское, и, конечно, это был самый потрясающий мужчина из всех, кого встречала Тана. Темные с проседью волосы делали его еще более прекрасным. Он быстро прошел мимо нее, вниз по коридору, и она поплелась за ним туда, откуда пришла, увидела, как он повернул налево, к кабинету медсестер, от которых они все так зависели.

Потом ее мысли вернулись к Гарри, и она решила, что и самой пора вернуться к нему. Хоть она и недолго отсутствовала, но он уже мог проснуться, а ей надо рассказать ему, о чем она думала всю ночь, очень хочется поделиться своими соображениями об их будущем. Говоря о том, что не позволит ему сидеть сиднем, Тана была вполне серьезна. У него впереди целая жизнь. Две медсестры, завидев ее, улыбнулись. На цыпочках Тана подошла к двери комнаты, где лежал ее друг. Там все еще царил полумрак, да и солнце уже заходило, но она сразу заметила, что Гарри проснулся. Он выглядел одурманенным лекарствами, однако узнал Тану и не улыбнулся. Они смотрели друг другу в глаза, не отводя взглядов. Она вдруг почувствовала что-то странное, что-то было не так, еще хуже, чем с самого начала, если только это было возможно. Она обвела глазами комнату, будто ища подсказки, и обнаружила: он стоял в углу — мрачный, красивый человек с седыми волосами, в темно-синем костюме, — и Тана чуть не подпрыгнула. Ей никогда не приходило в голову... И внезапно она осознала... Гаррисон Уинслоу Третий, отец Гарри... наконец-то он появился.

– Привет, Тэн, – вид у Гарри был несчастный. До прихода отца все было проще. Теперь же надо как-то справляться с ним и с его горем. Так хорошо было с Таной, она всегда понимала его чувства. Не то что отец.

– Как ты? – Пока они не обращали внимания на старшего, как будто для начала заряжаясь силой друг от друга. Тана не знала даже, что говорить.

– В порядке. – Но он вовсе не выглядел в порядке; потом он перевел взгляд на хорошо одетого мужчину. – Отец, это Тана Робертс, мой друг.

Уинслоу-старший почти ничего не сказал, только протянул руку. Он смотрел на нее как на что-то неуместное, чужеродное. Его интересовало в подробностях, как Гарри попал сюда. Накануне он прилетел в Лондон из Южной Африки, получил телеграммы, давно ожидавшие его, и тут же вылетел в Сан-Франциско, но до самого прибытия он толком не знал, что случилось. Он все еще не мог оправиться от потрясения. Гарри только что, перед тем как вошла Тана, сказал ему, что отныне на всю жизнь будет прикован к инвалидному креслу. Все это он изложил быстро, не пытаясь щадить чувства отца или как-то смягчить удар. Да он и не обязан быть добрым, так он считал. Это его ноги, и если они больше не станут ему служить, то это только его проблема, ничья больше, значит, и говорить об этом он может как ему заблагорассудится. Поэтому и не церемонился.

– Тэн, это мой отец, Гаррисон Уинслоу, – в его голосе зазвучали саркастические нотки, – Третий.

Ничто не изменилось между ними. Даже теперь. А отец его казался огорченным.

– Может, вы хотите остаться вдвоем? – Тана переводила взгляд с одного на другого, и было сразу видно, что Гарри не хочет, а его отец предпочел бы именно это. – Пойду выпью чашку чаю. – Она осторожно взглянула на Уинслоу-старшего. – Вам принести?

Он замялся, но потом кивнул:

– Да, премного благодарен.

Он улыбнулся, и невозможно было не заметить, как обезоруживающе прекрасен этот мужчина, даже здесь, в больнице, в палате собственного сына, придавленный грузом плохих вестей. Невероятная глубина синих глаз, сила точеной линии подбородка, нежные и в то же время уверенные руки... В этом человеке трудно было разглядеть того негодяя, каким его описывал Гарри, но приходилось верить другу. И все-таки внезапные сомнения закрались в ее душу, пока она не спеша ходила в кафе за чаем. Не прошло и получаса, как она вернулась, размышляя, не стоит ли ей уйти сейчас и навестить Гарри завтра или сегодня попозже. Да и учебу она забросила, надо наверстывать упущенное. Но, войдя обратно в палату, она заметила в глазах Гарри настойчивое выражение, словно он просил у нее спасения от своего отца; не ускользнуло это и от взгляда медсестры, и, не зная, в чем причина расстройства пациента, она вскоре попросила их обоих уйти. Тана наклонилась, чтобы поцеловать Гарри, и он шепнул:

– Возвращайся попозже... если сможешь...

– Ладно.

Она поцеловала его в щеку и сделала мысленную заметку сначала позвонить медсестре. Но сегодня все же Сочельник, и ему, вероятно, не хочется оставаться в одиночестве. Еще она подумала, уж не поспорил ли он с отцом, который, оглянувшись через плечо на сына и тяжело вздохнув, вышел из палаты вслед за Таной. Они шли по коридору, отец Гарри печально опустил голову, будто разглядывая свои ослепительно начищенные туфли, и Тана боялась вымолвить слово. К тому же она чувствовала себя совершенной неряхой в этих растоптанных тапках и джинсах, но, идя сюда, она не ожидала встречи ни с кем, меньше всего с легендарным Гаррисоном Уинслоу Третьим. Она вздрогнула, когда тот обратился к ней:

– Как он, по-вашему?

Тана судорожно вздохнула:

– Пока не знаю... еще рано судить... думаю, он до сих пор в шоке.

Гаррисон Уинслоу кивнул. Он и сам был в шоке. Прежде чем подняться к сыну, он поговорил с врачом и узнал, что абсолютно ничего нельзя сделать. Нейрохирург пояснил, что спинной мозг Гарри настолько серьезно поврежден, что он никогда больше не сможет ходить. Они сделали все, что могли, в ближайшие полгода ему предстоит перенести еще несколько операций, и кое-что оказалось не так уж плохо. Гарри описали его положение в общих чертах, но не сообщили всего: пока было слишком рано что-либо утверждать. Лучше всего было то, что он сможет, немного потренировавшись, заниматься любовью, так как этот участок нервной системы все еще действовал – в определенных границах, конечно, – и хотя он не будет испытывать всей полноты ощущений или полностью контролировать себя, все же значительная часть чувствительности сохранилась. «Он даже сможет завести семью», – добавил врач потрясенному отцу. Понятно, что он никогда не будет ходить, танцевать, бегать или кататься на лыжах... Слезы выступили на глазах отца при мысли об этом, и тут он вспомнил о девушке, идущей рядом. Хорошенькая, он обратил на нее внимание сразу же, как увидел ее в конце коридора, и отметил прелесть ее лица, большие зеленые глаза, грациозность движений, а когда она вошла в палату Гарри, был просто изумлен.

– Вы с Гарри близкие друзья, не так ли? – Странно, но Гарри никогда не говорил ему об этой девушке, впрочем, он никогда ни о чем ему не рассказывал.

– Да. Мы дружим уже четыре года.

Пока они стояли в приемной больницы, он решил не ходить вокруг да около. Ему нужно было знать, какие трудности предстоят, и сейчас, возможно, был подходящий момент для этого. Что связывает Гарри с этой девушкой: мимолетное увлечение, скрытая любовь, а может быть, она его тайная жена? Да и финансовые дела сына тоже надо обдумать, пока мальчик не настолько искушен в жизни, чтобы постоять за себя.

– Вы влюблены в него? – Синие глаза не отрываясь смотрели на девушку, и она едва не потеряла дар речи.

– Я... нет... я... это... – она не могла понять, почему он об этом спросил, – я его очень люблю... но мы... между нами нет физической любви, если вы это имеете в виду.

Она покраснела до корней волос, объясняя все это, и он извиняюще улыбнулся.

– Простите меня за такой вопрос, но, если вы хорошо знаете Гарри, вам должно быть известно, как он себя чувствует. Я не знал ничего о его жизни и предполагал, что в один прекрасный день приеду и увижу его с женой и тремя детьми.

Тана рассмеялась. Это было маловероятно, но возможно. Скорее, конечно, с тремя любовницами. И вдруг она осознала, что ей все труднее неприязненно относиться к этому человеку, как бы этого ни хотел Гарри, даже больше – она вообще сомневалась в том, что испытывает неприязнь к нему.

Гаррисон был сильный человек и не боялся спросить о том, что хотел знать. Он оглядел ее, бросил взгляд на часы и на автомобиль, ожидающий его на обочине.

– Не хотите выпить со мной где-нибудь чашку кофе? Может быть, у меня в гостинице? Я остановился в Стэнфорд-Корт, но я попрошу шофера отвезти вас потом куда нужно. Ну как, вас это устраивает?

На самом деле ее это не устраивало и выглядело слегка предательским, но она не знала, что ответить. Бедняга тоже немало перенес да и приперся в такую даль.

– Я... мне, правда, надо вернуться... мне еще столько надо перечитать...– она вспыхнула, а он выглядел таким огорченным, что ей вдруг стало его жалко. Такой элегантный и дерзкий, и в то же время было в нем что-то уязвимое. – Извините, я не хотела нагрубить. Просто...

– Знаю. – Он смотрел на нее с такой печальной улыбкой, что ее сердце растаяло. – Он рассказал вам, какой я негодяй. Но, может быть, в Рождество... Знаете, нам обоим было бы неплохо сейчас поговорить. Я ужасно потрясен, да и вы, наверное, тоже.

Тана грустно кивнула и пошла за ним к машине. Шофер открыл дверцу, она села на серое бархатное сиденье, а Гаррисон Уинслоу – рядом с ней. Всю дорогу он был задумчив. Город проносился мимо окон автомобиля, и через несколько минут они подъезжали к Ноб-Хилл с восточной стороны и, резко повернув, оказались у Стэнфорд-Корт.

– Эти годы для нас с Гарри были очень тяжелыми. Почему-то мы никак не могли разобраться в своих отношениях... – Казалось, он говорит сам с собой. Тана наблюдала за его лицом. Он не выглядел таким уж бессердечным, как его описывал Гарри. Честно говоря, он совсем не казался бессердечным, скорее печальным и одиноким. Гаррисон повернулся и пристально посмотрел на Тану. – Вы такая красивая... не только внешне, мне кажется. Гарри очень повезло, что у него такой друг.

А самое странное в ней было то, о чем Гарри, конечно, и не догадывался: она удивительно похожа на его мать в этом возрасте. Гаррисон смотрел, как легко она вышла из машины: почти сверхъестественное сходство, – и последовал за ней. Они вошли в ресторан «Попурри» и заняли одну из кабинок. Казалось, что он постоянно наблюдает за ней, стараясь понять, кто она и что значит для его сына. Ему было трудно поверить, что они «просто друзья», как заявила она, однако она упорно придерживалась этого, а причин лгать ему у нее не было.

Поймав его взгляд, Тана улыбнулась:

– Моя мать чувствует то же, что и вы, мистер Уинслоу. Она не устает повторять, что мальчики и девочки не могут дружить, а я говорю ей, что она не права. Ведь мы с Гарри именно друзья... он мой самый лучший друг во всем свете... он мне как брат... – При мысли о том, что с ним случилось, глаза ее наполнились слезами, и она отвернулась. – Я сделаю все, чтобы помочь ему снова вернуться к жизни. – Она с вызовом посмотрела на Гаррисона, гневаясь не на него, а на судьбу, искалечившую его сына. – Сделаю, вот увидите... Я просто не позволю ему отлеживать задницу. – Она вспыхнула от этих слов, но продолжала: – Я заставлю его встать, двигаться, беспокоиться. – Потом она как-то странно посмотрела на него. – У меня есть идея, но сначала мне нужно обсудить ее с Гарри.

Он заинтересовался. Может быть, она и вправду имеет виды на Гарри, так сейчас это вовсе неплохо. Мало того, что девушка хорошенькая, совершенно очевидно, что она умна и полна решимости. Когда она говорила, ее глаза загорались зеленым огнем, и было ясно, что она отвечает за каждое свое слово.

– Что за идея? – Девушка его заинтриговала и очаровала бы, если б не тревога за сына.

Она колебалась. Он, наверное, сочтет ее сумасшедшей, особенно если в нем ни на грош тщеславия, как говорил Гарри.

– Не знаю... Возможно, вам это покажется безумным, но я подумала... не знаю... – Ей было неловко открываться ему. – Я подумала, что, может быть, смогла бы убедить его пойти учиться вместе со мной на юридическом. Даже если ему это никогда не пригодится, все равно было бы полезно, особенно сейчас.

– Вы серьезно? – Вокруг глаз Гаррисона Уинслоу разбежались лучики смеха. – Юрист? Мой сын? – Он с усмешкой похлопал ее по руке, просто удивительный ребенок, такая зажигательная, но она способна на многое, на это тоже. – Если вам удастся уговорить его, особенно сейчас, – его лицо сразу погрустнело, – значит, вы еще более замечательная, чем я думал.

– Я собираюсь попробовать, когда он будет в состоянии выслушать меня.

– Боюсь, это будет еще не скоро.

Оба согласно кивнули, и в воцарившемся молчании услышали, как на улице поют колядки. Тана быстро подняла на него глаза.

– Почему вы так мало виделись?

Необходимо было спросить, ей-то терять было нечего, а если он разозлится на нее, она всегда может уйти. Он ничего ей не сможет сделать. Однако он вовсе не выглядел расстроенным, пристально глядя в ее глаза.

– Честно? Потому что до сего момента все было совершенно безнадежно. Я очень долго пытался наладить отношения с Гарри, но у меня ничего не получилось. Он стал ненавидеть меня с детства, а с годами это становилось все хуже. Не было смысла бередить старые раны. Этот мир очень велик, у меня много дел, а он может жить своей жизнью. – На глаза его навернулись слезы. – Мог, во всяком случае, до сих пор...

Тана через стол дотянулась до его руки.

– Он сможет жить своей жизнью. Обещаю вам... Если выживет... О боже... если он выживет... Господи, пожалуйста, не дай ему умереть, – она стирала слезы со щек. – Он такой замечательный, мистер Уинслоу, он мой лучший друг.

– Хотел бы я сказать то же самое, – печально отозвался он. – Сейчас мы как чужие. Когда сегодня я вошел в его комнату, я почувствовал себя незваным гостем.

– Может быть, это потому, что там была я. Надо было мне оставить вас вдвоем.

– Это ничего бы не изменило. Все так далеко зашло, слишком далеко. Мы чужие друг другу.

– Не обязательно такими оставаться. – Она разговаривала с ним как со старым знакомым, и почему-то сейчас он не производил такого сильного впечатления, будь он хоть какой угодно светский, или изысканный, или красивый, или искушенный. Это просто человек, убитый горем отец, сын которого искалечен. – Вы можете с ним подружиться.

Гаррисон Уинслоу покачал головой и улыбнулся ей. Он подумал, что Тана замечательно красивая девушка, и вдруг опять его заинтересовало, что же все-таки между Гарри и нею. Его сын слишком большой распутник в своем роде, чтобы упустить такую возможность, разве что он заботится о девушке больше, чем она себе представляет... Вероятно, так и есть... Может быть, Гарри влюблен в нее? Да, должно быть, так. Нельзя поверить, что их связывает только дружба, как уверяет она. Ему это казалось невозможным.

– Уже поздно, друг мой. Слишком поздно. Да и грехи мои, по его мнению, искупить невозможно, – он вздохнул. – Полагаю, на его месте я чувствовал бы то же самое. – Он в упор взглянул на нее. – Знаете, он думает, что я убил его мать. Когда ему было четыре года, она покончила с собой.

Она чуть не задохнулась:

– Я знаю.

В глазах его была опустошенность и неприкрытая боль, до сих пор живущая в его душе. Его любовь к жене никогда не остынет, как и любовь к сыну.

– Она умирала от рака и не хотела, чтобы кто-нибудь знал об этом. Перед самой смертью болезнь должна была обезобразить ее, и она не могла этого вынести. Ей уже сделали две операции, и... – он чуть было не замолчал, но пересилил себя и продолжал: – Ей было страшно тяжело... да и всем нам... Тогда Гарри знал, что она больна, но сейчас не помнит. Впрочем, это неважно. Она больше не могла переносить операции, боль, и мне невыносимо было видеть ее страдания. То, что она сделала, конечно, ужасно, но я всегда понимал ее. Она была так молода, так прекрасна... Она была очень похожа на вас, правда, и сама почти ребенок...

Он не стыдился своих слез, а Тана с ужасом смотрела на него.

– Почему Гарри не знает об этом?

– Она взяла с меня обещание, что я никогда не расскажу.

Гаррисон откинулся на спинку дивана, будто его толкнули. Отчаяние, в котором он пребывал после ее смерти, так никуда и не ушло. Долгие годы он старался убежать от него: сначала с Гарри, потом с разными женщинами и девушками, вообще с любым человеком, потом в одиночку. И вот в пятьдесят два года открыл, что не столь уж далеко убежал, и бежать больше некуда. Воспоминания были с ним и боль, и горе, и утрата... А сейчас вот и Гарри может уйти... Эта мысль была невыносима, когда он смотрел на милую юную девушку перед ним, полную жизненной силы и надежды. Почти невозможно было все объяснить ей, так давно это было.

– О раке тогда разное говорили... Он был вроде неприличной болезни, к нему относились почти как к чему-то постыдному. Я не соглашался с ней, но в одном она была непреклонна: Гарри ничего не должен знать. Она написала мне предлинное письмо и, когда я вечером поехал в Бостон навестить старую тетушку, приняла смертельную дозу снотворного. Она хотела, чтобы Гарри запомнил ее жизнерадостной и прекрасной, романтичной, а не изуродованной болезнью, потому она и ушла... Для него она героиня. – Он печально улыбнулся Тане. – Такой осталась и для меня. Конечно, это грустная смерть, но другая была бы гораздо хуже. Я никогда не упрекал ее за то, что она сделала.

– И вы позволяете ему думать, что вы во всем виноваты. – Она в ужасе смотрела на него огромными зелеными глазами.

– Мне и в голову не приходило, что он станет так думать, а когда я понял, уже было поздно. Пока он был совсем маленьким, я всячески старался занять себя, надеясь заглушить чувство потери. Но мне так и не удалось, на самом деле это никогда не помогает. Отчаяние преследует тебя, как шелудивый пес, все время ожидая на пороге, когда ты проснешься, скулит у твоих ног, не обращая внимания на то, как ты занят, насколько хорошо одет и очарователен, не замечая друзей вокруг тебя, – оно всегда здесь, хватает за пятки, вгрызается в манжеты... Так все и было... Но к тому времени, как Гарри исполнилось восемь или девять лет, он сделал самостоятельные выводы на мой счет и одно время так меня ненавидел, что я отдал его в интернат, а он решил жить там. После этого у меня ничего не осталось, поэтому я усерднее, чем прежде, старался забыться, и... – Он философски пожал плечами. – Она умерла почти двадцать лет назад, так-то вот... в январе... – Он рассеянно посмотрел куда-то, потом вернулся взглядом к Тане, но это не помогло. Девушка была так похожа на мать Гарри, что, глядя на нее, он словно возвращался в прошлое. – А теперь и Гарри попал в эту страшную мясорубку... Жизнь такая гнусная и странная, верно?

Тана кивнула: что здесь можно было сказать? Он дал ей пищу для размышлений.

– Думаю, вы должны что-нибудь ему рассказать.

– О чем?

– О смерти его матери.

– Нет, не могу. Я обещал ей... и себе... Если я скажу ему сейчас, будет выглядеть так, словно я стараюсь оправдать себя, извлечь какую-то выгоду...

– Тогда почему вы рассказали мне? – Ее потрясли собственные слова и чувства, гнев, прозвучавший в голосе. Поразительно, сколько люди теряют в своей жизни, как они упускают моменты, когда могли бы любить друг друга, взять хотя бы этого мужчину и его сына. Они потратили впустую столько лет, которые могли бы провести вместе. А Гарри сейчас нужен отец. Все ему сейчас нужны.

Гаррисон виновато взглянул на нее:

– Полагаю, что не надо было вам все это рассказывать. Но мне необходимо было поговорить хоть с кем-нибудь... а вы... вы так близки с ним... – он отсутствующе смотрел мимо нее. – Я хотел, чтобы вы знали, как я люблю сына.

В горле у нее застрял комок размером с кулак, она не понимала – хочется ли ей ударить его или поцеловать, а может, и то и другое. Никогда ни один мужчина не вызывал у нее таких чувств.

– Какого черта вы сами не скажете?

– Ничего хорошего из этого не выйдет.

– А вдруг выйдет? Может быть, сейчас самое время.

Он задумчиво посмотрел на нее, потом опустил взгляд и наконец снова прямо взглянул в ее зеленые глаза.

– Возможно. Хотя я совсем его не знаю... Я даже не знаю, как начать...

– Да так же, как сейчас, мистер Уинслоу. Точно так, как вы сказали мне.

Он улыбнулся ей, и тут же улыбку смыло усталостью.

– Откуда у вас столько мудрости, малышка?

Тана улыбнулась и ощутила необыкновенное тепло, исходящее от него. В чем-то он был очень похож на Гарри, и с острым чувством смущения она осознала, что ее тянет к нему. Будто все ощущения, казалось бы заглохшие после изнасилования, внезапно снова ожили.

– О чем вы сейчас подумали?

Она зарделась и помотала головой:

– Это не имеет отношения к разговору... Извините... Я устала... Вот уж сколько суток недосыпаю...

– Я отвезу вас домой, и вы сможете немного отдохнуть.

Он подозвал официанта, чтобы расплатиться, и, ожидая его, смотрел на Тану, нежно улыбаясь, а ей, никогда не видевшей своего отца, ужасно захотелось, чтобы этот мужчина был Энди Робертсом, а не Артуром Дарнингом, который сквозил в жизни ее матери – то явится, то исчезнет, когда ему удобно. Гаррисон Уинслоу был совсем не такой эгоистичный, в чем хотел убедить ее (да и себя тоже) Гарри. Все эти годы он так ненавидел отца, а сейчас Тана инстинктивно чувствовала, что ее друг очень сильно ошибался, и еще она думала, неужели Гаррисон прав и уже действительно слишком поздно.

– Спасибо, Тана, что поговорили со мной. Гарри очень повезло, что вы с ним дружите.

– И мне тоже повезло с другом.

Он положил двадцатку на стол и снова взглянул на нее.

– Вы единственный ребенок в семье? – Он подозревал это, и она, улыбаясь, кивнула.

– Да. И я никогда не видела отца, он умер до моего рождения, погиб на войне.

Уже десять тысяч раз она произносила эти слова раньше, но сейчас они преисполнились нового смысла. Как и все остальное. Но ей непонятно было, что бы это значило и почему все изменилось. С ней происходило что-то странное, и, сидя рядом с ним, она недоумевала: неужели это из-за усталости? Она позволила ему проводить ее до машины и удивилась, когда он сел вместе с ней, а не просто сказал шоферу, куда ее отвезти.

– Я поеду с вами.

– Право же, в этом нет необходимости.

– Мне сейчас нечего делать. Я приехал сюда ради

Гарри и думаю, что ему лучше несколько часов отдохнуть.

Тана согласилась. Проезжая через мост, они толковали о том о сем, он сказал, что никогда прежде не бывал в Сан-Франциско, что ему здесь понравилось, но казалось, что он где-то далеко. Тана предположила, что он думает о сыне, но на самом деле именно ею были заняты его мысли. Когда они приехали, Гаррисон протянул ей руку:

– Увидимся в больнице. Вы можете позвонить в гостиницу, я пришлю за вами машину, если хотите.

Она уже говорила, что мотается туда-сюда на автобусе, и это его очень беспокоило: она такая юная и хорошенькая, мало ли что может случиться.

– Спасибо за все, мистер Уинслоу.

– Гаррисон, – он улыбнулся ей и стал точно как Гарри, когда тот улыбался, не такой озорной, правда, но что-то похожее в нем было тоже. – До встречи. А сейчас отдохните немного.

Он помахал ей, и машина отъехала. Тана поднималась по ступенькам, размышляя обо всем, что было сказано. Как порой несправедлива жизнь! Она заснула, думая о Гаррисоне... о Гарри... о Вьетнаме... и о женщине, убившей себя, и в Танином сне у этой женщины не было лица, а когда она проснулась, в крошечной комнатке было темно, и она резко села и долго не могла успокоить дыхание. Тана взглянула на часы: девять – и подумала, как там Гарри. Она спустилась к телефону-автомату и позвонила. Оказалось, что жар спал, Гарри некоторое время бодрствовал, а теперь опять задремал, но не стал ложиться в постель. Ему еще не давали снотворного и, наверное, пока не будут давать. Вдруг, услышав доносящиеся с улицы колядки, Тана вспомнила, что сейчас Рождество, а Гарри один и нуждается в ней. Она быстро приняла душ и решила нарядиться для него. Надела красивое белое вязаное платье, туфли на высоких каблуках и красное пальто, повязала шарф, который не носила с прошлой зимы, когда была в Нью-Йорке, и думала, что здесь он ей не пригодится. Но почему-то все было таким рождественским, и она решила, что ему это будет важно.

Она слегка надушилась, провела щеткой по волосам и поехала на автобусе в город, опять думая о его отце. К больнице, погруженной в праздничный сон, она подъехала в пол-одиннадцатого. На деревьях мигали лампочки, тут и там стояли пластиковые Санта-Клаусы. Но особенно праздничного настроения не чувствовалось, слишком много здесь было горя и безнадежности.

Подойдя к палате Гарри, она тихонько постучала и на цыпочках вошла, ожидая застать его спящим, но он лежал, уставившись в стену, в глазах его блестели слезы. Увидев ее, он вздрогнул и даже не улыбнулся.

– Я умираю, правда?

Она была потрясена его словами, тоном и этим безжизненным взором и, внезапно нахмурившись, подошла к кровати.

– Нет, если, конечно, ты этого не хочешь. – Приходилось быть с ним резкой. – Многое зависит от тебя.

Она стояла очень близко, глядя ему в глаза, а он не пытался взять ее за руку.

– Глупо так говорить. Не моя была идея получить пулю в задницу.

– Конечно, твоя.

Голос ее звучал бесстрастно, и на какой-то момент он почувствовал раздражение:

– И что, черт возьми, это, по-твоему, значит?

– Что ты мог бы пойти учиться. Но ты вместо этого решил поразвлечься. Так что тебе досталась короткая палочка. Ты рискнул и проиграл.

– Да-а. Только я потерял не десять долларов, а свои ноги. Совсем не ерундовая ставка.

– Мне кажется, что они все еще при тебе. – Тана глянула на беспомощные конечности, а он чуть не зарычал на нее:

– Не будь идиоткой! Какая сейчас от них польза?

– Но они есть, и ты жив, и у тебя масса возможностей. А если послушать медсестер, так у тебя еще встает. – Никогда еще она не говорила с ним так резко, да и для Рождества это был чертовски неподходящий тон, но Тана была уверена, что пришла пора подтолкнуть его, особенно если он решил, что умирает. – Взгляни же на все с хорошей стороны, черт побери, ты даже можешь опять и триппер подцепить.

– Меня тошнит от тебя. – Он отвернулся, но Тана не раздумывая схватила его за руку, и он вынужден был повернуться к ней.

– Послушай, ты, это меня от тебя тошнит. Из твоего взвода половину ребят поубивали, а ты жив, так что нечего валяться тут и скулить о том, чего ты лишен. Думай о том, что у тебя есть. Жизнь еще не кончена, если, конечно, ты сам не решишь иначе, а я не хочу тебя хоронить, – глаза щипало от слез, – я хочу, чтобы ты выбросил из головы всю эту чушь, даже если мне придется десять лет тащить тебя за волосы, чтобы заставить встать и снова жить. Ясно? – Слезы струились по ее щекам. – Я тебя в покое не оставлю. Никогда! Это ты понимаешь?

Медленно, потихоньку в его глазах стала появляться улыбка.

– Ты совершенно чокнутая баба, Тэн, ты знаешь это?

– Ну, может быть, и так, но если ты не начнешь делать что-нибудь сам, чтобы облегчить нам жизнь, ты на своей шкуре узнаешь, насколько я чокнутая.

Она вытерла слезы, а он усмехнулся ей и впервые за много дней стал похож на прежнего Гарри.

– Знаешь, что это?

– Что? – растерялась она. Последние дни были самыми эмоционально напряженными за всю ее жизнь, и никогда еще она не чувствовала себя такой утомленной и возбужденной, как сейчас.

– Это все та сексуальная энергия, что накопилась в тебе, именно она заставляет тебя выкладываться во всем, что ты делаешь. Иногда это делает тебя совершенно невыносимой.

– Благодарю.

– Всегда пожалуйста, – он усмехнулся и прикрыл на минутку глаза, потом снова открыл. – А для чего ты так нарядилась? Куда-нибудь идешь?

– Да. Сюда. Навестить тебя. Рождество все-таки,–

глаза ее смягчились, и она улыбнулась ему. – С возвращением к людям!

– Знаешь, мне понравилось то, что ты сказала раньше. – Он все еще улыбался, и Тана поняла, что худшее позади. Если в нем не угаснет воля к жизни, все будет в порядке, относительно, конечно. Так считает нейрохирург.

– Что я сказала? О том, что тебе надо дать пинка под зад, чтобы ты занялся собой?.. Уже пора, – довольно отозвалась она.

– Нет, о том, что встает, и о возможности снова подцепить триппер.

– Козел, – она с отвращением посмотрела на него, но тут вошла медсестра, и они расхохотались. Вдруг на какое-то мгновение вернулись старые добрые времена, но смех оборвался, когда отец Гарри вошел в палату и улыбнулся: они были похожи на расшалившихся детей. Гаррисон Уинслоу отчаянно хотел подружиться с сыном и уже чувствовал, как сильно ему нравится эта девушка.

– Не позволяйте мне омрачить вашу радость. О чем это вы?

Тана вспыхнула. Трудно разговаривать с таким космополитом, но, в конце концов, проговорили же они полдня.

– Ваш сын показал себя сейчас таким же грубияном, каким был всегда.

– Ничего удивительного, – Гаррисон сел на один из стульев и оглядел обоих, – хотя в рождественский вечер мог бы постараться вести себя чуточку повежливей.

– Знаете, он говорил о медсестрах и...

Гарри покраснел и стал возражать, Тана засмеялась, и отец Гарри тоже неожиданно рассмеялся. Что-то почти неуловимое изменилось в их отношениях, и хотя никто из них не мог чувствовать себя совершенно непринужденно, они поболтали полчаса, а потом Гарри начал уставать, и Тана поднялась.

– Я пришла, чтобы просто подарить тебе рождественский поцелуй, и даже не думала, что ты проснулся.

– И я тоже, – Гаррисон Уинслоу тоже встал. – Мы придем завтра, сын.

Он наблюдал, как Гарри смотрит на нее, и решил, что все понял. Она была в неведении о чувствах Гарри, а он по какой-то причине, по какой – отец не мог понять, предпочитал не открываться ей. Здесь была некая тайна, недоступная его пониманию. Он снова взглянул на сына:

– Что-нибудь тебе еще нужно?

Гарри долго и грустно смотрел на него, потом покачал головой. Конечно, кое-что ему было нужно, но не в их силах дать это ему. «Подарите мне ноги». Отец понял и нежно прикоснулся к его руке:

– До завтра, сынок.

– Спокойной ночи. – В прощании Гарри с отцом не было особой теплоты, но глаза его зажглись, когда он перевел взгляд на прекрасную блондинку. – Тана, веди себя хорошо.

– С какой стати? Ты ведь не стараешься. – Она усмехнулась и послала ему поцелуй, прошептав: – Счастливого Рождества, балда.

Он засмеялся, а Тана вслед за его отцом вышла в коридор.

– Мне показалось, он выглядит лучше, а вам как кажется? – Их все больше сближало несчастье, обрушившееся на Гарри.

– Да, мне тоже. Думаю, худшее уже позади. Сейчас ему предстоит долгий, медленный подъем.

Гаррисон кивнул. Они спустились на лифте, и это казалось таким привычным, будто они проделывали это уже десятки раз. Их очень сблизил сегодняшний разговор. Он открыл перед ней дверь, и она увидела все тот же серебристый лимузин у подъезда.

– Хотите что-нибудь поесть?

Она стала отказываться, но потом осознала, что до сих пор не ужинала. Ей хотелось пойти на ночную рождественскую службу, но только не в одиночестве. Тана взглянула на Гаррисона: интересно, а значит ли это что-нибудь для него, особенно сейчас?

– Да, пожалуй. А вам интересно было бы после пойти на ночную службу?

Очень серьезно он кивнул, и Тана еще раз поразилась: до чего же красив. Они быстро съели по гамбургеру, поболтали о Гарри и его учебе в Кембридже, Тана рассказала Гаррисону об их совместных самых возмутительных проделках, и он смеялся, одновременно ломая голову над странными отношениями между сыном и этой девушкой. Он, как и Джин, никак не мог в них разобраться. А потом они пошли на службу, и слезы катились по щекам Таны, когда пели «Тихую ночь». Она думала о Шарон, любимой подруге, и о Гарри, и как хорошо, что он жив, а когда она подняла глаза на его отца, который стоял рядом, гордо выпрямившись, то увидела, что он тоже плачет. Когда они сели, он осторожно высморкался, а потом, по дороге в Беркли, она отметила, до чего удобно просто быть рядом с ним. Пока они ехали, Тана почти задремала – она невероятно устала.

– Что вы делаете завтра?

– Скорее всего навещу Гарри. И еще мне надо очень много заниматься. – В последние дни она почти забыла об этом.

– Могу ли я пригласить вас на обед, до посещения больницы?

Ее тронуло, что он спрашивает, и она согласилась, а выйдя из машины, сразу стала прикидывать, что ей надеть. Но долго раздумывать над этим не пришлось, потому что стоило ей войти к себе в комнату, стянуть одежду, бросив ее на пол, и забраться в постель, как она моментально заснула мертвецким сном – настолько была измотана.

Совсем по-другому встретила Рождество ее мать в Нью-Йорке: совершенно одна сидела она в кресле и плакала. Ни Тана, ни Артур из Палм-Бич не позвонили, и всю ночь Джин провела, одолевая темную сторону своей души, созерцая нечто, о чем никогда не задумывалась.

Она сходила на ночную службу, как, бывало, хаживала с Таной, в половине второго вернулась домой и смотрела телевизор. К двум часам ночи на нее навалилось такое безнадежное одиночество, какого она никогда раньше не испытывала. Как прикованная сидела она в кресле, не двигаясь, почти не дыша. И впервые в своей жизни стала помышлять о самоубийстве, а к трем часам этому стремлению стало почти невозможно противиться. Полчаса спустя Джин пошла в ванную и достала флакон со снотворным (никогда она не принимала этих таблеток), потом, дрожа с головы до пят, заставила себя поставить его назад. Как никогда в жизни, она хотела сейчас выпить снотворное и в то же время не желала этого. Ей хотелось, чтобы кто-нибудь остановил ее, сказал, что все будет в порядке. Но некому было сказать это. Тана уехала и скорее всего никогда больше не будет жить здесь, у Артура своя жизнь, ее он принимает, только когда ему это удобно, а не тогда, когда он нужен ей. Тана была права, когда говорила о нем, но Джин было слишком больно признать ее правоту, наоборот, она защищала все его поступки и его несчастных эгоистичных детей, эту стерву Энн, которая всегда была груба с ней, и Билли, он был такой милый мальчишка, но теперь... теперь он все время пьян, и Джин думала, что, если Тана права, если он вовсе не таков, каким она его считала... но если это так... Воспоминание о том, что ей рассказала Тана четыре года назад, обрушилось на нее. Что, если это правда?.. Если он... если она не поверила... Это было выше ее сил... Словно нынешней ночью вся ее жизнь рухнула, и это было невыносимо. С вожделением, зачарованно она смотрела на таблетки. Казалось, что ничего больше не остается, и она представляла себе, что подумает Тана, когда ей позвонят в Калифорнию и сообщат новость. Кто найдет ее тело... может быть, управляющий... кто-нибудь из сотрудников... если ждать, пока Артур обнаружит ее, могут недели пройти. Еще тяжелее было осознать, что не осталось, кажется, никого, кто быстро нашел бы ее. Джин подумала, не написать ли Тане записку, но это выглядело так мелодраматично, да и сказать ей нечего, кроме того, как она любила свое дитя, как старалась для нее. Она плакала, вспоминая, как росла Тана, их крошечную квартирку на двоих, как она встретила Артура и надеялась, что он женится на ней... Вся ее жизнь проходила перед глазами, пока она смотрела на флакон со снотворным, а агонизирующая ночь тянулась мучительно. Она потеряла счет времени, и, когда наконец зазвонил телефон, Джин была потрясена, взглянув на часы: уже пять! Не Тана ли это? Может, ее друг умер... Трясущимися руками схватила она трубку и сначала не узнала голоса мужчины, назвавшегося Джоном.

– Джон?

– Джон Йорк. Муж Энн. Мы в Палм-Бич.

– Ох. Да, конечно. – Но она до сих пор была как оглушенная: переживания этой ночи совершенно ее опустошили. Она отвела взгляд от флакона... потом можно будет его взять. Непонятно, почему они звонят ей, но Джон Йорк быстро все разъяснил:

– Это из-за Артура. Энн решила, что надо позвонить. У него сердечный приступ.

– О боже. – Сердце ее подпрыгнуло, и она разрыдалась прямо в трубку. – Но он... в порядке? Как он...

– Сейчас нормально. Но был очень плох. Это произошло несколько часов назад, он немного оправился, но еще очень слаб, опасность не миновала, поэтому Энн решила, что надо позвонить.

– О боже, боже... – Артур чуть не умер, а она сидела тут, собираясь лишить себя жизни. А если бы она это сделала?.. Ее передернуло от этой мысли. – Где он сейчас?

– В больнице милосердия Мерси. Энн думала, что вы, вероятно, захотите приехать.

– Конечно. – Она вскочила, все еще держа телефонную трубку, схватила карандаш и блокнот, уронив флакон со снотворным. Таблетки рассыпались по полу, она глядела на них, уже полностью придя в себя. Невозможно вообразить, что она могла натворить, а он сейчас так нуждается в ней. Слава богу, что она вовремя остановилась. – Объясни, Джон, как туда доехать, я вылетаю ближайшим рейсом.

Она записала название и адрес больницы, номер его палаты, спросила, нужно ли ему что-нибудь, и через мгновение положила трубку и закрыла глаза, думая об Артуре, и слезы текли по ее щекам при мысли о том, что могло бы произойти.

Глава 10

На следующий день Гаррисон Уинслоу прислал за Таной в Беркли машину, и они отправились пообедать в «Трейдер Викс». В гостинице ему рекомендовали это место как вполне подходящее, и правда, атмосфера там была праздничная, а еда хорошая. Опять они непринужденно разговаривали: о Гарри, и не только о нем, – и Гаррисон почувствовал, что ему очень нравится быть с ней, такой живой, смышленой. Она рассказала ему о Фримене Блейке и о своей умершей подруге Шарон, о Мириам, которая убедила ее поступить на юридический.

– Это оказалось гораздо трудней, чем я думала, но, надеюсь, выживу, – улыбнулась Тана.

– Вы всерьез думаете, что Гарри под силу то же самое?

– Он может добиться всего, чего захочет. Проблема в том, что он предпочитает валять дурака. – Она вспыхнула, и Гаррисон рассмеялся.

– Согласен, он и правда любит валять дурака. Думает, это передалось по наследству. Но я, впрочем, был гораздо серьезнее в его годы, а мой отец – весьма ученый человек – даже написал две книги по философии.

Так они поболтали немного, и для Таны это было самое приятное отвлечение за долгое-долгое время. Наконец она виновато взглянула на часы, и они поспешили в больницу, захватив для Гарри пакет «пирожных с предсказаниями». Тане очень захотелось принести ему чего-нибудь выпить. Они взяли огромную бутылку «Скорпиона» с плавающей внутри гарденией.

Гарри сделал большой глоток и ухмыльнулся:

– Счастливого Рождества!

Но Тана заметила, что его не очень-то радует дружба ее с отцом, и, когда наконец Гаррисон вышел позвонить, он злобно уставился на нее.

– Чему это ты так радуешься? – Тана не обиделась: пусть он бесится, ему это только на пользу, это вернет его к жизни. – Ты же знаешь, как я к нему отношусь. Не позволяй ему одурачить себя.

– Он и не пытается. Знаешь, если бы он не беспокоился о тебе, его бы здесь не было. Не будь таким упрямым ослом, дай ему шанс.

– Ох, ради бога. – Будь у него возможность, он вышел бы из комнаты, хлопнув дверью. – Что за ерунду ты несешь! Он сам тебе так сказал?

Тана не могла пересказать ему всего, о чем они говорили с его отцом, так как знала, что Гаррисон этого не хочет, но она понимала сейчас и то, как он относится к сыну, и была уверена в искренности его чувств. Она испытывала все большую нежность к этому человеку и хотела, чтобы Гарри был более откровенен с ним.

– Он порядочный человек. Дай ему шанс.

– Он сукин сын, и я его ненавижу.

И в этот момент Гаррисон Уинслоу вошел в комнату, как раз чтобы услышать слова Гарри. Тана побледнела. Все трое смотрели друг на друга, а Гаррисон поспешил успокоить ее:

– Я уже не в первый раз это слышу и, уверен, не в последний.

Гарри повернулся к нему и огрызнулся:

– Какого черта ты не постучал?

– Тебя беспокоит, что я услышал? Что из того? Ты и раньше говорил мне такое, обычно прямо в глаза. Неужели ты становишься более осторожным? Или менее храбрым? – В голосе старшего звучала сталь, а в глазах младшего сверкал огонь.

– Ты знаешь, что я о тебе думаю. Тебя никогда не было рядом, когда мне было нужно. Тебя всегда носило черт знает где, ты был с какими-то девицами, на каких-то курортах или на горных вершинах, со своими друзьями... – Он отвернулся. – Не хочу об этом говорить.

– Нет, хочешь, – Гаррисон Уинслоу придвинул стул и сел. – И я хочу. Ты прав, меня не было рядом, так же, как и тебя. Ты жил в интернате, ты сам так захотел, и всякий раз, как я с тобой встречался, ты был невыносимым маленьким сопляком.

– А почему бы мне не быть таким?

– Да, ты так решил и не давал мне ни малейшей поблажки с момента смерти матери. Я знал, что ты меня ненавидишь уже с шести лет. Тогда я мог это принимать. Но сейчас, знаешь, Гарри, я полагаю, что ты стал чуточку умнее или, на худой конец, более сострадательным. Поверь мне, я не так уж плох, как тебе угодно думать.

Тана желала исчезнуть, вжаться в стену, так стыдно было находиться здесь, но, похоже, ни один из них не возражал. Слушая их, она осознала, что опять забыла позвонить матери. Она сделала мысленную заметку обязательно позвонить сразу, как вернется из больницы, может быть, даже с одного из телефонов внизу, в холле, но сейчас, когда третья мировая война между отцом и сыном была в разгаре, она не могла уйти.

Гарри яростно уставился на отца:

– Какого черта ты вообще сюда приперся?

– Потому что ты мой сын. Единственный. Хочешь, чтобы я ушел? – Гаррисон Уинслоу спокойно встал и продолжал негромко: – Я уйду, как только ты захочешь. Не стану навязываться, но и не позволю тебе и дальше заблуждаться, что я ничуть не беспокоился о тебе. Этакая милая сказочка о бедном маленьком богатом мальчике и все такое прочее, но, выражаясь словами твоей подруги, все это дерьмо. Так уж случилось, что я тебя очень люблю, – голос его надломился, но он продолжал, борясь с чувствами и словами, и сердце Таны устремилось к нему. – Я люблю тебя, Гарри, очень люблю. Любил всегда и никогда не перестану.

Он подошел к сыну, наклонился и нежно поцеловал его в макушку, а затем стремительно вышел из комнаты. Гарри лежал, отвернувшись и закрыв глаза, а когда открыл, то увидел Тану, стоящую рядом, всю в слезах от только что услышанного.

– Убирайся отсюда!

Она кивнула и тихо вышла, осторожно закрыв за собой дверь. С постели доносились рыдания. Но ему нужно было побыть одному и поплакать. Тана понимала это.

Гаррисон ждал ее в коридоре, сейчас он выглядел

более собранным, было видно, что ему стало гораздо легче.

– Гарри успокоился? – спросил он с улыбкой.

– Скоро успокоится. Ему надо было выслушать то, что вы сказали.

– Мне необходимо было высказаться. Я тоже чувствую себя лучше.

С этими словами он взял ее за руку, и так они пошли вниз по лестнице – рука в руке. Казалось, они всегда были друзьями. Он посмотрел на нее, широко улыбаясь:

– Куда вы сейчас, барышня?

– Домой, полагаю. Работа моя так и осталась несделанной.

– Что за ерунда, – передразнил он, и они рассмеялись. – А что, если вы прогуляете и отправитесь в кино со стариком? Меня только что выставил из комнаты собственный сын, я в этом городе не знаю ни души, а сейчас Рождество все-таки. Ну, как вам этот план, Тэн?

Тана улыбнулась: он подхватил это имя у сына. Она хотела сказать, что ей надо домой, но почему-то не смогла; она желала быть с ним.

– Мне на самом деле надо домой. – Но это прозвучало неубедительно.

В праздничном настроении Гаррисон сел рядом с ней в машину.

– Хорошо. А теперь, когда вы это препятствие устранили, куда мы поедем?

Она хихикнула, как маленькая девочка, а он попросил шофера поездить по городу. В конце концов они купили газету, выбрали фильм, который обоим понравился, наелись до отвала воздушной кукурузы, а потом отправились в «Этуаль», немного поужинать и выпить в баре. Тана все больше портилась просто от того, что была с ним. Она пыталась вспомнить слова Гарри о грубости этого человека, но сама не верила в эти слова. И никогда раньше она не была так счастлива, как в те минуты, когда, подъезжая к ее дому в Беркли, он обнял ее и поцеловал, и это было так естественно, словно и он, и она ждали этого всю жизнь. Потом он посмотрел на нее, прикоснулся кончиками пальцев к ее губам, размышляя, не будет ли он жалеть о сделанном, но чувствовал себя моложе и счастливее, чем в прошедшие годы.

– Тана, любовь моя, никогда я не встречал такой, как ты. – Он крепко прижал ее к себе, так, что она почувствовала тепло и защищенность, о которых даже не мечтала, и снова поцеловал. Он хотел, чтобы она всегда принадлежала ему, но в то же время удивлялся, не сошел ли он чуточку с ума. Она – подруга Гарри, эта девушка... но оба утверждают, что они только друзья, и все-таки он ощущал в их отношениях что-то другое, во всяком случае со стороны Гарри. Он внимательно посмотрел ей в глаза:

– Ответь мне честно, Тэн. Ты влюблена в моего сына?

Она медленно покачала головой. Казалось, что водитель исчез. Он и в самом деле тактично вышел прогуляться. Машина стояла рядом с домом Таны.

– Нет. Я ни в кого никогда не была влюблена... до сих пор... – Для нее это были смелые слова, она сразу же решила рассказать ему всю правду. Ведь он был честным с нею с самого начала. – Четыре с половиной года назад меня изнасиловали. Это будто все во мне заморозило. Словно мои эмоциональные часы остановились. Первые два года в колледже я ни с кем не встречалась, потом наконец Гарри чуть ли не силой вытащил меня несколько раз на свидания вместе с другой парочкой. Но это все были пустяки, а здесь я тоже ни с кем не встречаюсь. Я только работаю. – Тана нежно улыбнулась ему. Она по уши влюбилась в отца своего лучшего друга.

– Гарри знает?

– Что меня изнасиловали?

Он кивнул.

– Да, в конце концов я ему рассказала. Ему казалось, что я странная, и мне пришлось объяснить почему. По правде говоря, на одной вечеринке мы встретили того парня, и Гарри догадался.

– Это был кто-то из знакомых? – Гаррисон был потрясен.

– Сын начальника моей матери. Любовника и начальника, если уж начистоту. Это было ужасно... нет, — она помотала головой, — много, много хуже.

Он опять привлек ее к себе: теперь многое прояснилось. Интересно, не поэтому ли Гарри никогда не позволял себе быть больше чем другом? Он инстинктивно ощущал, что сын вожделеет к ней, даже если она и не подозревает, что у него на уме. И еще он знал о своих чувствах к этой девушке. Никогда еще со времени встречи со своей женой двадцать шесть лет назад он не был увлечен так сильно, но тут он вспомнил о разнице в возрасте, гадая о том, беспокоит ли это ее. Он был ровно на тридцать лет старше Таны, многие были бы шокированы, но ему важнее всего было знать, как к этому относится она.

— Ну и что? — отозвалась она в ответ на его высказанные страхи. — Пусть себе думают.

Теперь она поцеловала его и ощутила, как что-то оживает в ней, что-то новое, прежде незнакомое, страсть и желание, которые только он может утолить, и всю ночь она металась и ворочалась, думая о нем, точно так же, как и он мечтал о ней. Утром она позвонила ему в семь часов, он уже проснулся и был удивлен ее звонком. Но он еще больше удивился бы, знай о ее чувствах к нему.

— Что ты поделываешь в этот час, малышка?

— Думаю о тебе.

Он был польщен и тронут, и очарован, и возбужден — и тысячи других чувств захватили его. Но было здесь и нечто другое, большее. Тана доверяла этому человеку как никому другому, как не доверяла даже его сыну, он для нее воплощал очень многое, включая отца, которого она никогда не видела. Он олицетворял всех мужчин, и, знай Гаррисон об этом, он мог бы испугаться того, что она ожидает от него слишком многого.

Они навестили Гарри, вместе пообедали, потом поужинали, и его переполняло горячее желание затащить ее в постель, но что-то говорило ему, что этого нельзя, это опасно, что он создаст постоянную связь, а это неправильно. В последующие две недели они встречались, гуляли, целовались и ласкали друг друга, и с каждым днем становились все нужнее друг для друга. К Гарри они ходили отдельно – из страха, что он все откроет, и в какой-то из дней Гаррисон наконец решил, что это надо обсудить, слишком все становилось серьезным для него и Таны, а он не желал причинять девушке боль. Более того, он хотел предложить ей то, чего уже много лет никому не предлагал: свое сердце и жизнь. Он хотел жениться на ней и должен был знать, как к этому отнесется Гарри, знать сейчас, пока еще не поздно, пока еще никому не нанесены раны, особенно человеку, о котором он заботился больше всего на свете, его сыну. Ради Гарри он пожертвует всем, особенно сейчас, даже любимой девушкой, – поэтому он должен был все сейчас выяснить.

– Я хочу кое о чем тебя спросить. И хочу, чтобы ты мне ответил. Честно.

За эти две недели благодаря усилиям Таны между мужчинами установился хрупкий мир, и Гаррисон наслаждался его плодами.

– О чем это еще? – Гарри подозрительно смотрел на отца.

– Что за отношения между тобой и этим очаровательным ребенком? – Он изо всех сил старался казаться безучастным, спокойным и молился, чтобы сын ничего не заметил, особенно то, как сильно он любит эту девушку, хотя не мог представить, как это Гарри может не заметить. Он чувствовал себя так, будто носит на себе неоновую вывеску.

– Ты о Тане? – Гарри пожал плечами.

– Я же сказал, что хочу, чтобы ты мне ответил. – Вся его жизнь, да и ее тоже, зависела от этого.

– Почему? Тебе-то что до этого? – Гарри был беспокоен, у него весь день болела шея. – Я уже сказал, она мой друг.

– Я знаю тебя лучше, нравится тебе это или нет.

– Ну и что? Это все. Я с ней никогда не спал.

Это ему было известно, но он ничего не сказал Гарри.

– Это еще ничего не значит. Может, причина в ней, а не в тебе.

Ни в глазах его, ни в словах не было и тени шутки.

Для него это было вовсе не шуточное дело, но Гарри рассмеялся и уступил.

– Верно, может, и так, – и вдруг он откинулся на подушки и уставился в потолок, чувствуя странную близость с отцом, какой никогда прежде не испытывал. – Не знаю, папа... Когда мы в первый раз встретились, я с ума сходил от нее, но она была неприступна, как камень... она и сейчас такая. – Потом он рассказал об изнасиловании, а Гаррисон притворился, что впервые слышит об этом. – Я никогда не встречал такой, как она. Думаю, я всегда знал, что люблю ее, но боялся все испортить, если скажу ей об этом. А так – она не убежит, по крайней мере. Но если бы я сказал, она могла бы... – на глаза его набежали слезы. – Я не могу потерять ее, она мне так нужна.

Сердце Гаррисона упало, но он должен был подумать о сыне, только о нем были все его заботы, только о нем он будет заботиться с этого момента. Наконец-то он обрел его и не собирается снова терять. Даже ради Таны, столь отчаянно любимой. Слова Гарри прожигали его насквозь. «Она так мне нужна...» Самое забавное, что старшему Уинслоу она тоже была очень нужна, но не так, как Гарри, и он не мог отнять ее у сына, во всяком случае сейчас...

– Когда-нибудь, возможно, ты наберешься храбрости сказать ей об этом. Может быть, и ты ей нужен, – Гаррисон знал, как она одинока, но даже Гарри не мог представить всю глубину ее одиночества.

– А что, если я проиграю?

– Так не проживешь, сын: бояться проиграть, бояться жить, бояться умереть. Так ты никогда не выиграешь. И она знает это лучше, чем кто-либо другой. Ты можешь научиться этому у нее, как и многому другому.

Он и сам многому мог бы научиться у нее, но теперь он должен отказаться от этих уроков.

– Другой такой не найдешь: она такая храбрая, сильная, умная, во всем... пока дело не касается мужчин. – Гарри потряс головой. – Но вот тут она пугает меня до смерти.

– Дай ей время, много времени. – Он старался, чтобы его голос звучал ровно, не хотел, чтобы Гарри догадался. – И много любви.

Гарри долго молчал, смотрел в глаза отцу. За прошедшие две с половиной недели они начали открываться друг для друга, как никогда прежде.

– Ты думаешь, она сможет меня когда-нибудь полюбить?

– Возможно, – сердце Гаррисона разрывалось на части. – Сейчас тебе надо думать о многом другом. Но как только ты поднимешься, – он не стал говорить «встанешь на ноги», – выйдешь отсюда, тогда сможешь поразмыслить и об этом тоже.

Оба знали, что в сексуальной сфере не было серьезных повреждений, и врач сказал им, что при некоторой «изобретательности» Гарри когда-нибудь сможет вести почти нормальную сексуальную жизнь, сможет даже, если захочет, обрюхатить свою жену, что Гарри не особенно воодушевило, по крайней мере сейчас, но Гаррисон понимал, что когда-то это будет иметь для сына огромное значение. Он хотел бы ребенка от Таны. Одна эта мысль чуть не заставила его разрыдаться.

Они еще немного побеседовали, и наконец Гаррисон ушел. Он собирался в этот вечер поужинать с Таной, но теперь решил отменить эту встречу. По телефону он объяснил, что пришла целая пачка телеграмм и ему надо на все ответить. Они встретились за обедом на следующий день, и Гаррисон честно все изложил. Со дня смерти жены это был самый тяжелый день в его жизни. По его мрачному лицу и печальным глазам Тана сразу поняла, что не дождется хороших вестей, и, как только он начал говорить, сердце ее остановилось. Она мгновенно поняла, что он скажет то, что ей вовсе не хочется слышать.

– Я вчера разговаривал с Гарри, – он старался совладать с эмоциями, – это было необходимо, ради нас обоих.

– О нас? – Она была ошеломлена, так скоро, ведь ничего еще не произошло, это был невинный роман...

Гаррисон покачал головой:

– Нет, о нем, о его чувствах к тебе. Мне надо было знать, прежде чем мы зайдем слишком далеко. – Он взял ее руку и посмотрел ей в глаза, и она почувствовала, что сердце ее снова растаяло. – Тана, я хочу, чтобы ты знала, что я люблю тебя. Только одну женщину я любил так, как тебя, – мою жену. Но я люблю и сына и ни за что на свете не причиню ему боли, неважно, что он считает меня негодяем, я и был таким когда-то. Я женился бы на тебе... если бы не знал о чувствах Гарри, – он больше не щадил ее. – Он любит тебя, Тэн.

– Что? – Эти слова поразили ее. – Вовсе нет!

– Да. Он просто до смерти боится отпугнуть тебя. Он рассказал мне об изнасиловании, о том, как ты относишься к свиданиям с мужчинами. Он много лет ждет благоприятного случая, но я ничуть не сомневаюсь: все эти годы он любит тебя. Он сам признался. – Глаза Гаррисона были печальны.

– О господи! – Тана была потрясена. – Но я не... Я... Я не думаю, что могла бы...

– И об этом я догадывался. Но это все между вами. Если бы он когда-либо набрался мужества открыться, тебе пришлось бы самой с этим разбираться. Но я хотел знать, что чувствует он. Как ты себя чувствуешь, я знаю, знал это и до разговора с ним. – Ее глаза наполнились слезами, и он тоже не мог скрыть слез, еще крепче сжимая ее руку. – Милая, я люблю тебя больше жизни, но если бы я сейчас отпустил повода и позволил бы себе любить тебя так, как я хочу, если бы ты согласилась, это убило бы моего сына. Это разбило бы его сердце и, может быть, разрушило бы то, в чем он сейчас так сильно нуждается. Я не могу так поступить с ним. И ты не можешь. Я действительно думаю, что ты не можешь.

Она не сдерживала рыданий, а Гаррисон привлек ее к себе, не пряча своих слез, им не надо было ничего скрывать, нигде, только перед Гарри. Но жизнь сыграла с нею самую жестокую из своих шуток: первый мужчина, которого она полюбила, не может любить ее из-за своего сына... ее лучшего друга, которого она тоже любит, но совсем по-другому. Конечно, она тоже не хотела причинять вреда Гарри, но она так любит Гаррисона...

Это был мрачный вечер, наполненный слезами и сожалениями. И все равно она хотела любить его, хотела спать с ним, но он не позволил ей так с собой поступить.

– Милая, первый мужчина, который будет с тобой после того ужасного случая, должен быть самым лучшим, достойным тебя, только твоим.

Нежно, с любовью он держал ее в объятиях, пока она рыдала, и даже чуть не заплакал сам.

Следующая неделя была самой тяжелой в ее жизни, и наконец он улетел в Лондон, а Тана ощутила себя затерянной на берегу моря. Она была снова одна, со своими учебниками, с Гарри. Каждый день, взяв учебники, она ходила в больницу, и выглядела она усталой, бледной, мрачной.

– Да-а, глядеть на тебя – одно удовольствие. Что с тобой, черт возьми? Ты заболела?

Почти так оно и было, из-за Гаррисона, но она понимала, что он прав, пусть это и очень больно. Они поступили правильно по отношению к любимому человеку. А теперь она была с ним безжалостна, заставляя Гарри делать то, что предписывали врачи и медсестры, подталкивая его оскорблениями или лестью, поддерживая и поощряя его, когда это было нужно. Она не знала усталости и была преданной сверх всякого воображения, а когда Гаррисон звонил с другого конца света, разговаривая с ним, она чувствовала, как колотится сердце, но он не отступал от своего решения. Он пожертвовал своей любовью ради сына, и Тане приходилось с этим мириться. Он не оставил ей выбора. Или себе, хотя знал, что никогда не исцелится от своего чувства к ней. Надеялся только, что она сможет. У нее впереди целая жизнь и, хотелось надеяться, подходящий мужчина.

Глава 11

Солнце заливало комнату, где Гарри лежал, пытаясь читать. Он смертельно устал от своего дневного расписания: час в бассейне, два часа физиотерапии. Каждый день одно и то же, надоевшее ему до чертиков. Он взглянул на часы, зная, что скоро придет Тана. Вот уже больше четырех месяцев он находился у Леттермана, и она приходила каждый день, приносила с собой пачки бумаг и заметок, горы книг. И почти тотчас же, как он подумал о ней, открылась дверь и она вошла. За последние месяцы Тана похудела: она чересчур усердно училась и все время моталась между Беркли и больницей. Гаррисон Уинслоу предлагал купить машину для нее, но она наотрез отказалась даже обсуждать это.

– Привет, детка, чувствуешь подъем? Или это звучит грубо? – Тана усмехнулась, а он засмеялся.

– Ты отвратительна, Тэн. – Сейчас он был уже не так щепетилен, как раньше. Пять недель назад он переспал с медсестрой-студенткой, немного «творчески», как он сказал терапевту, пришлось проявить некоторую изобретательность, но обоим это понравилось, и Гарри ничуть не волновало, что девушка обручена. Здесь не было и речи о настоящей любви, и он не намеревался испытывать судьбу с Таной. Она для него значила чересчур много, как он сказал отцу, да и своих проблем у нее хватало. – Что ты сегодня делаешь?

Она вздохнула и села, печально улыбаясь.

– Что я всегда делаю? Всю ночь учусь, ворошу, заполняю бумаги, сдаю экзамены. Господи, еще два таких года я не выдержу.

– Еще как выдержишь, – улыбнулся он. Она наполняла светом его жизнь, без ее ежедневных визитов он пропал бы.

– Почему ты так уверен? – Временами она сама в себе сомневалась, но как-то всегда ей удавалось продолжать. Всегда. Она не позволяла себе останавливаться. Она не могла позволить Гарри пасть духом и не могла позволить себе запустить учебу и вылететь из колледжа.

– У тебя столько упорства и решимости, как ни у кого. Ты добьешься своего, Тэн.

Стойкость, вера – вот что они давали друг другу. Когда он бывал подавлен, она орала на него, чуть не доводя до слез, заставляла его стараться делать все, что от него требовали; а когда она думала, что все, больше и одного дня не вынесет в Боалте, он придирчиво экзаменовал ее, будил ее после короткого сна, конспектировал для нее учебники.

Неожиданно он усмехнулся:

– Да и вообще, не такое уж это трудное дело – учиться на юриста. Знаю, прочел кое-что из того, что ты оставила.

Тана улыбнулась. На это она и рассчитывала. Но когда повернулась к нему, лицо ее было равнодушным.

– Да ну? Почему тогда ты не попробуешь?

– С какой стати мне нагружать горб?

– А что тебе еще делать? Сидеть на заднице и клянчить помощи у медсестер? И сколько это будет тянуться? В июне тебя собираются вышвырнуть отсюда.

– Это еще не наверняка. – При этой мысли Гарри занервничал. Он не был уверен, что готов отправиться домой. И куда домой? Отец столько разъезжает, что не сможет все время быть с ним, даже если бы и хотел. Конечно, можно поселиться в гостинице, у «Пьерра» в Нью-Йорке есть квартира, но от всего этого веет таким страшным одиночеством.

– Что-то не очень тебя радует мысль о возвращении домой. – Тана наблюдала за ним. Несколько дней назад она разговаривала об этом с Гаррисоном (он позвонил из Женевы). Он звонил ей каждую неделю, чтобы справиться о Гарри, и она знала, что чувство его к ней по-прежнему горячо, и сама она не охладела, но они приняли решение, и пути назад не было. Гаррисон Уинслоу не предаст своего сына. Тана понимала его и была согласна.

– Мне некуда возвращаться, Тэн, у меня нет дома.

Она думала об этом и раньше, но не слишком серьезно, но все-таки кое-какие мысли у нее были. Может быть, пора открыться ему?

– А что, если ты будешь жить со мной?

– В твоей унылой комнатенке? – Он засмеялся, но и ужаснулся. – Уже то плохо, что я прикован к креслу. Но жить на свалке – нет уж, увольте. И кроме того, где я буду спать? На полу? – Он состроил отвратительную рожу, и она засмеялась.

– Можно найти место для нас двоих, если цена будет не слишком высокая, чтобы я могла выплачивать свою долю.

– И где же? – Эта мысль еще не совсем захватила его, но что-то привлекательное в ней было.

– Не знаю... Может быть, в Хайт-Эшбери? – Не так давно она проезжала через этот район, где хиппи облюбовали себе местечко. Только-только начинался хипповый бум. Она, конечно, дразнила его. Там невозможно было прожить, если не носить летящих одежд, не оглушать себя все время ЛСД. – Ну а серьезно, мы могли бы найти что-нибудь, если поискать.

– Квартира должна быть на первом этаже. – Он задумчиво посмотрел на инвалидное кресло, припаркованное к спинке кровати.

– Знаю. И у меня есть еще одна идея. – Она решила одним махом сразить его.

– Что еще? – Он откинулся на подушки и смотрел на нее, счастливый. Эти месяцы, такие трудные для обоих, связали их чем-то особенным, и теперь они были близки настолько, что ни он, ни она не могли себе представить, что такое вообще возможно. – Слушай, ты не даешь мне ни секунды покоя. Всегда у тебя наготове какой-то план, какая-то задумка. Ты меня утомляешь, Тэн. – Но это вовсе не было жалобой.

– Ты ведь знаешь, что тебе это полезно.

Он знал, но не доставил ей удовольствия, признавшись.

– Ну, выкладывай свою идею.

– Не хочешь ли подать документы в Боалт? – Она затаила дыхание.

Гарри был потрясен:

– Я? Ты что, сдурела? Какого черта я там буду делать?

– Вероятно, прогуливать и списывать, но если это не получится, ты сможешь отсиживать свою задницу за учебниками, как это каждый вечер делаю я. У тебя будет занятие получше, чем ковырять в носу.

– Каким же очаровательным я выгляжу в твоих глазах, дорогая, – он с кровати отвесил ей галантный поклон, и они рассмеялись. – Почему, скажи мне, ради бога, должен я мучить себя юриспруденцией? Я совсем не обязан так по-идиотски поступать.

– У тебя прекрасно получится. – Тана серьезно смотрела на него.

Он собрался было спорить, но хуже всего было то, что ему по душе пришлась эта мысль.

– Ты хочешь сломать мою жизнь.

– Да, – она ухмыльнулась. – Так будешь подавать документы?

– Скорее всего я не пройду. У меня не такие хорошие оценки, как у тебя.

– Я уже узнавала, ты можешь поступать как ветеран. Для тебя даже могут сделать исключение... – Она старалась сказать это осторожно, но он все равно разозлился.

– И не думай об этом. Если ты смогла поступить, значит, и я смогу.

И – проклятье! – неожиданно он захотел этого. Он даже засомневался, а не было ли это его давним желанием. Может быть, из-за ее учебы он чувствовал себя заброшенным, потому что ему нечего было делать, кроме как лежать и наблюдать за сменой медсестер.

Назавтра она принесла ему бланки заявлений, и они без конца обдумывали их, заполняли и наконец отослали, а между тем Тана подыскивала квартиру. Она должна быть со всеми удобствами, без которых он не мог обойтись.

В конце мая ей позвонила мать. Обычно днем дома Тану не застанешь, но сейчас ей надо было кое-что сделать, да и Гарри чувствовал себя неплохо. Одна из дежурных пришла снизу и постучалась к ней. Тана подумала, что это Гарри хочет узнать, как дела с квартирой. Она присмотрела два места, которые ей понравились. Одно из них – в Пьемонте, и она была уверена, что такой сноб, как Гарри, конечно, предпочтет именно эту квартиру, но хотела знать наверняка, что и ей она будет по карману. Доход ее был гораздо ниже, чем у Гарри, хотя летом она наметила себе неплохую работу. Может быть, после...

— Алло? — В трубке звучал сигнал междугородного звонка, и сердце ее замерло: а что, если это опять Гаррисон? Гарри так и не знал, что было между ними, или, вернее, что могло быть и чем они пожертвовали ради него. — Алло?

— Тана? — Это была Джин.

— Ох. Привет, мам.

— Что-нибудь неладно? — Как-то странно она начала.

— Нет, просто я думала, это другой человек. Что-нибудь случилось? — Для ее звонка это был неурочный час. Может, у Артура опять сердечный приступ? Он три месяца пробыл в Палм-Бич, и все это время Джин была с ним. Энн с Джоном и Билли вернулись в Нью-Йорк, а Джин осталась ухаживать за ним и после выписки из больницы, пока он не придет в себя. Только два месяца, как они с Артуром в Нью-Йорке, и у Джин, должно быть, дел невпроворот, потому что она почти не звонила Тане.

— Я сомневалась, дома ли ты в это время. — Голос ее звучал напряженно, словно она не знала, что сказать.

— Обычно я в больнице, но сегодня у меня здесь дела.

— Как твой друг?

— Уже лучше. Он примерно через месяц выписывается. Я подыскиваю ему квартиру. — Она решила пока не говорить, что они собираются жить вместе. Для Таны это было совершенно естественно, но она знала, что мать будет другого мнения.

— А он сможет жить один? — с удивлением спросила Джин.

— Вероятно, если будет вынужден, но не думаю, что он будет один.

— Это разумно. — Она и вообразить не могла, что это значит, у нее было свое на уме. — Я хотела тебе кое-что сказать, родная.

— Что же?

Джин совсем не была уверена, как отреагирует Тана, но не ходить же все время вокруг да около.

— Артур и я собираемся пожениться. — Она затаила дыхание, а Тана просто остолбенела.

— Вы — что?

– Собираемся пожениться… Я… он чувствует, что мы стареем… и так слишком долго мы вели себя глупо, – она запнулась, повторяя его слова, которые он только накануне сказал ей. Все лицо ее горело, и она в страхе ждала, что скажет Тана. Она знала, что дочь давно не любит Артура, но, может быть, теперь…

– Ты вовсе не была глупой, мам, вот он – да. Ему надо было жениться на тебе по меньшей мере пятнадцать лет назад. – Она на мгновение нахмурилась, размышляя над словами Джин. – Ты действительно хочешь этого, мама? Он уже не молод, он болен… Самое тяжелое он приберег для тебя. – Это резко сказано, но правдиво, ведь до удара он и не помышлял о женитьбе. Все эти годы такое ему и в голову не приходило, с того самого времени, как его жена шестнадцать лет назад вернулась домой из больницы. И вдруг все изменилось, он понял, что и он смертен. – Ты уверена?

– Да, Тана, уверена, – голос матери зазвучал странно спокойно. Она ждала этого почти двадцать лет и ни за что на свете не откажется, даже ради собственного ребенка. У Таны теперь своя жизнь, а у нее нет никого, кроме Артура. Она благодарна ему за то, что он наконец решил жениться на ней. У них будет удобная, легкая жизнь, она сможет в кои-то веки отдохнуть. Все эти годы одиночества и беспокойства: зайдет ли он, мыть ли ей голову, так, на всякий случай… А он две недели не появлялся, только когда Тана заболела или она сама жестоко простудилась… Но теперь все это кончилось, начинается настоящая жизнь. Наконец-то. Она заслужила каждую минуту этой жизни и собирается насладиться каждым мгновением. – Я абсолютно уверена.

– Что ж, хорошо, – но Тана вовсе не прыгала от радости. – Полагаю, тебя следует поздравить. – Почему-то ей совсем не хотелось поздравлять Джин. Ей казалось, что это будет такая скучная буржуазная жизнь, она хотела бы, чтобы мать после стольких лет ожидания послала его ко всем чертям. Но это она так думает по молодости своей, а Джин, конечно, считает совсем иначе. – Когда вы женитесь?

— В июле. Ты ведь приедешь, родная, правда? — Опять она заговорила нервно, и Тана кивнула. Все равно она собиралась приехать домой на месяц. Она уже сказала об этом на работе, в юридической фирме, и они ее поняли, во всяком случае так сказали.

— Конечно, я постараюсь. — И вдруг ее осенило. — А Гарри можно приехать?

— В инвалидной коляске? — В голосе матери звучал ужас, и в глазах Таны мгновенно появился стальной блеск.

— Очевидно. У него же нет выбора.

— Ну, я не знаю... Я думаю, ему будет неловко... Понимаешь, все эти люди, и... Я должна спросить у Артура, что он скажет...

— Не беспокойся, — ноздри Таны затрепетали, ей хотелось кого-то задушить, в первую очередь Джин. — Все равно я не смогу приехать.

Из глаз Джин брызнули слезы. Она понимала, на что решилась, но почему с Таной всегда так трудно? Во всем она такая упрямая.

— Тана, не делай этого, пожалуйста... это просто... Почему ты должна тащить его с собой?

— Потому что он полгода лежит в больнице, никого, кроме меня, не видит, и, может быть, ему было бы приятно поехать. Тебе это не приходило в голову? Не говоря уже о том, что это была не автомобильная катастрофа, с ним это случилось, когда он защищал ту вонючую страну, в которой мы, однако, не имели никакого права находиться, и самое малое, что остальные могут для него сделать, — это выказать хоть чуточку благодарности и учтивости... — Она была вне себя от ярости, что совершенно перепугало Джин.

— Да-да, конечно... Я понимаю... ничто не мешает ему приехать... — И вдруг, без всякого перехода: — Ты знаешь, у Джона и Энн будет второй ребенок.

— Какое это имеет отношение ко всему прочему, черт побери? — Тана была ошарашена. Бесполезно говорить с ней. Они теперь ни на что не смотрели одинаково, с чем Тана почти смирилась.

– Ну, ты могла бы подумать об этом на досуге. Ты ведь не становишься моложе, дорогуша, тебе почти двадцать три.

– Мама, я учусь на юриста. Ты хоть немного представляешь себе, что это значит? Знаешь, что я работаю не покладая рук? Вообрази только, как нелепо было бы мне сейчас думать о замужестве и детях.

– Видишь ли, так будет всегда, если ты собираешься все время проводить с ним. – Она опять цеплялась к Гарри, и Тану разозлили ее слова.

– Вовсе нет! – Ярость полыхала в ее глазах, но Джин этого не видела. – У него, ты знаешь, еще встает.

– Тана! – Джин ужаснула вульгарность дочери. – Просто отвратительно говорить о таких вещах!

– Но ведь именно это ты хотела узнать, правда? Ладно, можешь успокоиться, мама, это все еще работает. Я слышала, что он несколько дней назад трахнул медсестру, и ей очень понравилось. – Тана, как большая собака, играла со своей жертвой, трепала за шею, не желая отпускать ее, а Джин висела безвольно, не в силах убежать. – Ну как, теперь тебе лучше?

– Тана Робертс, с тобой там что-то случилось.

Тана подумала об изнурительных часах учебы, безнадежной, безысходной любви к Гаррисону, о Гарри, вернувшемся из Вьетнама инвалидом... Да, мать права. С ней «что-то» случилось. По правде говоря, много чего случилось.

– Думаю, что я повзрослела. Не всегда это красиво выглядит, правда, мам?

– Вовсе не обязательно это должно быть безобразным или грубым. Полагаю, только в Калифорнии так бывает. В твоем колледже, должно быть, одни дикари.

Тана рассмеялась. Целый мир разделял их.

– Думаю, ты права. Во всяком случае, я тебя поздравляю, мам. – Внезапно ее осенило, что Билли теперь будет ее сводным братом, и от этой мысли ее просто затошнило. Придется встретиться с ним на торжестве, а это уже выше ее сил. – Постараюсь приехать вовремя.

– Прекрасно, – Джин вздохнула: разговаривать с

ней ужасно утомительно, – и привози Гарри, если ты считаешь это своим долгом.

– Посмотрю, захочет и сможет ли он. Сначала я хочу забрать его из больницы, а потом нам надо переехать... – Она осеклась на полуслове, но поздно, а на том конце провода повисла оглушающая тишина. Действительно, это было уж слишком.

– Ты переезжаешь с ним вместе?

Тана перевела дух:

– Да. Он не может жить один.

– Пусть его отец наймет сиделку. Или они будут платить тебе зарплату? – Когда хотела, она могла быть язвительной, как и дочь, но Тана не испугалась.

– Вовсе нет. Я собираюсь разделить с ним плату за квартиру.

– Ты сошла с ума. Минимум, что он может сделать, – жениться на тебе, но уж этого я не позволю.

– А вот это не в твоих силах, – Тана говорила странно спокойным тоном. – Я вышла бы за него, если б захотела, но я не хочу. Так что успокойся. Мама, я знаю, что тебе это тяжело, но просто я должна жить так, как хочу. Как ты думаешь, сможешь ты хотя бы попытаться это понять? – Наступило долгое молчание, и Тана улыбнулась. – Знаю, это нелегко...

И вдруг услышала рыдания Джин.

– Неужели ты не видишь, что ломаешь свою жизнь?

– Как? Помогая другу выбраться? Какой в этом вред, что плохого?

– Потому что в один прекрасный день ты проснешься сорокалетней, и все будет кончено, Тэн. Ты, как и я, растратила свою юность, но моя не совсем потеряна – у меня есть ты.

– А может быть, и у меня когда-нибудь будут дети. Но сейчас я не думаю об этом. Я изучаю право, хочу сделать карьеру, чтобы добиться чего-нибудь в жизни, быть полезной. А уж потом я подумаю обо всем прочем. Как Энн. – Это был укол, но дружеский, и он не достиг цели.

– Нельзя совместить и карьеру, и мужа.

– Почему? Кто тебе сказал?

– Просто это правда, и все.

– Все это дерьмо собачье.

– Нет, и если ты будешь долго возиться с этим мальчишкой Уинслоу, ты выйдешь за него замуж. А он сейчас инвалид, тебе совершенно не нужно такое горе. Найди себе другого, нормального парня.

– Почему? – Сердце Таны сжалось от боли за Гарри. – Он тоже человек. И, честно говоря, лучше, чем многие другие.

– Вряд ли ты знаешь мужчин, ты же ни с кем не встречаешься.

(Спасибо твоему милому пасынку.) Но на самом деле в последнее время так было из-за учебы. После встречи с Гаррисоном она по-другому стала относиться к мужчинам, в некотором смысле более доверчиво и открыто, и все равно пока ни один не мог сравниться с ним. Он был так хорош! Чудесно было бы найти похожего на него. Но у нее совершенно не было времени для свиданий. Не оставалось ни минутки между каждодневными посещениями больницы и подготовкой к экзаменам... все друзья и знакомые жаловались на это. Одного только колледжа достаточно, чтобы разрушить сложившиеся отношения, а уж завязать новые – почти невозможно.

– Подожди пару годков, мам, а потом я стану юристом, и ты будешь гордиться мною. По крайней мере, я надеюсь, что будешь. – Но ни та, ни другая не были в этом уверены.

– Я просто хочу для тебя нормальной жизни.

– Что значит – нормальной? Разве твоя жизнь была такой уж нормальной, мама?

– Она становится нормальной. Не моя вина, что твоего отца убили и после этого все изменилось.

– Наверное, нет, но в том, что ты почти двадцать лет ждала, пока Артур Дарнинг соизволит жениться на тебе, есть твоя вина. – И это было правдой, ведь, если бы не сердечный приступ, он мог бы никогда не жениться. – Ты сделала этот выбор. Я тоже имею право поступать по-своему.

– Может быть, Тэн. – Но она и впрямь не понимала

дочь, а теперь больше и не притворялась, что понимает. Энн Дарнинг казалась ей более нормальной. Она хотела того же, что и любая девушка: мужа, дом, детей, красивых платьев. А если она и ошиблась раньше, то во второй раз у нее хватило ума сделать более удачный выбор. Муж купил ей у Картье совершенно замечательный сапфировый перстень; именно такой жизни хотела Джин для своей дочери, но Тана не придавала этому совершенно никакого значения.

– Я позвоню тебе, мам. И передай Артуру мои поздравления. В этой сделке удачливее оказался он, но надеюсь, что и ты будешь счастлива.

– Конечно, буду. – Но, повесив трубку, она вовсе не чувствовала себя счастливой. Тана ужасно ее расстроила, и она рассказала все, что могла, Артуру, а он уговаривал ее успокоиться: мол, жизнь и так коротка, не стоит всем жертвовать ради детей. Он никогда так не поступал. И у них помимо этого есть о чем подумать. Джин собиралась обновить дом в Гринвиче, а он хотел купить коттедж в Палм-Бич и маленькую квартирку в городе. Они отказались от квартиры, которую Джин занимала все эти годы. Тана, узнав об этом, была потрясена.

– Черт, у меня тоже теперь нет дома, – с горечью говорила она Гарри, но на него это, видимо, не произвело впечатления.

– У меня его сто лет не было.

– Она говорит, что, где бы они ни жили, для меня всегда будет комната. Можешь себе представить, как я провожу ночь в этом доме, где все произошло? Одна только мысль приводит меня в ужас. Нет уж, хватит с меня.

Все это угнетало Тану сильнее, чем она призналась бы ему; она понимала, что Джин всегда хотела выйти замуж за Артура, но почему-то и это тоже подавляло ее. Такой законченный средний класс, скучный и буржуазный, говорила она себе, но по-настоящему ее беспокоило то, что Джин до сих пор смотрела на Артура снизу вверх, несмотря на все то дерьмо, что ей пришлось получить от него за долгие годы. Но когда она поделилась чувствами с Гарри, он с раздражением сказал:

– Знаешь, Тэн, ты становишься радикальной, и это чертовски скучно.

– А ты никогда не задумывался над тем, что в тебе много консервативного? – Взгляд ее стал жестким.

– Возможно, но ничего плохого в этом нет. Есть вещи, в которые я верю, Тэн, не радикальные, не левые, не революционные, но просто настоящие, хорошие.

– Я думаю, что ты несешь ахинею, – ее слова звучали с необычной страстностью, но они уже не раз спорили по поводу Вьетнама. – Как, черт побери, ты можешь оправдывать то, что эти олухи там натворили? – Она вскочила, а он уставился на нее. Странная тишина повисла в комнате.

– Потому что я был одним из них. Вот почему.

– Ты не один из них, ты был просто пешкой, неужели ты не видишь этого, придурок? Они использовали тебя в войне, которую мы не должны были развязывать, против страны, где мы не должны были находиться.

Глядя на нее, он произнес с ледяным спокойствием:

– Может быть, я думаю, что должны были.

– Как ты можешь вообще говорить такие глупости? Посмотри, что случилось с тобой!

– В этом-то все и дело. – Он подался вперед и смотрел так, будто хотел задушить ее. – Если бы я не защищал это... если бы я не верил в то, что нужен там, тогда, черт возьми, что хорошего во всем этом? – Слезы выступили у него на глазах, но он продолжал: – Что все это значит, будь оно проклято, Тэн... За что я отдал им свои ноги, если я не верю им? Ну, скажи! – Вопли его разносились по всему коридору. – Я должен был верить им, разве нет? Потому что, если бы я им не верил, если бы я верил в то, что говоришь ты, тогда все это фарс. С таким же успехом я мог бы попасть под поезд в Де Мойне... – Он отвернулся от нее и зарыдал. Тана чувствовала себя ужасно. Потом он в ярости повернулся к ней и заорал: – Убирайся к черту из моей комнаты, ты, бездушная радикальная сука!

Она ушла и проплакала всю дорогу до колледжа. Конечно, он был прав – по-своему. Не мог он позволить себе относиться к происшедшему так же, как она, и все равно, после его возвращения из Вьетнама она ощущала в себе прежде незнакомую ярость, которую ничто не могло утолить. Однажды она поговорила о своих чувствах с Гаррисоном, он списал это на ее юность, но она-то знала, что за всем этим нечто большее, не только возраст. Она была зла на всех из-за того, что Гарри искалечен, из-за того, что люди не хотят более активно заниматься политикой, боятся высунуть голову. Проклятье, полтора года назад убили президента Соединенных Штатов, как это люди не видят, что происходит вокруг, не понимают, что надо делать... Но Тана не хотела причинять Гарри такими рассуждениями боль. Она позвонила ему, чтобы извиниться, но он не захотел разговаривать. И впервые за шесть с половиной месяцев его пребывания в больнице целых три дня она к нему не приходила. А придя наконец, она просунула в дверь ветвь оливковой пальмы и смиренно вошла.

– Чего ты хочешь? – Он воинственно уставился на нее.

– Да так, плату за квартиру, – несмело улыбнулась она.

Гарри старался подавить ухмылку. Больше он на нее не сердился. Значит, она становится свихнувшейся радикалкой. Ну и что? Все они в Беркли такие. Это пройдет, она перерастет это. Его гораздо больше заинтересовали ее слова.

– Ты нашла место для нас?

– Конечно, – усмехнулась она, – на Чаннинг-Уэй, маленький домик, две спальни, гостиная, кухонька. Думаю, тебе понравится. Все на одном этаже, так что тебе придется вести себя прилично или, по крайней мере, сказать своим подружкам, чтобы громко не визжали.

Гарри пришел в восторг от этой новости и радостно улыбался. Тана захлопала в ладоши и подробно описала домик. Врачи позволили Гарри на выходные поехать с ней. Они сделали все, что могли. Последняя операция успешно завершилась полтора месяца назад, он быстро поправлялся. Пора было домой.

Тана и Гарри не задумываясь подписали документы об аренде. Хозяин, казалось, не возражал против их разных фамилий, и они не стали ничего объяснять. С ликующим видом Тана и Гарри пожали руки, и она отвезла его обратно в больницу. Через две недели они переехали. Гарри надо было еще ездить в больницу для терапевтического лечения, и Тана вызвалась помочь ему в переездах. А через неделю после окончания ее экзаменов Гарри получил поздравление с приемом его в Боалт. Придя домой, Тана нашла его сидящим в кресле, слезы струились по его щекам.

– Меня приняли, Тэн... И все из-за тебя...

Они обнялись и поцеловались. Никогда еще он не любил ее так сильно. И Тана радовалась за своего самого лучшего друга. Она приготовила праздничный ужин, а он откупорил бутылку «Дом Периньон».

– Где ты ее взял? – с изумлением спросила она.

– Сберег.

– Для чего?

Он хранил шампанское для другого случая, но решил, что сегодня произошло много хорошего и они имеют право распить эту бутылку.

– Для тебя, балда ты этакая! – Просто удивительно, до чего она становилась тупа, когда дело касалось его чувств к ней. Но и это в ней он любил. Она была так поглощена учебой, экзаменами, работой, политической деятельностью, что не замечала того, что происходит под носом, во всяком случае, что происходит с ним. Но сейчас он был еще не готов. Ожидал подходящего момента, боясь проиграть.

– Неплохо. – Она отпила большой глоток шампанского и усмехнулась, слегка захмелев, счастливо и легко. Они любили свой маленький домик, все здесь шло мирно и гладко. И тут она вспомнила, что ей нужно кое о чем спросить его. Она собиралась сделать это раньше, но сначала они переезжали, потом покупали мебель, и она просто забыла. – Слушай, мне неприятно тебя об этом просить, я знаю, что это обуза, но...

– О господи, что на этот раз? Сначала она заставляет меня поступить в юридический колледж, а теперь бог знает какие мучения она опять придумала! – вскричал он с притворным ужасом, но Тана была по-настоящему мрачна.

– Гораздо хуже. Моя мать через две недели выходит замуж... – Она давно уже сообщила ему об этом, но не просила поехать с нею на свадьбу. – Ты поедешь со мной?

– На свадьбу твоей матери? – удивленный, он поставил на стол фужер. – А будет ли это уместно?

– Почему нет? – Она замялась, но продолжала, глядя на него огромными глазами: – Ты мне будешь нужен там.

– Значит, ее очаровательный пасынок будет неподалеку.

– Полагаю, что так. И вообще, все это для меня слишком тяжело. Счастливая замужняя дочь Артура с ребенком и беременная, сам Артур, притворяющийся, что они с матерью только на прошлой неделе полюбили друг друга.

– Это он так говорит? – Гарри взглянул удивленно, а Тана пожала плечами.

– Наверное. Не знаю. Мне все это тяжело. Я не могу участвовать в такой игре.

Гарри думал, разглядывая свои колени. Он еще никуда не выходил после ранения и к тому же собирался съездить в Европу повидать отца. Можно остановиться по пути. Он поднял глаза. После того, что Тана для него сделала, он ни в чем не мог ей отказать.

– Конечно, Тэн, без проблем.

– Ты не очень возражаешь? – Она с настойчивой благодарностью посмотрела на него, а он рассмеялся.

– Конечно, очень. Так же, как и ты. Зато мы сможем вместе посмеяться.

– Я рада за нее, просто... просто я больше не могу играть в эти лицемерные игры.

– Ты только веди себя прилично, пока мы будем там. Мы прилетим, а я на другой день отправлюсь в Европу, хочу повидаться с отцом, он на юге Франции.

Ей радостно было слушать, как он говорит об этом. Удивительно, что всего год назад он заявлял, что собирается остаток жизни забавляться, и вот теперь, слава богу, он опять может развлекаться, хотя бы пару месяцев, пока не начались занятия.

– Не представляю, как это я позволил тебе уговорить меня.

Но оба были рады, что ей это удалось. Все шло просто замечательно. Они разделили между собой домашние обязанности: она делала все, что было не под силу ему, но поразительно, как много он мог – от мытья посуды до уборки постелей. Правда, он чуть было не задохнулся однажды, когда пылесосил комнаты, и с тех пор это было ее заботой. Обоим было удобно. Она собиралась опять работать. В общем, жизнь для них в это лето 1965-го была прекрасна.

В самолете до Нью-Йорка Гарри заигрывал с двумя хорошенькими стюардессами, а Тана сидела сзади, смеялась и наслаждалась каждой минутой, благодаря бога за то, что Гарри Уинслоу Четвертый остался жив.

Глава 12

Свадьба была простой и хорошо организованной. Джин надела очень красивое серое шифоновое платье, а для дочери (вдруг у нее не будет времени ходить по магазинам) она подобрала светло-голубое. Тана сама никогда в жизни не могла бы позволить себе купить такое – цифра на ценнике привела ее в ужас. Мать приобрела это платье у Бергдорфа, это был подарок Артура, так что Тана ничего не могла возразить.

На церемонии присутствовали только члены семьи, но Тана, раз уж они приехали в одной машине, к величайшей досаде Гарри, настояла на том, чтобы и он был там. Они остановились вместе у «Пьерра»: Тана заявила матери, что не может оставить друга одного. С облегчением она узнала, что Джин с Артуром на следующий день отправляются в свадебное путешествие, значит, ей не надо долго торчать в Нью-Йорке. Она отказалась остановиться в Гринвиче и собиралась вместе с Гарри вылететь из Нью-Йорка в Ниццу, чтобы встретиться с Гаррисоном в Сен-Жан-Кап-Ферра, а потом – обратно в Сан-Франциско, работать. Джин и Артур грозились выбраться к ней осенью и посмотреть, как она живет. Всякий раз, заговаривая об этом, ее мать многозначительно смотрела на Гарри, как бы ожидая, что он к тому времени исчезнет, и в конце концов Тане пришлось все свести к шутке.

– Это ведь ужасно, правда?

Но хуже всего был Билли; он подкатил к ней среди бела дня, как обычно, пьяный, и стал отпускать гнусные комментарии насчет того, что у ее дружка не встает, и заявил, что он, Билли, всегда рад ей помочь, так как помнит, что она – явно лакомый кусочек. И только Тана подумала, а не забить ли его слова обратно ему в глотку, как мимо нее просвистел кулак побольше ее собственного и врезался в подбородок Билли, и тот покатился и аккуратненько рухнул на газон. Тана обернулась и встретила взгляд Гарри, улыбающегося ей из кресла-коляски. Он подоспел вовремя и вырубил Билли с одного удара и теперь был невероятно доволен собой.

– Знаешь, я мечтал об этом еще год назад, – сообщил он радостно, но Джин была в ужасе от их поведения.

Тана и Гарри постарались как можно скорее уехать обратно в Нью-Йорк. Со слезами попрощались Тана с матерью, хотя, скорее, плакала Джин, а Тана держалась напряженно. Артур поцеловал ее в щеку и объявил, что отныне она тоже его дочь и с этого момента не может быть и речи ни о какой стипендии. Тана решительно отказалась принять этот дар и не могла дождаться, когда избавится от их общества, особенно от пресыщенной беременной Энн с ее ноющим голосом, драгоценностями напоказ, от ее скучного мужа, напропалую строящего глазки чужим женам.

– Боже, как они могут так жить? – горячилась она по дороге домой.

Гарри похлопал ее по колену.

– Ничего, ничего, когда-нибудь это случится и с тобой, малышка.

– Пошел ты знаешь куда!

Он рассмеялся, и они вернулись к «Пьерру». Завтра они улетали, а сегодня вечером он пригласил ее в «21». Все были счастливы снова видеть его, хотя и расстроились из-за инвалидной коляски. Тана и Гарри выпили слишком много шампанского за старые добрые времена и вернулись в гостиницу изрядно окосевшие. Гарри был настолько пьян, что совершил то, что он запретил себе делать в ближайшие год или два. Они приступили ко второй бутылке «Редерера», когда Гарри повернулся к Тане, нежно посмотрел на нее, взял за подбородок и неожиданно поцеловал в губы.

– Знаешь ли ты, что я всегда любил тебя?

Сначала Тана была ошарашена, потом лицо ее стало таким, будто она вот-вот заплачет.

– Ты шутишь.

– Нет.

Неужели права была мать? И Гаррисон?

– Но это же смешно. Ты вовсе не влюблен в меня. И никогда не был. – Она старалась сосредоточить свой хмельной взгляд.

– Да нет же, я люблю тебя. И всегда любил. – Тана таращилась на него, а он взял ее за руки. – Ты выйдешь за меня замуж, Тэн?

– Ты с ума сошел. – Она выдернула руки и встала, в глазах ее блестели слезы. Она не хотела, чтобы он был в нее влюблен. Она хотела, чтобы они всегда оставались друзьями, только друзьями, не больше. А он хочет все испортить. – Почему ты об этом говоришь?

– Ты не могла бы меня полюбить, Тэн? – Сейчас уже он выглядел так, будто собирался заплакать, и она протрезвела.

– Я не хочу портить то, что у нас есть... мне это слишком дорого. Ты мне очень нужен.

– И ты мне нужна. В этом все дело. Если мы поженимся, мы всегда будем вместе.

Ну не могла она выйти за него замуж, она до сих пор любила Гаррисона... Все было ненормально... все не так... Тана всю ночь проплакала в постели, а Гарри и вовсе не ложился. Когда наутро она вышла из своей комнаты, бледная и уставшая, с кругами под глазами, он ждал ее в просторной гостиной, чтобы восстановить то, что было между ними раньше, пока еще не поздно. Это было для него важнее всего. Он не умер бы, если бы они не поженились, но не пережил бы, потеряв ее.

– Прости меня за прошлую ночь, Тэн, мне очень жаль, что так получилось.

– Мне тоже. – Она села рядом с ним. – А что сейчас происходит?

– Спишем это на одну загульную ночь. Это был тяжелый день – и для тебя, и для меня... Свадьба твоей матери... мой первый выход в свет в этой коляске... Ничего страшного. Все прошло, я уверен. – С замирающим сердцем он молился, чтобы она согласилась с ним.

Тана медленно покачала головой:

– Что с нами случилось? Неужели ты правда был... любил меня все это время?

Он прямо взглянул на нее:

– Некоторое время. Иногда я просто все в тебе ненавидел.

Они рассмеялись, и Тана, обняв Гарри, почувствовала себя почти так же, как прежде.

– Я всегда буду любить тебя, Гарри. Всегда.

– Это все, что я хотел знать.

Он заплакал бы, если б мог, но вместо этого они вызвали горничную, смеялись, дразнили друг друга, устроили шумную возню, отчаянно пытаясь вернуть ту легкость, что была между ними раньше, а когда она провожала его на самолет, в глазах ее стояли слезы. Может быть, никогда уже не будет по-старому, но все равно будет хорошо. Она уж постарается. Они слишком много отдали друг другу, чтобы позволить чему-либо все испортить.

Когда Гарри наконец прибыл в Кап-Ферра на автомобиле, присланном за ним отцом, Гаррисон по газону подбежал к машине, помог сыну перебраться в коляску, крепко сжал его руку, глядя ему в лицо.

– Все в порядке, сын? – Что-то в глазах Гарри обеспокоило его.

– Более-менее.

Он выглядел усталым. Это был долгий полет, длинные два дня, и на этот раз он не заигрывал со стюардессами. Все время перелета до Франции он думал о Тане. Она навсегда останется его большой первой любовью, женщиной, которая вернула его к жизни. Это чувство нельзя потерять, и если она не хочет быть его женой... что ж, у него нет выбора. Надо это принять. В ее глазах он увидел, что для нее этой любви не существовало. Значит, он должен заставить себя принять это, как бы ни было больно. Конечно, это нелегко, он так долго ждал, чтобы сказать ей о своих чувствах, и вот теперь все кончено. Не осталось никакой надежды. При мысли об этом слезы навернулись на глаза Гарри, а отец сильной рукой обнял его.

– Как Тана? – быстро спросил Гаррисон и тут же, заметив колебания сына, инстинктивно все понял: он сделал попытку и проиграл. Сердце отца устремилось к нему.

– У нее все хорошо, – Гарри силился улыбнуться, – но с ней трудно.

Его улыбка была загадочной, но Гаррисон сразу понял, он знал, что когда-нибудь все к этому придет.

– Ах, да, – он усмехнулся, заметив, как Гарри посмотрел на хорошенькую девушку, пересекавшую газон и на мгновение вытеснившую Тану из его головы. Поймав взгляд отца, юноша улыбнулся. – Ты справишься с этим, сынок.

На какой-то момент Гарри опять ощутил ком в горле, а затем, резко засмеявшись, прошептал:

– Я постараюсь.

Глава 13

Гарри вернулся из Европы осенью, загоревший, отдохнувший и счастливый. Они с отцом побывали в Монако, в Италии, несколько дней провели в Мадриде, Париже, Нью-Йорке. Опять началась головокружительная жизнь, та жизнь, из которой он был исключен в детстве, но сейчас вдруг для него нашлось место. Хорошенькие женщины, милые девушки, празднества, бесконечные концерты, вечеринки и прочие развлечения. Сидя в самолете, направляющемся на запад из Нью-Йорка, он почувствовал, как устал от них.

В аэропорту Окленда его встретила Тана, такая же, как и прежде, вселяющая уверенность, здоровая и загоревшая; светлая грива ее волос развевалась на ветру. Она была довольна своей летней работой, вместе с новыми друзьями провела несколько дней в Малибу, говорила о том, что собирается побывать в Мексике на каникулах, а когда начались занятия, они с Гарри постоянно были вместе и в то же время врозь. Тана заглядывала к нему, когда он занимался в библиотеке, но у нее был другой курс. Похоже, она находила себе новых друзей. Сейчас, когда не надо было ездить к Гарри в больницу, у нее было больше свободного времени, и те, кто прошел через мясорубку первого курса, держались вместе.

Жизнь их сейчас была организована более разумно и удобно, чем прежде, и к Рождеству Тана стала встречать Гарри в компании с одной хорошенькой миниатюрной девушкой из Австралии по имени Аверил, как тень следовавшей за Гарри. Девушка заканчивала обучение на искусствоведческом, но, казалось, ее больше интересовал Гарри, она везде бывала с ним, и он явно не возражал. Когда Тана в первый раз субботним утром увидела Аверил выходящей из комнаты Гарри, она пыталась сохранить невозмутимый вид, но неожиданно все трое нервно рассмеялись.

– Значит ли это, что вы, ребята, хотите меня вышвырнуть? – спросила Тана.

– Черт возьми, конечно, нет, балда ты этакая. Здесь всем хватит места.

К концу первого года обучения Гарри Аверил переселилась к ним. Она была просто очаровательна, принимала участие в домашних делах, была приветлива, душевна, старалась помочь, такая была милая, что иногда выводила Тану из себя, особенно во время экзаменов, но в общем жили все вместе замечательно. Летом Аверил вместе с Гарри побывала в Европе, познакомилась с Гаррисоном, а Тана работала в прежней юридической конторе. Она обещала матери приехать к ним на Восток, но старалась найти какой-нибудь предлог, чтобы избежать этого. Новый сердечный приступ Артура, на сей раз не такой тяжелый, избавил ее от необходимости лгать. Джин отвезла его в Лейк-Джордж и собиралась навестить Тану осенью. Но теперь Тана знала, что это значит. Они с Артуром однажды в прошлом году посетили ее, и это был просто кошмар. Джин нашла отвратительным дом, где Тана и Гарри жили, ее шокировало, что они до сих пор живут под одной крышей, а сейчас она пришла бы в еще больший ужас, узнав, что с ними живет еще и Аверил. При этой мысли Тана рассмеялась: Джин была совершенно безнадежна. Единственным утешением казалось то, что Энн опять развелась, причем ее вины в этом, конечно, не было. Джон наконец нашел в себе силы уйти от нее и завел скандальную интрижку с ее лучшей подругой. Словом, нигде не было полного порядка... Бедная Энн... Тана улыбнулась, подумав об этом.

Этим летом ей нравилось одиночество. Хотя она и любила Аверил и Гарри, но учеба требовала такого напряжения, что было просто приятно побыть одной. К тому же с Гарри она постоянно спорила о политике. Он продолжал поддерживать вьетнамскую войну, а она, лишь только разговор касался этой темы, приходила в неистовство, и Аверил всеми силами старалась сохранить мир и спокойствие. Но Тана и Гарри слишком хорошо узнали друг друга за шесть лет, чтобы расшаркиваться и подбирать выражения; они частенько заставляли Аверил передергиваться, хотя Гарри в разговоре с ней не позволял себе ни одного грубого слова. Не говоря уж об Аверил, которая была гораздо нежнее Таны. В свои двадцать четыре года Тана, давно предоставленная сама себе, была властна и бесстрашна, непоколебима в своих убеждениях. Она ходила большими уверенными шагами и ни перед кем не отводила глаз. Она была любопытна, точно знала, что думает, и никому не боялась высказать свои мысли. Иногда у нее бывали неприятности из-за этого, но она не слишком волновалась. Напротив, ей нравились подобные обсуждения. И, записываясь на следующий курс – последний год, слава богу, с усмешкой подумала Тана про себя, – она оказалась вовлеченной в длинную беседу в кафетерии. Восемь или девять человек горячо рассуждали о Вьетнаме, как обычно, и она с присущей ей решительностью ввязалась в разговор. Этот предмет занимал ее сильнее всего – из-за Гарри, конечно. Неважно, как он себя чувствует, у нее есть собственное мнение, да и Гарри сейчас нет рядом.

Он где-то болтался с Аверил, наверное, обмениваясь страстными поцелуями перед занятиями, как Тана часто его дразнила. Эта парочка, казалось, почти все время проводила в постели, испытывая «изобретательность» Гарри, с чем, очевидно, он легко справлялся.

Вот и в этот день Тана увлеклась идеологическим спором о Вьетнаме и совсем не думала о Гарри. Ее изрядно удивило, что у сидящего рядом человека куда более радикальные взгляды. Она внимательно оглядела его: густая черная грива, почти агрессивно спадающая тугими кольцами, яркая рубашка, джинсы, сандалии, будто наэлектризованные синие глаза и улыбка, которая проникла в самую глубь ее души. Когда он встал, все мышцы его, казалось, пришли в движение под кожей, все в нем дышало странной животной чувственностью. У Таны возникло почти непреодолимое желание дотронуться до его руки, которая была так близко.

– Вы где-то рядом живете? – Она покачала головой. – Мне кажется, я вас здесь раньше не видел.

– Обычно я болтаюсь в библиотеке. Третий год на юридическом.

– Ничего себе! – Он был явно поражен. – Непростое дело.

– А вы?

– Пишу диплом по политологии, что же еще?

Оба рассмеялись. Что ж, он правильно выбрал. Они зашли в библиотеку, где Тана с сожалением его и оставила. Ей понравились его рассуждения, и к тому же он был ошеломительно красив, хотя она сразу поняла, что Гарри его не одобрит. У него теперь были какие-то плоские, примитивные мысли, особенно после того, как он познакомился с Аверил. Тана знала это, но не слишком огорчалась. Пусть у Гарри хоть мох на голове вырастет и ветвистые рога, все равно она будет любить его. Сейчас он был ей как брат, а Аверил – часть его, так что Тана принимала их как они есть, в политические дискуссии с ними старалась не вступать, так было легче.

А несколько дней спустя она заинтересованно наблюдала своего нового знакомого, выступающего в студенческом городке. Это было страстное, яркое столкновение мнений, которое произвело большое впечатление на Тану, о чем она ему и сказала, когда они увиделись. Его звали Йел Мак Би. Смешное имя, но он вовсе не был смешон. Блестящий и энергичный, он умел яростными словами своими достать тех, кого хотел поразить. Тана восхищалась его умением разговаривать с толпой, и еще несколько раз в эту осень она ходила слушать его, пока он наконец не пригласил ее на ужин. Каждый платил за себя, а потом они отправились к нему домой поговорить. У Йела жили по меньшей мере десяток человек, некоторые расположились прямо на полу на матрасах, и во всей квартире не было и намека на уют и чистоту домика, где жили Тана и Гарри с Аверил. По правде говоря, она постеснялась бы пригласить Йела к себе. Там было так буржуазно, так мило, почти слишком по-иностранному для него. А к нему она любила заходить. Да и дома она себя в эти дни чувствовала неловко: Аверил с Гарри почти все время занимались любовью, запираясь в комнате Гарри. Она недоумевала, как ему вообще удается учиться, хотя по его оценкам, на удивление высоким, она видела, что все в порядке. Однако с Йелом и его друзьями было гораздо интереснее, и когда Гарри на Рождество улетел в Швейцарию, а Аверил – к себе домой, Тана наконец пригласила Йела к себе. Странно он выглядел в крошечном опрятном домике, без своих говорливых друзей. На нем был темно-зеленый свитер и поношенные джинсы, ботинки военного образца, несмотря на то, что он год провел в тюрьме за отказ от призыва во

Вьетнам. Он сидел в тюрьме на Юго-Западе и через год был отпущен под честное слово.

– Невероятно. – Тана благоговела перед ним, была зачарована его замечательными, почти как у Распутина, глазами, его отвагой, с которой он всегда и во всем шел против течения. Было в этом мужчине нечто выдающееся, и ее не удивило, что он, как дитя, увлечен коммунизмом. Все в нем было загадочным и необычным, и когда в Сочельник он нежно привлек ее к себе и они занялись любовью, это тоже показалось загадочным. Только однажды ей пришлось сделать усилие, чтобы изгнать Гаррисона Уинслоу из головы. И, как ни странно, он сам подготовил ее к этому, хотя Йел Мак Би ничем его не напоминал. Йелу удалось разбудить ее тело, Тане и в голову не приходило, что она способна на такое; он добрался до самых глубин, затронул то, чего она хотела и от чего так долго отказывалась. Он проник в ее душу и вытащил наружу страсть и желание, о которых она даже не подозревала, он дал ей то, что, казалось, ни один мужчина дать не в состоянии; она стала зависеть от того, что он давал ей. К тому времени, как вернулись Гарри и Аверил, Тана стала почти его рабой и больше жила у него, чем у себя дома. Она спала с Йелом на матрасе, свернувшись от холода, до тех пор, пока он не прикасался к ней, и тогда жизнь сразу становилась экзотической и жаркой, сверкающей всеми цветами радуги. Она уже не могла жить без него, и как-то после ужина, когда они сидели с остальными в гостиной, разговаривая о политике и покуривая травку, Тана вдруг почувствовала себя женщиной, женщиной в полном расцвете, дерзко следующей по стопам своего мужчины.

– Черт возьми, Тэн, где тебя все время носит? Мы тебя совсем не видим, – как-то спросил Гарри.

– В библиотеке. Мне очень много надо перечитать перед экзаменами.

Ей осталось учиться пять месяцев. А потом предстояли экзамены на получение права адвокатской практики, и это приводило ее в панику, но на самом деле она почти все время проводила с Йелом, но ни Гарри, ни Аверил

Тана о нем ничего не сказала, не знала, что говорить. Они жили в таких разных мирах, что невозможно было представить их в одном месте, в одном доме, в одном колледже.

– У тебя что, роман, Тэн? Что происходит? – Он был полон подозрений: мало того, что она все время пропадает где-то, так еще этот странный вид, какой-то оцепенелый, остекленевший, будто она вступила в некую секту или постоянно курит марихуану, что тоже приходило ему в голову. Но только на Пасху Гарри увидел ее вместе с Йелом и пришел в ужас. Он дождался ее после занятий и набросился на нее, как раздраженный родитель:

– Какого черта ты связалась с этим недоумком? Ты хоть знаешь, кто это?

– Конечно... Я знакома с ним целый год... – Тана знала, что он не поймет ее, и так ему и сказала.

– Знаешь ли ты, что у него за репутация? Он яростный радикал, коммунист, нарушитель спокойствия в самом худшем смысле. Я видел, как его арестовали в прошлом году, и кто-то мне сказал, что он до этого год провел в тюрьме... Тэн, очнись, ради бога!

– Ты, придурок безмозглый! – Они орали друг на друга за дверьми главной библиотеки, и проходящие мимо время от времени оборачивались на них, но это их ничуть не волновало. – Он сидел в тюрьме за отказ от призыва, что для тебя, конечно, хуже убийства первой степени, но я вовсе так не думаю.

– Я это прекрасно знаю. Но ты лучше хорошенько подумай своей проклятой задницей, иначе тебе не надо будет беспокоиться о том, чтобы сдавать экзамены в июне. Тебя арестуют и вышвырнут из колледжа так быстро, что ты и глазом не успеешь моргнуть.

– Ты совершенно ничего не понимаешь!

Но на следующей неделе, после пасхальных каникул, Йел организовал большую демонстрацию у здания администрации, и десятка два студентов были арестованы.

– Ну, что я тебе говорил?

Гарри моментально ухватился за возможность убедить ее в своей правоте, а Тана опять в ярости вылетела из дома. Гарри ничего не понимал. Главным образом, что этот Йел значит для нее. К счастью, самому Йелу удалось избежать ареста, и Тана провела с ним всю неделю. Все в нем возбуждало ее, все ее чувства обострялись, стоило ему войти в комнату, и в эти дни у него происходили очень интересные события. К концу учебного года его друзья все больше проводили всяческие демонстрации, но Тана так боялась предстоящих экзаменов, что все чаще оставалась дома, чтобы немного позаниматься. И тогда Гарри старался урезонить ее, на этот раз более мягко; он приходил в ужас при мысли, что с нею что-нибудь случится, считал, что должен сделать все, что в его силах, чтобы предотвратить это, пока не поздно.

– Пожалуйста, Тэн, прошу, выслушай меня... С ним ты точно влипнешь в какие-нибудь неприятности... Ты что, влюблена в него?

Сердце его разрывалось при одной только мысли об этом, не потому, что он все еще сам был влюблен, но потому, что такой ужасной судьбы не хотел для нее. Этого парня, о котором он за последние полгода понаслышался, Гарри ненавидел: грубый, неотесанный, невоспитанный, эгоистичный ублюдок. Он был жесток и рано или поздно влипнет в серьезные неприятности. Гарри вовсе не хотел, чтобы Йел потащил за собой и Тану, а это было, по его разумению, вполне возможно. Если она позволит. И похоже, что такое может случиться: Тана была просто ослеплена страстью к этому мужчине. Даже его политические убеждения восхищали ее, Гарри делалось дурно, когда он думал об этом.

Тана уверяла, что совсем не влюблена в Йела, но Гарри понимал, что все не так просто, что Йел – первый мужчина, которому она добровольно отдалась, и она так долго пребывала в целомудрии, что ее суждения в какой-то степени исказились. Ясно было, что если бы подходящий мужчина, или, как сейчас, неподходящий, смог разбудить в ней незнакомые прежде ощущения, она пала бы его жертвой. Так оно и случилось. Тана была заворожена Йелом и его необычной жизнью и друзьями, ее восхищало все неизведанное, а он играл на ее телесных ощущениях, как виртуоз на скрипке. Такое сочетание трудно разрушить. Но вот перед самыми экзаменами (прошло полгода с начала их романа) Йел взял все в свои руки и подверг ее чувства испытанию.

— Ты нужна мне на следующей неделе, Тэн.

— Зачем? — Она рассеянно глянула через плечо: в этот вечер ей предстояло прочесть еще более двухсот страниц.

— Да мы проводим что-то вроде митинга... — Он был отстранен и курил, наверное, уже пятый косячок за вечер. Обычно это не было заметно, но в последнее время он устал.

— Что за митинг?

— Мы хотим встретиться с людьми, имеющими коекакой вес.

Она улыбнулась:

— Кто такие?

— Думаю, пора открыто поговорить с правительством. Мы собираемся к дому мэра.

— Господи, да вас наверняка повяжут. — Казалось, что это ее не особенно обеспокоило. Она к этому уже привыкла, хотя ее пока, как других, не арестовывали.

— Ну и что, — беспечно отмахнулся он.

— Если я буду с вами и попадусь и никто не внесет за меня залога, я пропущу экзамены.

— Ох, Тэн, бога ради, что с того? И в конце концов, кем ты собираешься стать? Каким-то дешевым адвокатом, чтобы защищать существующее общество? Оно прогнило, воняет, сначала надо от него избавиться, а уж потом работать. Ты можешь сдать экзамены на следующий год. То, что я предлагаю, более важно.

Она взглянула на него в ужасе от того, что услышала. Если он мог так сказать, значит, он совсем ее не понимает. Кто этот человек?

— Знаешь ли ты, Йел, как тяжело мне это досталось?

— А ты не понимаешь, насколько это бессмысленно?

Это была их первая размолвка, он долго старался ее убедить, но в конце концов Тана все-таки не пошла на демонстрацию. Она вернулась к себе домой готовиться к экзаменам, и, когда смотрела вечерние новости, у нее глаза чуть на лоб не полезли. Дом мэра забросали бомбами, и двое его детей чуть было не погибли. Как потом оказалось, дети не очень пострадали, но часть дома была разрушена, а жена мэра получила сильные ожоги от разорвавшейся рядом бомбы. «Ответственность за этот террористический акт взяла на себя группа радикальных студентов из университетского кампуса Беркли». Семеро студентов были задержаны по обвинению в попытке убийства, оскорблении, применении оружия, по разным другим обвинениям. Среди арестованных был и Йел Мак Би... Если бы Тана послушалась его, поняла она, не в силах унять дрожь, вся ее жизнь была бы кончена, ее ожидало не только исключение из колледжа, но и лишение свободы на долгие годы. Смертельно бледная, смотрела она, как задержанных заталкивают в полицейские машины, а Гарри, который наблюдал за ней, не промолвил ни слова. Спустя какое-то время она встала и посмотрела на него с благодарностью за то, что он ничего ей не сказал. Буквально в один миг все ее чувства к Йелу превратились в ничто, разлетелись, как одна из его бомб.

– Гарри, он хотел, чтобы я сегодня пошла с ним... – Она заплакала. – Ты был прав.

Тана чувствовала дурноту. Он чуть было не разрушил ее жизнь. Как она могла быть так очарована им? Кто он такой? Кусок дерьма. Какая же она была ненормальная! От этой мысли ее мутило. Она и представить не могла, насколько сильно они привержены своим идеалам, и то, что она вообще была знакома с ними, сейчас ее приводило в ужас. Тана боялась, что ее могут вызвать на дознание. И в конце концов так и произошло, но никаких последствий это не имело. Студентка, которая спала с Йелом Мак Би. Одна из многих.

Она сдала экзамены, получила право на адвокатскую практику. Ей предложили место обвинителя в офисе окружного прокурора, и началась ее взрослая жизнь. Дни радикализма миновали, кончились вместе со студенческими буднями и совместной жизнью с Гарри и Аверил в их маленьком домике. Она сняла квартиру в Сан-Франциско и постепенно укладывала вещи. Все вдруг стало причинять ей боль, все прошло, все кончилось, все сделано.

– Ты просто сама радость, – сказал ей Гарри, медленно въезжая к ней в комнату, где она укладывала в коробку очередную пачку книг по юриспруденции. – Видимо, теперь тебя надо называть «мадам прокурор».

Тана улыбнулась ему. Она до сих пор не оправилась от потрясения; все-таки ужасно то, что произошло с Йелом Мак Би; и от мысли, что из-за него то же самое могло произойти и с ней, Тану просто тошнило. Угнетали ее и воспоминания о своих чувствах к нему. Все это теперь стало казаться нереальным. Суд еще не состоялся, но она знала, что его с друзьями пошлют далеко и надолго.

– У меня такое чувство, будто я убегаю из собственного дома.

– Ты же знаешь, что всегда можешь вернуться, мы будем здесь.

И вдруг он робко посмотрел на нее. Тана не могла удержаться от смеха. Слишком хорошо они друг друга знали, чтобы пытаться что-либо скрыть.

– Так, что на этот раз? В чем ты опять замешан?

– Я? Ни в чем.

– Гарри... – она угрожающе стала наступать на него, а он, смеясь, откатывался от нее.

– Честно, Тэн... О, черт! – Он врезался в ее стол, а она осторожно придушила его прекрасное горло. С каждым днем он все больше напоминал своего отца, по которому Тана все еще иногда скучала. Было бы гораздо лучше, нормальнее, если бы у нее завязался роман с Гаррисоном, а не с Йелом. – Ну ладно, ладно... Мы с Эйв собираемся пожениться.

На какой-то момент Тана остолбенела. Только что в третий раз вышла замуж Энн Дарнинг. Ее муж, крупный кинопродюсер из Лос-Анджелеса, подарил ей к свадьбе «Роллс-Ройс» и алмазное кольцо в двадцать каратов. Джин все уши Тане прожужжала, взахлеб рассказывая об этом. Все это было нормально для людей вроде Энн Дарнинг, но то, что Гарри может жениться, Тане и в голову не приходило.

— Вы женитесь?

Он улыбнулся:

— Я подумал, после всех наших... Она потрясающая девчонка, Тэн...

— Я знаю, балда ты этакая, — Тана ухмыльнулась, — я ведь тоже вместе с ней жила. Просто мне представляется, что это как-то по-взрослому. — Им всем было по двадцать пять, но сама она пока не чувствовала себя достаточно взрослой для замужества, и ее удивляло их решение. «Наверное, у них было больше секса», — посмеялась она про себя, потом улыбнулась Гарри и, наклонившись, поцеловала его. — Поздравляю. И когда же?

— Довольно скоро.

И вдруг Тана заметила еще кое-что занятное в его глазах. Это было одновременно и смущение, и гордость.

— Гарри Уинслоу, уж не собираешься ли ты сказать, что... Нет, ты не... не может...

Тана смеялась, а Гарри буквально сгорал от смущения, что бывало с ним очень редко.

— Да. Может. Она залетела.

— Ох, ради бога, — лицо ее внезапно посерьезнело. — Но, знаешь, ты ведь не обязан жениться. Она заставляет тебя?

Он рассмеялся, и Тана подумала, что никогда в жизни он не выглядел более счастливым.

— Нет, это я ее заставляю. Я ей сказал, что убью ее, если она избавится от ребенка. Это наш ребенок, я хочу его, да и она тоже.

— Господи, — Тана плюхнулась на кровать, — женитьба и семья. Да, ребятки, вы не тратите времени даром.

— Не-а, — он был готов лопнуть от гордости, а его суженая вошла в комнату, застенчиво улыбаясь.

— Гарри рассказывает вам, что я о нем думаю? — Тана кивнула, наблюдая за их лицами. Было в них нечто умиротворенное и удовлетворенное. Интересно, каково это чувствовать себя, как они? На мгновение она даже позавидовала им. — Не язык, а помело, — заметила Аверил, наклоняясь и целуя Гарри в губы, а он похлопал ее по попке и минуту спустя выкатился из комнаты.

Жениться они решили в Австралии, на родине Аверил, Тану, конечно, пригласили на свадьбу, а потом молодые вернутся в свой домик, но Гарри уже начал подыскивать в Пьемонте подходящее место, где они смогут жить, пока он не закончит учебу. Пришло время подключить капиталы Уинслоу. Гарри хотел, чтобы теперь у Аверил была обеспеченная жизнь.

– Знаешь, Тэн, если бы не ты, меня ни за что не было бы здесь, – обратился он к Тане в этот вечер. Он говорил об этом Аверил уже десять тысяч раз и всем сердцем сам верил в это.

– Неправда, Гарри, и ты это знаешь. Ты сам всего добился.

Он схватил ее за руку:

– Без тебя я ничего бы не смог сделать. Отдай себе должное. Больница, колледж, все остальное... Не будь тебя, я даже Аверил не знал бы...

Она нежно улыбнулась ему, растроганная.

– Что, и ребенок тоже моя заслуга?

– Ох, ну и дурочка... – Он дернул ее за длинную белокурую прядь, вернулся к своей будущей жене и заснул здоровым сном в постели, где был зачат их ребенок.

«Его изобретательность окупилась», – подумала Тана с задумчивой улыбкой, ложась спать. Она была рада за него, за них обоих. Но внезапно ощутила себя очень одинокой. Два года она жила с ним вместе и год они жили втроем с Аверил, странно будет жить одной, без них, а у них теперь своя жизнь... Все это так странно... Почему люди женятся?.. Гарри, ее мать, Энн... Что в этом такого завораживающего? Все, чего хотела Тана, – это закончить учебу, а когда наконец у нее завязался роман, этот человек оказался каким-то безумным придурком и загремел на всю оставшуюся жизнь в тюрьму... Засыпая, она удивлялась загадочности жизни... У нее не было ответов – ни сейчас, ни потом, когда она переехала.

Она поселилась в приятной маленькой квартире на Пасифик-Хейтс, с видом на залив, отсюда было пятнадцать минут езды (она купила подержанную машину) до Сити-Холл. Она пыталась сэкономить на всем, чтобы иметь возможность поехать на свадьбу Гарри и Аверил, но Гарри настоял на том, чтобы она приняла билет в подарок. Она смогла погостить у них в Сиднее всего четыре дня, так как недавно начала работать. Аверил была просто как куколка в белом платье из органзы, и живота пока не было видно. Родители ее и не подозревали, что Аверил беременна, и даже Тана об этом забыла. Она забыла обо всем, когда увидела Гаррисона Уинслоу, направляющегося к ней.

– Привет, Тэн, – он нежно поцеловал ее в щеку, и ей показалось, что она сейчас растает. Он был такой же, как всегда: очаровательный, изящный, искушенный сверх всякой меры, но романтические отношения, которые так давно прекратились, не подлежали возрождению. Они часами разговаривали и однажды поздно вечером долго гуляли. Он нашел ее изменившейся и повзрослевшей, но для него она навсегда останется другом Гарри, и, невзирая ни на что, сын всегда будет считать ее своей, и Гаррисон это принимал и уважал.

Молодые уже отправились в свадебное путешествие, и Гаррисон проводил Тану в аэропорт. Он поцеловал ее так, как тогда, и вся душа ее устремилась к нему. Она поднялась по трапу, не утирая слез, и стюардессы, с любопытством разглядывая Тану, оставили ее в покое, гадая лишь, кем приходится девушке этот красивый мужчина, кто она ему – любовница или жена? Они видели высокую, очаровательную блондинку в простом льняном бежевом костюме, с уверенными движениями, с гордо посаженной головой. Но то, что она испугана и одинока, было скрыто от внимательных глаз. Все, к чему она возвращается, опять будет новым. Новая работа, новый дом, который ей не с кем делить. Вдруг Тана поняла, почему люди, подобные ее матери и Энн Дарнинг, выходят замуж: это безопаснее, чем самой добиваться от жизни того, чего хочешь, и все-таки Тана выбрала свой собственный путь. Самолет нес ее домой.

Часть III

ПОЛНЫЙ КРУГ

Глава 14

Из квартиры, которую снимала Тана, открывался чудесный вид на залив. Ей было удобно жить здесь: крошечная спальня, гостиная, кухня с кирпичной стеной, небольшое французское окно, выходящее в сад во дворике, где она иногда сидела, нежась на солнце. Поразительно, как легко она привыкла жить одна. Гарри и Аверил сначала частенько навещали ее, соскучившись. Тана удивлялась, как быстро Аверил потеряла форму: она превратилась в хорошенький маленький шар, все стало ей тесным. Жизнь Таны была совершенно другой. Это был мир обвинительных заключений, адвокатов, убийств, ограблений и изнасилований. Только об этом она постоянно думала, и мысль о ребенке казалась давно исчезнувшей в тумане лет. Энн Дарнинг снова беременна, сообщала ей мать, но на это Тане было наплевать. Все это осталось далеко позади. Разговоры о Дарнингах не давали желаемого эффекта, но, даже зная это, мать и не думала сдаваться. Последнее, что вывело ее из себя, было известие, что Гарри женился на «этой» девушке. Бедная Тана, так заботилась о нем все эти годы, а он сбежал с другой.

– Какая же мерзость то, что он выкинул!

Сначала ее слова ошеломили Тану, а потом она рассмеялась, это ей показалось забавным. Мать так никогда и не поверила, что они с Гарри были только друзьями.

– Конечно, нет. Они просто созданы друг для друга.

– Но неужели тебе не обидно? (Что случилось с ними со всеми? О чем они теперь только думают? И когда-нибудь она собирается остепениться, двадцать пять ведь уже?)

– Вовсе нет. Я давно тебе говорила, мама, что мы с

Гарри просто друзья. Лучшие друзья. И я очень рада за них.

Она выждала приличное время, чтобы сказать о ребенке, когда мать позвонила ей в следующий раз.

– А ты, Тэн? Когда же ты устроишь свою жизнь?

Тана вздохнула. Придет же такое в голову!

– Ты никогда не угомонишься, мам?

– А ты, в твоем-то возрасте?

Как же это надоело!

– Конечно, нет. Я даже и не задумывалась об этом.

Тана только что порвала с Йелом Мак Би, который был самым неподходящим человеком для того, чтобы «устроить жизнь». Да и новая работа не оставляла много времени для романтических приключений. Она была слишком занята подготовкой к работе помощником окружного прокурора. Она проработала почти полгода, прежде чем выкроила время для своего первого свидания. Старший следователь пригласил ее пойти куда-нибудь, и она согласилась: он был интересным человеком, хотя и не пробудил в ней настоящего чувства. После этого она встречалась с двумя или тремя юристами, но голова ее постоянно была занята работой, в феврале у нее появилось первое важное дело, освещаемое национальной прессой. Ей казалось, что все взгляды устремлены на нее, и она старалась изо всех сил сделать все как можно лучше. Жестокое, безобразное изнасилование и убийство пятнадцатилетней девочки, которую заманил в заброшенный дом любовник ее матери. Согласно показаниям экспертов, она была изнасилована девять или десять раз, сильно обезображена и в конце концов убита. Тана настаивала на газовой камере для насильника. Это дело затронуло самые глубинные струны ее души, хотя никто об этом и не догадывался, и она старалась изо всех сил, готовясь к разбирательству, просматривая снова и снова все показания и доказательства. Обвиняемый – привлекательный человек тридцати пяти лет, прекрасно образованный, прилично одетый. Защита стремилась использовать любые ухищрения. Каждую ночь Тана засиживалась чуть не до утра. Будто снова ей предстояло сдавать экзамены на адвокатскую практику.

Как-то поздно ночью позвонил Гарри.

– Как дела, Тэн?

Она взглянула на часы, удивляясь, что в три часа ночи он еще не спит.

– Нормально. Что-нибудь случилось? У Аверил все хорошо?

– Конечно! – он не скрывал ликования. – У нас только что родился мальчик, Тана! Восемь фунтов с унцией, она самая смелая девчонка в мире... Я присутствовал, и – о, Тэн! – это было так прекрасно... его маленькая головка только-только высунулась, и вот он, здравствуйте, глядит на меня. Они сначала дали его мне... – Дыхание его прервалось, казалось, он плачет и смеется одновременно. – Эйв только что заснула, а я подумал, что надо позвонить тебе. Ты не спала?

– Конечно, нет. О, Гарри, я так счастлива, так рада за вас обоих! – У нее на глазах тоже появились слезы.

Тана пригласила друга выпить и отметить событие. Он явился через пять минут, выглядел усталым, но гораздо более счастливым, чем обычно. Было странно наблюдать за ним, слушать его, когда он рассказывал, как будто это был первый в мире ребенок, а Аверил была просто чудом. Тана почти завидовала им и в то же время ощущала зияющую пустоту в глубине души, как будто эта ее часть существовала отдельно, будто была отодвинута куда-то. Словно она слушала кого-то, говорящего на чужом языке, и безмерно восхищалась им, но совершенно не понимала смысла. Она была в полном смятении и все-таки думала, как это для них прекрасно.

Он ушел в пять утра, и она поспала около двух часов перед тем, как приготовиться к слушанию в суде, снова вернувшись к делу. Оно тянулось более трех недель, а присяжные девять дней не могли вынести решение после героических усилий Таны. И когда они наконец появились, она победила. Обвиняемый был осужден по всем пунктам, и хотя судьи отказались вынести смертный приговор, преступник получил пожизненное заключение, и в глубине души Тана была рада. Она хотела, чтобы он заплатил за все, что сделал, хотя его заключение в тюрьму и не воскресит девочку.

Газеты отметили, что она провела дело блестяще, а Гарри испортил ей настроение, подшучивая над ней, называя крутой девчонкой, когда она пришла к ним в Пьемонт взглянуть на ребенка.

– Ладно, ладно, хватит. Вместо того чтобы открывать по мне зенитный огонь, лучше дайте мне взглянуть на сотворенное вами чудо!

Тана приготовилась к ужасной скукотище и была приятно поражена, увидев, как прелестен ребенок. Все у него было таким крошечным и совершенным, что она заколебалась, когда Аверил вознамерилась вручить младенца ей.

– О господи... Я боюсь сломать его пополам!

– Не дури! – Гарри легко сгреб ребенка у жены и плюхнул его в руки Таны, а она сидела, уставившись на него, абсолютно очарованная его прелестью, и когда отдала малыша обратно, ощутила какую-то утрату и оглядела их всех почти с завистью, так что, когда она ушла, Гарри торжествующе заявил Аверил:

– Думаю, мы ее достали, Эйв!

И в самом деле, Тана очень много думала о них той ночью, но на следующей неделе у нее снова появилось дело об изнасиловании, а затем и два крупных дела об убийствах. А потом была потрясающая новость, о которой Гарри с торжеством сообщил ей по телефону. Он не только получил право адвокатской практики, но ему еще предложили работу, так что он не мог дождаться, когда к ней приступит.

– Кто тебя нанял?

Тана была очень рада за него: столько трудов он положил, чтобы добиться этого. И тут Гарри рассмеялся:

– Ты не поверишь, Тэн! Я собираюсь работать государственным защитником.

– Контора государственной защиты? – Она тоже развеселилась. – Значит, я буду вести свои дела против тебя?

Они вместе пошли пообедать, чтобы отметить событие, и все разговоры были только о работе. Замужество и дети – последнее, о чем она думала. А затем она заметила, что пролетел остаток года и новый уже наступает на пятки с новыми выступлениями в суде по делам об убийствах, изнасилованиях, разбойных нападениях и других преступлениях. Только один-два раза они столкнулись с Гарри в одном и том же деле, но всегда, при малейшей возможности они встречались за обедом. Он уже два года проработал в конторе государственной защиты, когда сообщил ей, что Аверил опять беременна.

– Так скоро? – поразилась Тана. Казалось, Гаррисон Уинслоу Пятый только что родился, но Гарри улыбался.

– В следующем месяце ему будет два, Тэн.

– О господи! Неужели? – Она не часто его видела, но все равно это невозможно. Ему будет два! Непостижимо. И ей уже двадцать восемь, что само по себе не так уж знаменательно, просто все происходит так стремительно. Кажется, только вчера она ездила в «Грин-Хиллз» с Шарон Блейк, долго прогуливаясь с ней в Йолане. Только вчера, когда Шарон была еще жива, а Гарри мог танцевать.

На этот раз Аверил родила девочку с крошечным розовым личиком, маленьким ротиком совершенной формы и огромными миндалевидными глазами. Она была как две капли воды похожа на своего дедушку, и Тана ощутила странный толчок в сердце, когда увидела девочку, но опять же было непохоже, чтобы она сама могла совершить нечто подобное. Так она и сказала Гарри за обедом на следующей неделе.

– Но почему нет, помилуй бог! Тебе только двадцать девять... будет через три месяца, – он посмотрел очень серьезно. – Не упусти время, Тэн. Это единственное в жизни, что имеет для меня значение, единственное, о чем я в самом деле беспокоюсь, – мои дети и моя жена.

Тана была шокирована таким заявлением. Она-то полагала, что его карьера была для него всего важнее, а затем еще больше поразилась, когда услышала, что он собирается отказаться от работы государственным защитником и заняться частной практикой.

– Ты серьезно? Но почему?

– Потому что мне не нравится работать на чужого дядю и мне надоело защищать этих ублюдков. Они все совершили эти преступления, даже если и клянутся, что не делали этого, или, во всяком случае, большинство из них. Меня просто тошнит от всего этого. Пора все изменить. Я собираюсь стать партнером одного знакомого адвоката.

– А тебе это не наскучит? Обычные гражданские дела? – У нее это прозвучало как нечто заразное, и он, расхохотавшись, покачал головой.

– Нет, мне не надо такого воодушевления, как тебе, такой страсти, Тэн. Я не смог бы нести такой крест, как ты это делаешь ежедневно, изо дня в день, изо дня в день. Я восхищаюсь тобой, но сам буду абсолютно счастлив, имея небольшую спокойную практику и Аверил с детишками.

Гарри никогда не был тщеславен и довольствовался настоящим положением вещей. Тана почти завидовала ему. Ее же сжигал какой-то более мощный огонь. Это было то, что Мириам Блейк усмотрела в ней десять лет назад, и это до сих пор сидело в ней. Оно требовало все более сложных дел, перекрестных допросов, постоянно искало все более тяжелых испытаний. Ей особенно польстило, что в следующем году она была включена в список комиссии из прокуроров, которые встречались с губернатором для решения сложных вопросов, влияющих на криминальные процессы по всему штату. Этой работой занималось полдюжины юристов, все, кроме нее, мужчины: двое из Лос-Анджелеса, двое из Сан-Франциско, один из Сан-Хосе, – и это была, как она полагала, самая интересная неделя в ее жизни. Тана находилась в постоянном возбуждении. Прокуроры, судьи, политики заседали далеко за полночь, и когда она добиралась до постели, то бывала настолько взбудоражена этими разговорами, что не могла заснуть еще часа два. Она лежала без сна, снова и снова все переосмысливая.

– Не правда ли, интересно? – сидящий рядом прокурор склонился к ней и заговорил приглушенным голосом. В этот день они слушали обсуждение губернатором проблем, о которых она накануне спорила с кем-то из присутствующих. Он занимал точно такую позицию по этим вопросам, что и она, и ей захотелось встать и поприветствовать его.

– Да, – шепнула она в ответ.

Это был один из прокуроров из Лос-Анджелеса: седоволосый, высокий и привлекательный. На следующий день они сидели рядом за обедом, и Тана была поражена его щедростью и великодушием. Он был интересный человек, уроженец Нью-Йорка, учился в Гарвардском юридическом колледже, затем переехал в Лос-Анджелес.

– Ну, а последние несколько лет я жил в Вашингтоне, работал в правительстве, но только что вернулся на Запад и очень рад, что так поступил, – улыбнулся он. Держался он непринужденно, улыбка его была теплой; Тане понравились его идеи, когда они снова разговорились в тот вечер, а к концу недели все они почувствовали себя друзьями. Прошедшая неделя была наполнена восхитительным обменом мнений, идей, взглядов.

Он остановился в Хантингтоне. До отъезда он предложил ей посидеть за бокалом вина в «Этуали». Их взгляды и мысли были сходны, как ни у кого из присутствующих на заседаниях комиссии. Тана обнаружила в нем умного собеседника и единомышленника, присутствуя на разных комиссиях, куда они были включены. Он много и профессионально работал и всегда был приятен в общении.

– Как вам нравится работа в офисе окружного прокурора? – поинтересовался он.

Большинству женщин, которых он знал, это не нравилось. Они занимались семейными проблемами или другими аспектами права, но женщины-обвинители встречались редко и по вполне очевидным причинам. Это была чертовски тяжелая работа, и никто им ее не облегчал.

— Я люблю ее, — улыбнулась Тана. — Она не оставляет мне много времени для личной жизни, но это и хорошо.

Она с улыбкой посмотрела на него и откинула назад длинные волосы (на работе она стягивала их в узел). Ей приходилось носить костюмы и блузы в суде, но дома она сжилась с джинсами. Сейчас на ней был серый фланелевый костюм со светло-серой шелковой рубашкой.

— Замужем? — он вопросительно приподнял брови и взглянул на ее руку.

Тана улыбнулась:

— Боюсь, у меня нет на это времени.

За последние годы в ее жизни была уйма мужчин, но долго никто не продержался. Она неделями пренебрегала ими из-за занятости в суде, готовя дела; у нее просто не хватало для них времени. Это не было столь уж ощутимой потерей, хотя Гарри продолжал настаивать, что когда-нибудь она об этом пожалеет. «Я когда-нибудь займусь этим». — «Когда? В 95 лет?»

— А что ты делал в правительстве, Дрю?

Его звали Дрю Лэндс, а глаза у него были самые голубые, какие она только когда-либо видела. Ей нравилось, как он улыбается, и она поймала себя на мысли, что хочет знать, сколько ему лет, правильно угадав, что около сорока пяти.

— Какое-то время я был введен в Министерство торговли. Там кто-то умер, и мной заполнили пустоту, пока не назначили постоянного работника, — он улыбнулся, и Тана снова ощутила, что этот мужчина ей нравится больше, чем кто-либо другой. — На какое-то время это была интересная работа. А в самом Вашингтоне есть что-то возбуждающее. Все концентрируется вокруг правительства, люди вовлечены в эту жизнь. Если вы не работаете в правительстве, вы там абсолютно никто. А ощущение власти — оно преобладает. Это все, что имеет там значение для любого человека. — Он улыбнулся ей, и было очевидно, что сам он был частью этого мира.

— Должно быть, трудно было отказаться от всего этого. — Ее это заинтриговало, поскольку она сама не раз задумывалась, заинтересовала бы ее политика или нет. Но ей казалось, что это ей не подошло бы так же хорошо, как юриспруденция.

— Да, это были времена! Но я был счастлив вернуться в Лос-Анджелес. — Он непринужденно улыбнулся, поставил стакан с виски, посмотрел на нее. — Ощущение такое, будто я снова дома. А вы, Тана? Что для вас дом? Вы девочка из Сан-Франциско?

Тана покачала головой:

— Родом из Нью-Йорка. Но я здесь с тех пор, как поступила в Боалт. — Уже восемь лет, как она приехала сюда, и это само по себе невероятно — аж с 1964 года. — Теперь я уже не могу представить себе жизнь где-либо еще или какое-нибудь другое занятие.

Она любила офис окружного прокурора больше всего на свете, никогда там не скучала и очень выросла в духовном и профессиональном плане за эти пять лет работы. И что еще важно — пять лет быть помощником окружного прокурора. В это так же трудно верилось, как и во все остальное... Куда же убегало время, пока человек работал? Вдруг просыпаешься, и... десять лет пролетели... десять лет... или пять... или год — в конце концов, это все равно. Десять лет воспринимались как один год и как вечность.

— Только что ты выглядела ужасно серьезной. — Он испытующе посмотрел на нее, и они обменялись улыбками.

Тана философски пожала плечами:

— Я просто размышляла, как быстро летит время. Трудно поверить, что я здесь уже так давно, а в офисе окружного прокурора целых пять лет.

— Вот так же и я чувствовал себя в Вашингтоне. Три года пролетели как три недели, и вдруг настало время возвращаться домой.

— Как ты думаешь, ты однажды не вернешься туда?

Он улыбнулся, и в этой улыбке было что-то непонятное.

— На какое-то время непременно. Мои дети все еще там. Я не хотел забирать их из школы посреди года; к тому же мы с женой еще не решили, где они будут жить. Возможно, то там, то здесь... Это было бы единственно справедливым решением для нас обоих, хотя детям сначала может быть трудно. Но дети быстро привыкают.

Он улыбнулся ей. (Ну да, он явно в разводе.)

– Сколько им?

– Тринадцать и девять. Обе девочки. Они великолепные дети и очень привязаны к Эйлин, хотя близки и со мной тоже, и вообще им лучше в Лос-Анджелесе, чем в Вашингтоне. Столица – неподходящее место для детей, а Эйлин очень занята, – охотно объяснил он.

– А чем она занимается?

– Она – секретарь посла и должна просматривать всю посольскую почту. Совершенно невозможно брать детей с собой, так что их должен взять я. Все еще пока настолько зыбко, – он снова улыбнулся, на этот раз както смущенно.

– А как давно вы развелись?

– Ну, на самом-то деле это как раз сейчас в процессе. Мы подумывали об этом еще в Вашингтоне, а теперь это решено окончательно. Я собираюсь устроиться основательно, как только все утрясется. У меня еще даже вещи не распакованы.

Она улыбалась ему, думая, насколько же это тяжело: дети, жена, поездки за три тысячи миль, Вашингтон, Лос-Анджелес. Но, казалось, это не разрушало его привычного образа жизни. Он придавал большое значение всей конференции. Из шести занятых на заседаниях прокуроров он произвел на нее самое сильное впечатление. Ей также нравился его разумный либерализм. Еще во времена общения с Йелом Мак Би, пять лет назад, она решительно накинула узду на свои радикальные настроения, а пять лет работы в офисе окружного прокурора час за часом лишали ее былого либерализма. Она вдруг стала ратовать за более суровые законы, более жесткий контроль, и все либеральные идеи, в которые она так рьяно верила, теперь уже не имели для нее большого значения. Но Дрю Лэндс каким-то образом опять сделал их привлекательными. И даже если какое-то положение вещей не привлекало ее, он никого не ограничивал в выражении взглядов. «Думаю, ты справишься с этим прекрасно». Он был тронут и польщен, они еще выпили, а потом он отвез ее домой и отправился в аэропорт, чтобы вернуться в Лос-Анджелес.

– Можно иногда звонить тебе? – нерешительно спросил он, будто боялся, что существует кто-то очень значимый для нее, но в данный момент у нее вообще никого не было. В прошлом году несколько месяцев у нее был роман с директором рекламного агентства, и с тех пор практически никого. Он был слишком занят и связан обстоятельствами, она тоже, и их отношения закончились так же спокойно, как и начались. Она научилась говорить всем, что замужем за своей работой, что она «другая жена» окружного прокурора, вызывая смех своих коллег. Но это было почти правдой на настоящий момент. Дрю смотрел на нее с надеждой, и Тана, улыбаясь, утвердительно кивнула.

– Конечно, буду рада.

Хотя бог знает, когда он снова появится в ее городе. И, кроме того, у нее работа по делу об убийстве первой степени на следующие два месяца.

Но он просто ошарашил ее своим звонком на следующий же день. Тана сидела в конторе, пила кофе и делала пометки, намечая план ведения дела. Ожидалась большая заинтересованность прессы, и ей не хотелось выглядеть дурой. Она ни о чем, кроме дела, не думала, когда сгребла трубку и рявкнула:

– Да!

– Будьте добры, пригласите мисс Робертс. – Его никогда не удивляла грубость людей, работающих у окружного прокурора.

– Это я, – и вдруг это прозвучало игриво. Она чертовски устала, была просто как выжатый лимон. Уже пять часов вечера, а она весь день не вставала из-за стола. Даже на обед. Со вчерашнего вечера она ничего не ела, если не считать литров поглощенного ею кофе.

– Не похоже на тебя, – его голос был почти как ласковое прикосновение, и сначала она была ошеломлена, подумав, что звонит какой-то чокнутый.

– Кто это?

— Дрю Лэндс.

— Господи... Прости... Я была настолько погружена в работу, что не узнала сначала твой голос. Как дела?

— Отлично! Я подумал, что надо позвонить тебе и узнать, как твои дела, это гораздо важнее.

— Готовлюсь к разбирательству об убийстве, которое начинаю на следующей неделе.

— Это похоже на развлечение, — он произнес это саркастически, и оба засмеялись. — А чем ты занимаешься в свободное время?

— Работой.

— Так я и думал. А ты не знаешь, что это вредно для здоровья?

— Я побеспокоюсь о здоровье, когда выйду на пенсию. Пока же у меня нет времени.

— А как на выходные? Не сможешь прерваться?

— Не знаю... Я... — Обычно она работала все выходные дни, а сейчас тем более. И работа в комиссии отняла у нее целую неделю, которую она должна была посвятить подготовке дела. — Правда, мне надо бы...

— Послушай, ты можешь себе позволить несколько часов отдыха. Я собирался одолжить яхту у друга в Бельведере. Можешь захватить с собой свою работу, хоть это и кощунство.

Был конец октября, погода обещала быть чудесной на заливе, теплой и солнечной при ярко-синем небе. Это было лучшее время года, и Сан-Франциско будил лирические чувства. Тана уже почти согласилась и все же не хотела оставлять недоделанную работу.

— Мне и правда следовало бы подготовить...

— Тогда, может быть, поужинаем?.. Или пообедаем?.. — И вдруг оба расхохотались. Давно уже никто не был так настойчив, и это ей льстило.

— Я действительно хотела бы, Дрю.

— Тогда позволь себе. А я обещаю, что не отниму времени больше, чем положено. Ну, что же для тебя предпочтительнее?

— Это плавание под парусом по заливу придумано ужасно здорово. Я могла бы прогулять денек, — перспектива ворошить важные бумаги под легким бризом не привлекала ее, а прогулка по воде с Дрю Лэндсом – несомненно, да.

– Ладно, я буду там. Что ты скажешь о воскресенье?

– Для меня идеально.

– Я заеду за тобой в девять. Оденься потеплее, вдруг поднимется ветер.

– Есть, сэр! – Она улыбнулась про себя, положила трубку и вернулась к работе.

В воскресенье утром ровно в девять появился Дрю Лэндс в белых джинсах, в кроссовках, в ярко-красной рубашке с желтой папкой под мышкой. Лицо у него было загорелое, волосы на солнце отливали серебром, а в голубых глазах плясали чертики, когда Тана шла за ним к машине – серебристому «Порше», на котором он приехал в пятницу из Лос-Анджелеса, но, верный своему слову, не беспокоил ее.

Они поехали к яхт-клубу Сент-Френсис, где была причалена яхта, а спустя полчаса уже были в заливе. Дрю Лэндс был искусным моряком, на борту был и шкипер, а она, счастливая, лежала на палубе, вбирая солнце, пытаясь не думать о своем деле об убийстве, и неожиданно для себя очень довольная, что поддалась на его уговоры устроить себе выходной.

– Правда, хорошее солнце?

Услышав его глубокий голос, Тана открыла глаза: он сидел рядом.

– Да. Непонятно, почему-то все вдруг стало таким маловажным. Все, о чем хлопочешь, суетишься, все детали, казавшиеся такими многозначительными, и вдруг... пуф-ф – все улетело! – Она улыбнулась ему, размышляя, скучает ли он по детям, а он как будто прочел ее мысли.

– Я хочу, чтобы ты как-нибудь познакомилась с моими девочками, Тана. Они влюбятся в тебя.

– Ничего на этот счет не знаю, – неуверенно произнесла она и застенчиво улыбнулась. – Боюсь, я не очень-то много знаю о маленьких девочках.

Дрю Лэндс оценивающе, но не осуждая, взглянул на нее.

– Ты никогда не хотела иметь своих детей?

Он был мужчиной того типа, с которым можно быть искренней, и Тана покачала головой:

– Нет. У меня никогда не было ни желания, ни времени, – открыто улыбнулась она, – да и подходящего мужчины не встретилось, не говоря уже о подходящих обстоятельствах.

Он рассмеялся:

– Конечно же, это прибавляет массу хлопот обо всем на свете, не так ли?

– Угу. А ты? – она чувствовала себя с ним легко и свободно. – А ты хочешь еще детей?

Он покачал головой, и она уже знала, что именно этого мужчину она однажды захочет. Ей уже тридцать, слишком поздно заводить детей. Да и с ним у нее ничего общего.

– Я все равно не могу иметь детей, или, по крайней мере, не могу без того, чтобы пройти через массу неприятностей. Когда родилась Джулия, мы с Эйлин решили, что этого для нас достаточно. Мне сделали вазектомию.

Он так откровенно говорил об этом, что Тана была слегка шокирована. Но что плохого, если кто-то не хочет больше иметь детей? Сама она их не хотела, вот у нее их и не было.

– Как бы то ни было, это решает проблему, так?

– Да, – озорно улыбнулся он, – в разных аспектах.

Тогда Тана рассказала ему о Гарри, о двух его ребятишках, об Аверил, о том, как Гарри вернулся из Вьетнама, о том безумном годе, когда она ухаживала за ним, борясь со смертью, об операциях, о его мужестве.

– Это изменило мою жизнь во многом. Не думаю, чтобы после всего этого я осталась такой же, как прежде. – Она задумчиво смотрела на воду, а он любовался игрой солнечного света на ее золотистых волосах. – Словно все приобрело особый смысл. Абсолютно все. Невозможно было после этого принимать все как само собой разумеющееся. – Она со вздохом взглянула на него. – Однажды у меня уже было такое чувство, еще до того.

– И когда же это было? – Его глаза излучали нежность, когда он смотрел на нее, а она подумала о том, что бы почувствовала, если бы он ее поцеловал.

– Когда умерла моя соседка по комнате в колледже. Мы вместе ездили в «Грин-Хиллз», это на Юге, – серьезно объяснила Тана, а он улыбнулся.

– Я знаю, где это.

– О, – улыбнулась она в ответ. – Ее звали Шарон Блейк... дочь Фримена Блейка, и она умерла на марше с Мартином Лютером Кингом девять лет назад... Она и Гарри изменили мою жизнь как никто другой из всех, кого я знаю.

– Ты серьезная девочка, не так ли?

– Я думаю, очень. Может быть, больше подходит «обстоятельная». Я слишком упорно работаю, слишком много размышляю. Мне очень трудно бывает все переварить, переосмыслить. Это отнимает много времени.

Дрю Лэндс это заметил, но не придавал значения. Жена его была такой же, и это его не беспокоило. Это не он захотел свободы, а она. У нее в Вашингтоне была связь с начальником, и она попросила что-то вроде отпуска, так что он дал ей этот отпуск, а сам вернулся домой, но в подробности вдаваться не хотел.

– Ты жила когда-нибудь с кем-нибудь? Я имею в виду романтические отношения, а не твоего друга, вьетнамского ветерана.

Забавно было слышать, что Гарри так назвали, это было как-то безлико.

– Нет. У меня никогда не было таких отношений.

– Возможно, это тебе как раз подошло бы. Близость, без всяких официальных уз.

– Звучит вполне подходяще.

– Для меня тоже. – Он был задумчив, а потом помальчишески улыбнулся ей. – Плохо, что мы живем в разных городах.

Забавно, что он так скоро заговорил об этом, но с ним все происходило быстро. В конце концов оказалось, что он и сам такой же «обстоятельный», как и она. Дважды в эту неделю он прилетал из Лос-Анджелеса, чтобы пообедать с ней, потом летел обратно, а на следующие выходные они снова вышли на яхте, несмотря на то что Тана полностью была поглощена своим делом об убийстве и просто жаждала, чтобы оно завершилось успешно для нее. Но Дрю Лэндс как-то успокаивал ее, облегчал ей жизнь, и она была очарована этим. После второго дня, проведенного в заливе на яхте его друга, он привез ее домой, и они занялись любовью у камина в гостиной. Нежность, сладость, налет романтики охватили их, а потом он приготовил ужин. Дрю провел у нее ночь и, что удивительно, совсем не стеснял ее. Он встал в шесть, принял душ, оделся, принес ей в постель завтрак и уехал на такси в аэропорт в 7.15. Он успел на восьмичасовой рейс в Лос-Анджелес и был в своей конторе в полдесятого, свежий, как огурчик.

В течение нескольких недель он составил регулярное расписание их встреч, почти не спрашивая согласия Таны, но все это происходило так легко и свободно и делало ее жизнь настолько счастливее, что она вдруг почувствовала, как вся ее жизнь просто усовершенствовалась. Дважды Дрю Лэндс посещал ее в суде, и она выиграла дело. Он был там, когда выносили вердикт, и пригласил ее отпраздновать. Подарил ей прелестный золотой браслет, купленный у Тиффани в Лос-Анджелесе, и на тот уик-энд она полетела к нему. В пятницу и субботу они ужинали в «Бистро» и «Ма Мезон», а днем делали покупки на Родео Драйв. В воскресенье вечером после интимного ужина, который Дрю сам приготовил на жаровне, Тана полетела в Сан-Франциско. Она думала о нем все время по дороге домой, о том, как же быстро она увлеклась им. Было немножко страшно думать об этом, но он выглядел таким надежным, казалось, так хотел установить с ней прочные отношения. Она понимала, насколько он одинок. Дом его был открытым, современным, импозантным, заполнен дорогими предметами искусства в стиле модерн; были там две свободные комнаты для его девочек. Но кроме него там сейчас никто не жил, и он, казалось, хотел постоянно быть с ней. Ко Дню Благодарения Тана уже привыкла, что половину недели он проводит с ней в Сан-Франциско: это ее уже не удивляло, ведь почти два месяца прошло с начала их романа. За неделю до праздника он вдруг обратился к ней:

– Что ты делаешь на следующей неделе, дорогая?

– В День Благодарения? – Тана казалась удивленной. В самом деле, она как-то и не подумала об этом. В папке у нее было три небольших дела, которые она хотела бы закрыть, если обвиняемые согласятся на сделку. Это, несомненно, облегчило бы ей жизнь, да и ни один из них не был виновен настолько, чтобы предстать перед судом. – Я не знаю, не думала.

Несколько лет она не была дома. День Благодарения с Джин и Артуром – нет уж, спасибо! Энн снова развелась несколько лет назад и теперь жила в Гринвиче со своими неуправляемыми детьми. Билли появлялся и исчезал, если ему не подворачивалось что-нибудь получше. Он так и не женился. Артур с возрастом становился все большим занудой, ее мать – более раздражительной, нервной, кажется, она теперь много плакала, главным образом из-за того, что Тана никак не могла выйти замуж, да, похоже, теперь и не выйдет никогда. «Пропащая жизнь», – обычный ее рефрен, на что Тана могла только ответить: «Спасибо, ма».

Можно было еще провести День Благодарения с Аверил и Гарри, но, сколько бы Тана их ни любила, друзья в Пьемонте были так утомительно скучны со своими маленькими детьми и большими автомобилями. Тана всегда чувствовала себя с ними не в своей тарелке и была этому бесконечно рада. Было загадкой, как Гарри выносил все это. Она с его отцом как-то смеялись вместе над этим. Гаррисон так же, как и Тана, не мог терпеть этого и появлялся крайне редко. Он знал, что Гарри счастлив, о нем хорошо заботятся, он ухожен и не нуждается в отце, поэтому жил в свое удовольствие.

– Хочешь поехать со мной в Нью-Йорк? – Дрю посмотрел на нее с надеждой.

– Ты серьезно? А зачем? – Тана была удивлена. Что для него Нью-Йорк? Родители его умерли, он сам сказал, а дочки были в Вашингтоне.

– Понимаешь, – он уже все обдумал заранее, – ты могла бы навестить свою семью, а я бы заглянул в Вашингтон к девочкам, а потом мы встретились бы с тобой в Нью-Йорке и немного развлеклись. Может быть, я смог бы привезти их с собой. Как тебе такой план?

Она обдумала предложение и медленно кивнула, волосы крылом упали на лицо.

– Возможно, – улыбнулась, – может быть, даже очень вероятно, если исключить пункт о моей семье. Праздник с ними может привести к самоубийству.

Дрю рассмеялся:

– Не будь такой циничной, ты, ведьма! – Он нежно отвел завиток волос с ее лица и поцеловал в губы. Он был так утонченно обаятелен, она никогда прежде не встречала никого, похожего на него, и какая-то часть ее существа была так открыта ему, как никому до него. Она сама удивлялась, насколько доверяет ему. – Ну, а серьезно, ты могла бы выбраться?

– Вообще-то именно сейчас могла бы, – это тоже было непривычно для нее.

– Ну, так что? – Звезды плясали в его глазах, и Тана бросилась в его объятия.

– Твоя победа. Я даже нанесу визит своей мамочке, в виде жертвоприношения.

– Ты точно попадешь в рай за такую жертву. Я обо всем позабочусь. Мы можем вместе полететь на Восток вечером в следующую среду. Ты проведешь четверг в Коннектикуте, а я вместе с девочками встречу тебя вечером в тот же день в... сейчас, дай подумать. – Он выглядел озабоченным, и она ухмыльнулась: «Отель «Пьерра»?» Тана намеревалась полностью оплатить свою часть расходов, но он отрицательно покачал головой: – «Карлайл». Я всегда стараюсь, если возможно, останавливаться там, особенно когда я с детьми. Им там очень нравится.

Последние девятнадцать лет он постоянно бывал там с Эйлин, но Тане об этом не сказал. Он организовал все, и вечер среды застал их на разных рейсах, отбывающих на Восток. Тана поражалась, как это ему удалось так быстро все решить за нее. Ей это было в новинку, никто раньше ничего подобного не делал, а он все устроил так хорошо и легко. Он привык к этому. И когда Тана прибыла в Нью-Йорк, она вдруг осознала, что действительно это Нью-Йорк: здесь было очень холодно, первый снег лежал на обочинах дороги на Коннектикут: она взяла такси из аэропорта Дж. Ф. Кеннеди. По пути она думала о Гарри, о том, как он двинул Билли по роже. Она жалела, что сейчас Гарри с ней не было. Не очень-то ей хотелось проводить с семьей День Благодарения, с большим удовольствием она поехала бы с Дрю в Вашингтон, но не желала влезать в его личный – только он и дочки – День Благодарения: ведь он не видел девочек два месяца. Гарри пригласил ее отпраздновать этот день с ними в Пьемонте, как он делал ежегодно, но она объяснила, что на этот раз уезжает в Нью-Йорк.

– О боже, ты, должно быть, заболела! – рассмеялся он.

– Пока нет. Но уж точно рехнусь ко времени отъезда. Я уже слышу мамочкино «пропащая жизнь»...

– Кстати, о твоей «пропащей жизни». Я хотел познакомить тебя наконец-то со своим партнером.

Он все-таки основал свою юридическую фирму, но Тана никак не могла собраться познакомиться с его «второй половиной». У нее просто никогда не было времени, а они тоже были ужасно заняты. Все у них шло очень хорошо, правда, без большого размаха, но ровно и к общему удовлетворению. Это было именно то, чего оба хотели, и Гарри, рассказывая Тане о своих делах, всегда был полон энтузиазма.

– Может быть, когда я вернусь.

– Да ты всегда так говоришь. Господи, неужели ты никогда с ним не познакомишься, а ведь он такой чудесный парень.

– Ой-ей-ей! Чувствую свидание с незнакомцем. Я права? Какой-то изголодавшийся... О, нет! – Она уже хохотала, как в былые дни, и Гарри рассмеялся тоже.

– Ты недоверчивая сучка! Ты что, полагаешь, каждый так и стремится залезть тебе в трусики?

– Отнюдь. Просто я знаю тебя. Если кому-то меньше девяноста пяти и он не возражает против брака, ты непременно захочешь меня свести с ним. Разве ты не знаешь, Уинслоу, что я очень твердый орешек? Ради Христа, отвяжись! Ну ничего, я заставлю свою маму позвонить тебе из Нью-Йорка.

— Не утруждай себя, ты, бестолочь. Ты просто не представляешь, чего на сей раз лишаешься. Он просто чудо, вот и Аверил так же считает.

— Не сомневаюсь. Сведи его с кем-нибудь другим.

— В чем дело? Ты что, собираешься замуж?

— Возможно, — Тана подшучивала над ним, но он навострил уши, и она пожалела о своих словах.

— Ну да? За кого?

— За Франкенштейна. Ради бога, отстань от меня!

— Черта с два! Ты встречаешься с кем-то, правда?

— Нет... Да! Я имею в виду... нет. Вот дерьмо! Да, но не всерьез. Ну? Это тебя устраивает?

— Вот черт, конечно, нет! Кто он, Тэн? Это серьезно?

— Нет. Он просто парень, как все, с которыми я встречаюсь. Вот и все. Приятный парень. Приятно проводим время. Ничего особенного.

— Откуда он?

— Из Лос-Анджелеса.

— Чем он занимается?

— Он насильник. Я познакомилась с ним в суде.

— Не остроумно. Попробуй еще раз.

Тана чувствовала себя загнанным зверем, и Гарри начал действовать ей на нервы.

— Он прокурор. А сейчас пошел бы ты к черту. Ничего здесь нет особенного.

— Думается мне, что все-таки есть, — он очень хорошо ее знал. Дрю Лэндс, конечно же, не был похож ни на кого другого, но она все еще не хотела этого признать, в первую очередь для себя самой.

— Значит, ты, как обычно, думаешь не головой, а другим местом. Ладно, скажи Аверил, что я ее люблю и навещу вас обоих, когда вернусь из Нью-Йорка.

— Ну, а какие у тебя планы на Рождество в этом году? — это было полуприглашение-полумольба, и ей захотелось повесить трубку.

– Я собираюсь в Шугар Боул, если это тебя устраивает.

– Одна?

– Гарри! – Конечно, нет. Она собиралась поехать с Дрю. Они все уже решили. Эйлин забирала девочек с собой в Вермонт, так что он оставался один, что предвещало невеселые праздники. Оба жили в ожидании. Но Тана не собиралась все рассказывать Гарри. – Пока. Увидимся.

– Подожди... Я хотел тебе еще рассказать побольше о...

– Нет!

Наконец она положила трубку и, подъезжая к Гринвичу, улыбалась про себя, представляя, что он подумал о Дрю. Она подозревала, что они понравятся друг другу, даже если Гарри оценит его на троечку, что и было отчасти причиной, почему она хотела немного выждать. Очень редко она представляла Гарри своих знакомых мужчин. Как только она решалась на это, они ей становились не нужны. Но на этот раз все по-другому.

Мама с Артуром уже ожидали ее, когда она появилась. Тану поразило, как он постарел. Матери было только пятьдесят два, совсем немного, она выглядела довольно молодо, Артуру же было шестьдесят шесть, и старился он совсем неизящно. Напряженные годы с женой-алкоголичкой наложили свой отпечаток так же, как управление «Дарнинг Интернэшнл», и теперь все вышло наружу. У него было несколько сердечных приступов и микроинфаркт, выглядел он ужасно старым и немощным, а Джин страшно нервничала, ухаживая за ним. Она прильнула к Тане, как к мачте в бушующем море, а когда Артур ушел вечером спать, она пришла к дочери в комнату и села в изножье кровати. Впервые Тана осталась в этом доме, и у нее была заново отделанная спальня, как мать и обещала. Было бы слишком хлопотно устраиваться в городе или в отеле, да и мать это ранило бы очень больно. Но получилось так, что они мало побыли вместе. Артур ездил только в усадьбу в Палм-Бич, а Джин не могла прилететь в Сан-Франциско, так как не хотела оставлять его одного, поэтому Тану они видели, когда та добиралась к ним, что случалось все реже и реже.

– Все в порядке, родная?

– Прекрасно. – На самом деле все было еще лучше, но она ничего не хотела рассказывать Джин.

– Я рада. – Обычно она выжидала денек, прежде чем начать оплакивать «пропащую жизнь» Таны, но на сей раз у нее было не так уж много времени, так что следовало поспешить. Тана ожидала именно этого. – С работой все в порядке?

– Превосходно! – она улыбнулась, а Джин опечалилась. Ее всегда подавляло то, что Тана душой и сердцем любила свою работу. Это означало, что вряд ли она скоро ее бросит. Мать все еще втайне надеялась, что однажды Тана откажется от всего ради настоящего мужчины. Джин очень трудно было представить, что никогда дочь так не поступит. Но она совсем не знала свое дитя, и раньше-то не очень ее понимала, а теперь и того меньше.

– А есть какие-нибудь новые мужчины? – Это было вечным продолжением одного и того же разговора, и Тана обычно отвечала отрицательно, но на сей раз она решила бросить матери маленькую косточку.

– Один.

Брови Джин взлетели:

– Что-нибудь серьезное?

– Пока нет, – Тана рассмеялась. Было почти жестокостью так ее поддразнивать. – И не возбуждайся. Я не знаю, случится ли это вообще когда-нибудь. Он милый человек, с ним очень удобно, но не думаю, что это что-то большее.

Но блеск ее глаз означал, что она лжет, и Джин поняла это.

– И как долго вы встречаетесь?

– Два месяца.

– Почему ты не привезла его с собой?

Тана глубоко вздохнула, обхватила руками колени, прямо взглянула в глаза матери:

– Он сейчас навещает своих маленьких дочек в Вашингтоне.

Она не сказала, что встретится с ним завтра вечером в Нью-Йорке, оставив Джин в заблуждении, что вернется на Запад. Это дало ей силы приехать домой только на сутки и предоставило ей свободу передвижения в Нью-Йорке по желанию Дрю. Она не хотела тащить его для знакомства со своей семьей, особенно с Артуром и его отпрысками.

– А давно он разведен, Тана? – Мать смотрела в сторону, вопрос прозвучал очень невнятно.

– Недавно, – она солгала, и вдруг глаза матери впились в нее:

– Как недавно?

– Расслабься, мам. По правде, он как раз сейчас этим занимается. Они только что окончательно решили и живут отдельно.

– И сколько времени?

– Несколько месяцев. Ради всего святого, успокойся!

– Вот как раз этого ты не должна делать. – Джин встала с Таниной кровати и вдруг начала нервно мерить шагами комнату, затем застыла, снова уставившись на Тану. – А еще ты не должна нигде с ним бывать!

– Ну что за чушь! Ты же совсем не знаешь этого человека!

– А мне и не надо его знать, Тана, – она говорила почти с горечью, – я знаю синдром. Какой он человек, иногда не имеет значения. Пока он не разведен, пока у него нет документов на руках, держись от него подальше!

– Это самое нелепое, что я когда-либо слышала. Ты что, никому не доверяешь, да, мам?

– Просто я гораздо старше тебя, Тэн, и какой бы умудренной ты себя ни считала, я знаю лучше, чем ты. Даже если он думает, что разводится, даже если он абсолютно в этом уверен, он может не довести дела до конца. Он может быть настолько связан детьми, что просто не сможет развестись с женой, что бы ты после ни говорила. Пройдет полгода, и он может снова вернуться к ней, а ты так и останешься, к тому времени уже влюбленная в него, в безвыходном положении, убедишь себя в необходимости быть около него и ждать, ждать два года... пять лет... десять... а потом вдруг обнаружишь, что тебе уже сорок пять, и если тебе повезет, – глаза ее увлажнились, – у него случится первый сердечный приступ, вот тогда ты ему понадобишься... но его жена, возможно, все еще будет жива, и у тебя не останется ни одного шанса. Существуют такие вещи, против которых ты бессильна. И в большинстве случаев именно эта – одна из них. Это узы, которых никто, кроме него самого, разорвать не может. Если он сам их разорвет или уже разорвал, это придаст силы вам обоим, но, родная, пока тебе не нанесли тяжелую глубокую рану, я предпочла бы видеть тебя в стороне от этой связи. – Ее голос был так печален и полон сострадания, что Тана почувствовала жалость к матери. В жизни ее было немного радости с тех пор, как они с Артуром поженились, но в конце концов она таки его завоевала, после долгих, тяжелых, отчаянно одиноких лет. – Я не желаю тебе такого, любимая. Ты заслуживаешь лучшей участи. Ну почему бы тебе не потерпеть немного в стороне, не подождать, что произойдет?

– Ма, да просто жизнь для такого ожидания очень коротка. У меня нет времени на какие-то игры. Есть очень много других дел. И потом, что это меняет? Я же все равно не собираюсь выходить замуж.

Джин вздохнула и опять села.

– Не понимаю почему. Ну что ты имеешь против замужества, Тэн?

– Ничего. В браке, я полагаю, есть смысл, если ты хочешь иметь детей или если у тебя нет своего дела, если ты не хочешь сделать карьеру. Но у меня-то есть! У меня слишком много других интересов в жизни, чтобы зависеть от кого-либо. А что касается детей, то я уже слишком стара, мне тридцать, и моя жизнь устроена так, как мне хочется. Я никогда не могла бы поставить свою жизнь с ног на голову ради кого бы то ни было, – она вспомнила дом Аверил и Гарри, в котором, похоже, ежедневно работал взвод подрывников. – Ну нет, это не для меня.

Джин интересовало, нет ли в этом ее вины, но тут был набор всякой всячины: знать, что Артур предавал Мери, видеть, как долго и тяжко страдает мать, а поэтому не желать себе такой участи. Тана хотела продвижения по службе, жаждала независимости, своей личной жизни. Ну не нужны ей были ни муж, ни дети, в этом она была убеждена. На протяжении многих лет.

– Но ты же так много теряешь, – Джин была очень опечалена. Что же такого она не дала своему ребенку, что сделало ее такой?

– Я просто не могу тебя понять, ма, – она испытующе смотрела в глаза матери, в которых было что-то ей недоступное.

– Тэн, только ты смысл моей жизни.

Ей трудно было в это поверить, но все-таки долгие годы мать жертвовала всем ради нее, даже принимала сделанные из милости подарки Артура, только для того, чтобы хоть что-нибудь еще дать своей дочери. При этих воспоминаниях у Таны разрывалось сердце. Ей следовало бы чувствовать себя благодарной. Она крепко прижала мать к себе, вспоминая прошлое.

– Я люблю тебя, ма! Я так благодарна тебе за все, что ты для меня сделала.

– Не надо мне благодарности. Я только хочу видеть тебя счастливой, родная моя. И уж если этот мужчина хорош для тебя, тогда все чудесно, но если он лжет тебе – или себе – он разобьет твое сердце. Никогда, никогда я не пожелаю тебе такого.

– Это вовсе не то, что случилось с тобой, – Тана была в этом уверена, Джин – нет.

– Откуда тебе знать? Почему ты так уверена?

– Уверена – и все. Сейчас я хорошо его узнала.

– За два-то месяца? Не будь дурочкой. Ты ничего не знаешь, не больше того, что я знала двадцать четыре года назад. Артур тогда не мне лгал, он лгал себе. Одинокие ночи – семнадцать лет, этого ты хочешь, Тэн? Не поступай так с собой.

– Со мной этого не будет. У меня есть работа.

– Одно не заменит другого. – Но для Таны было именно так: работа заменяла ей все. – Обещай мне, что подумаешь над моими словами.

– Обещаю.

Тана улыбнулась, и обе женщины, обнявшись, еще

раз пожелали друг другу спокойной ночи. Тана была тронута материнской озабоченностью, но она точно знала, что относительно Дрю мать ошибалась. Она заснула с улыбкой, думая о нем и его девочках. Она знала адрес его гостиницы в Вашингтоне, но не хотела мешать им.

Обед в День Благодарения у Дарнингов на следующий день был заранее обречен на скуку, но Джин была признательна Тане за присутствие. Артур был как-то рассеян и дважды засыпал в своем кресле, горничная его слегка толкнула, а Джин тут же помогла ему подняться наверх. Появилась Энн с тремя своими отпрысками. Эти отродья стали еще хуже, чем были несколько лет назад. Энн болтала о браке с каким-то греческим пароходным магнатом, и Тана старалась не слушать ее, но это было невозможно. Единственным утешением, светлым пятном было то, что Билли не было дома: он уехал с друзьями во Флориду.

До пяти вечера Тана постоянно смотрела на часы. Она обещала Дрю быть в «Карлайле» к девяти, и они не звонили друг другу весь день. Вдруг она почувствовала, что просто умирает от желания скорее снова увидеть его, заглянуть в глаза, прикоснуться к щеке, ощутить его руки, сорвать с него одежду, сбрасывая свою. На лице ее блуждала загадочная улыбка, пока она упаковывала наверху сумки. В это время вошла мать. Их взгляды встретились в зеркале над комодом. Джин заговорила первой:

– Ты собираешься встретиться с ним, да?

Тана могла бы солгать, но ведь ей уже тридцать, какого черта?

– Да, – она повернулась к матери, глядя ей в глаза. – Да, конечно.

– Ты меня пугаешь.

– Ты слишком много обо всем и обо всех печешься. Мама, моя жизнь – это моя жизнь, а не повторение твоей. Огромная разница.

– Боюсь, не такая уж огромная, как нам хочется думать.

– На сей раз ты не права.

– Ради тебя надеюсь, что так.

Но Джин была убита горем, когда дочь наконец вызвала такси и в восемь часов уехала в Нью-Йорк. Тана никак не могла отделаться от материнских слов, звучавших в ушах, а к моменту приезда в гостиницу была просто зла на нее. Да с какой стати мать перекладывает на Тану свой горький опыт, свое разочарование, свою боль? Ну какое она имеет право? Это как таскать на себе покрывало из цемента, которое носят везде, чтобы доказать, как их когда-то любили. Прекрасно, но она-то не жаждала такой любви. Не нужна она была ей больше, такая. Ей хотелось, чтобы ее оставили в покое, дав возможность жить так, как ей самой хочется.

«Карлайл» – красивая гостиница, с покрытыми толстыми коврами ступенями, ведущими вниз, к мраморному полу вестибюля, с персидскими коврами, антикварными часами, прекрасными картинами на стенах и с истинными джентльменами в визитках за приемной стойкой. Это был совсем другой мир, и Тана про себя улыбнулась. Это не жизнь ее матери, а ее, Таны, собственная. Теперь ее не разубедишь. Она назвала фамилию Дрю и пошла наверх к его комнатам. Он еще не приехал, но здесь его явно хорошо знали. Комната была такой же роскошной, что можно было предположить уже по вестибюлю, с широким обзором Центрального парка из окон, с сияющей, как драгоценности, линией горизонта, с большим количеством антиквариата, с обтянутой розовым шелком мебелью, тяжелыми атласными занавесками и большой бутылкой шампанского, охлаждающейся в ведерке со льдом, – подарок управляющего. «Приятно провести время», – были последние слова посыльного. Тана села на красивую кушетку, размышляя, принять ли ей ванну или подождать. Она так и не знала наверняка, привезет ли он с собой девочек, но предполагала, что привезет. Ей не хотелось бы шокировать их, представ перед ними неодетой. Но прошел час, а их все еще не было, и только после десяти он наконец-то позвонил.

– Тана?

– Нет, Софи Лорен!

Он рассмеялся:

– Я разочарован. Мне больше нравится Тана Робертс.

– Теперь я знаю, Дрю, что ты сумасшедший.

– Да, схожу с ума по тебе.

– Ты где?

Мимолетная пауза.

– В Вашингтоне. Джулия ужасно простудилась, и мы думали, что и Элизабет подхватила грипп. Я подумал, что мне лучше подождать здесь, к тому же я в любом случае не могу взять их с собой. Я приеду завтра, ладно, Тэн?

– Ну конечно! – Она понимала все, но тем не менее обратила внимание на «мы», которое как-то выскочило у него. «Мы подумали, что Элизабет...» Но она не слишком рассердилась из-за этого. – Комната просто потрясающая!

– Разве не чудесный номер, а? А обслуживание? Они были милы с тобой?

– Конечно же, да, – она огляделась. – Но без вас никакой радости, мистер Лэндс. Заруби это на носу!

– Клянусь, буду завтра.

– Во сколько?

Он на минутку задумался:

– Позавтракаю с девочками... Посмотрю, как они себя чувствуют... это будет около десяти часов. Я могу успеть на полуденный рейс. Буду в гостинице к двум, это точно.

Это значило, что полдня будет потеряно, и она хотела кое-что высказать по этому поводу, но, рассудив здраво, сдержалась.

– Хорошо, – но радости в ее голосе не было, и когда она положила трубку, ей пришлось сделать усилие, чтобы вытолкнуть из сознания слова матери.

Она приняла горячую ванну, посмотрела телевизор, заказала чашку горячего шоколада и все размышляла о том, чем он занимается в Вашингтоне. А потом вдруг почувствовала себя виноватой за свои невысказанные мысли. Не его же вина, что девочки заболели. Конечно, это было помехой, но некого в этом винить. Она сняла трубку и назвала номер гостиницы в Вашингтоне, где он останавливался, но его там не было. Она оставила сообщение, что звонила ему, посмотрела по телевизору позднее шоу и заснула, не выключив телевизор. Проснулась она в девять утра и вышла на улицу, обнаружив, что день просто потрясающий. Тана совершила долгую прогулку по Пятой авеню и по Блумингдейлу, где потолкалась немного и кое-что себе купила: очаровательный голубой кашемировый свитер ему и подарки для девочек – куклу Джулии и хорошенькую блузку для Элизабет. Потом вернулась в «Карлайл», чтобы застать его там, но ее ждало сообщение: «Обе девочки серьезно заболели. Буду в пятницу вечером». Но... нет. У Джулии температура подскочила под сорок, и Тана провела еще одну ночь в одиночестве. В субботу она пошла в музей «Метрополитен», и он появился уже под вечер, в пять часов, чтобы успеть заняться с ней любовью, воспользоваться услугами службы питания гостиницы, всю ночь просить у нее прощения и успеть вместе с ней на рейс в Сан-Франциско на следующий день. Да, это был незабываемый, грандиозный отдых в Нью-Йорке!

– Напомни, чтобы я как-нибудь поступила с тобой так же, – саркастически заметила она во время обеда в самолете.

– Ты взбешена, да, Тэн? – Он выглядел таким несчастным с самого момента появления в Нью-Йорке, пожираемый чувством вины перед ней, жгучим беспокойством за дочерей; он слишком много и быстро говорил, словом, был не в себе в эти дни.

– Да нет, больше разочарована. Между прочим, как твоя бывшая жена?

– Отлично, – он явно не хотел говорить о ней и был удивлен вопросом Таны. Это же была совсем неподходящая тема для разговора, но Тану не оставляли в покое слова матери. – Почему ты спросила?

– Просто из любопытства. – Она занялась десертом и странно холодно взглянула на него. – Ты все еще любишь ее?

– Конечно, нет. Это же нелепо. Я уже несколько лет как разлюбил ее, – он потупился расстроенно, а Тана была довольна. Мама ошиблась. Как всегда. – Ты, вероятно, не знаешь этого, Тэн, – он побледнел, замялся, – случилось так, что я влюбился в тебя.

Он долго смотрел на нее, она же испытующе изучала его лицо. Наконец она улыбнулась ему, ничего не сказав, поцеловала его в губы, положила вилку и задремала. Ей нечего было ему сказать, и он чувствовал себя странно неуютно. Да, это был тяжелый уик-энд для обоих.

Глава 15

Декабрь пролетел. У Таны было несколько мелких дел и череда приемов, на которые они ходили вместе с Дрю. Казалось, ему ничего не стоит прилететь, чтобы провести с ней ночь или просто пообедать. Их связывали восхитительные моменты нежности, тихие ночи дома и какой-то налет трогательной интимности, чего Тана никогда раньше не испытывала. Теперь она поняла, как же долго была одинока. Несколько лет назад – безумная связь с Йелом, а с тех пор только случайные отношения, которым она не придавала большого значения. Но все, что касалось Дрю, было совершенно иным. Он был таким чувствительным, таким пылким, таким внимательным к мелочам, которые для нее были исполнены смысла. Она чувствовала заботу и поддержку, жажду жизни, и они часто смеялись. По мере приближения праздников он снова был одержим желанием увидеть своих дочек. Они собирались прилететь из Вашингтона и провести с ним Рождество, так что он отменил совместную с Таной лыжную вылазку в Шугар Боул.

– А ты не приедешь к нам хоть ненадолго, Тэн?

Тана улыбнулась ему: она знала, что Дрю с ума сходил по своим детям.

– Постараюсь. – Ей предстояло крупное дело, но она была уверена, что до суда не дойдет. – Думаю, что смогу.

– Ты уж очень постарайся. Ты могла бы приехать двадцать шестого, и несколько дней мы провели бы в

Малибу. – Он арендовал там маленькое местечко для выходных, но ее удивило не столько место, сколько дата... Двадцать шестое... Она поняла, что Дрю хотел провести праздники наедине с девочками. – Приедешь, Тэн?

Это прозвучало так по-детски, что Тана рассмеялась и крепко обняла его.

– Ладно, ладно, приеду. Как ты думаешь, что понравилось бы девочкам?

– Ты, – они обменялись улыбками, он снова ее поцеловал.

Неделю он провел в Лос-Анджелесе, чтобы все подготовить для них. Тана старалась привести в порядок все дела в офисе окружного прокурора, чтобы взять несколько свободных дней. К тому же нужно было сделать массу покупок. Она купила Дрю замшевую куртку, очень дорогой портфель, на который он заглядывался и который ему ужасно нравился, одеколон, каким он всегда пользовался, и галстук дикой расцветки: она знала, что галстук ему понравится. Девочкам она купила прелестных кукол у Шварца, разных карандашей, блокнотов, ластиков, ручек, летние открытые туфельки, очаровательный спортивный костюм для Элизабет, точную копию своего, и кролика из натурального меха для младшей. Она упаковала подарки и уложила в сумку, чтобы взять их с собой в Лос-Анджелес. В этом году она не возилась с рождественской елкой: не было времени, да и кому на нее смотреть. Она провела умиротворяющий рождественский вечер с Гарри и Аверил и их детьми. Никогда еще Гарри так хорошо не выглядел, а Аверил казалась совершенно довольной, наблюдая за маленьким Гаррисоном, бегающим тут в ожидании Санта-Клауса. Они нарезали морковки для северного оленя, положили хрустящее шоколадное печенье, большой стакан молока и наконец уложили его в постель. Сестричка его уже крепко спала, а когда заснул и он, Аверил на цыпочках прокралась в детскую и с нежной улыбкой оглядела их. Гарри с любовью наблюдал за женой, а Тана – за ним. Ей доставляло удовольствие видеть его таким: довольным и жизнерадостным. Все у него в жизни устроилось хорошо, хотя, конечно, это было не совсем то, к чему он когда-то стремился. Он с улыбкой взглянул на Тану, и они поняли друг друга.

– Забавно, Тэн, не правда ли, как оборачивается жизнь...

– Да уж, – она улыбнулась ему. Они знали друг друга двенадцать лет, почти полжизни. Просто невероятно.

– Когда я впервые тебя встретил, я считал, что ты выскочишь замуж через пару лет.

– А я думала, что ты так и умрешь безнадежным идиотом... нет... – она смотрела задумчиво и влюбленно, – шалопаем-алкоголиком.

Он рассмеялся:

– Ты путаешь меня с моим стариком.

– Вряд ли. – В ней все еще жило теплое чувство к Гаррисону, но Гарри никогда не был в этом уверен. Както он кое-что заподозрил, но не смог в этом удостовериться, а отец ничем ему не помог. Так же, как и Тана.

Тут Гарри как-то странно на нее посмотрел. Он никак не ожидал, что она встретит Рождество с ними, тем более после одного-двух намеков о Дрю. В нем жило странное ощущение, что это было очень серьезно для нее, крепнущее из-за того, что она что-то недоговаривала.

– А где твой друг, Тэн? Я думал, вы отправитесь в Шугар Боул. – Сначала она взглянула непонимающе, но, конечно же, она сразу догадалась, кого он имеет в виду, а он усмехнулся. – Послушай, не тяни кота за хвост, не изображай мне свое дерьмовое «о ком это ты?», не проведешь.

Она засмеялась:

– Ладно, ладно. Он в Лос-Анджелесе с детьми. Мы отменили Шугар Боул, потому что его дети к нему приехали. Я поеду двадцать шестого.

– Он так много для тебя значит, да?

Она осторожно кивнула, но избегала смотреть ему в глаза:

– Да... Чего бы это ни стоило...

– А чего это стоит, Тэн?

Она вздохнула и откинулась в кресле:

– Бог знает...

Все равно Гарри что-то не давало покоя, и в конце концов он решился спросить:

– А как получилось, что ты сегодня не с ним?

– Я не хотела мешать. – Но это было неправдой. Он не приглашал ее.

– Да я уверен, что ты ему никакая не помеха. Ты уже встречалась с его детьми?

Она отрицательно покачала головой:

– Завтра будет в первый раз.

– Боишься? – улыбнулся Гарри.

Тана нервно засмеялась:

– Конечно, черт побери! А ты бы не боялся? Они же самое главное в его жизни!

– Надеюсь, ты тоже?

– Думаю, да.

И тут Гарри нахмурился:

– Он ведь не женат, а, Тэн?

– Я тебе уже говорила: он в процессе развода.

– Тогда почему он не встречает Рождество с тобой?

– Откуда, черт возьми, я знаю? – Тана была раздражена настойчивыми вопросами и не могла понять, куда подевалась Аверил.

– А ты не спрашивала?

– Нет. Меня пока абсолютно устраивает все как есть, – она сердито уставилась на него.

– Вот в этом твоя проблема, Тэн. Ты настолько привыкла быть одна, что тебе даже не приходит в голову поступить как-то иначе. Тебе следовало бы встречать Рождество с ним, если только...

– Если только что?.. – она разозлилась на него. Вот уж совсем не его забота, встречает она Рождество с Дрю или нет. Она уважала его желание побыть наедине с детьми.

Но Гарри вовсе не собирался отступать.

– Если только он не встречает Рождество с женой.

– О, ради всего святого... Ну и чушь собачья, что ты несешь! Ты самый циничный, самый подозрительный сукин сын из всех, кого я знаю... Подумать только, я считала себя плохой... – Она была в ярости, но что-то еще было в ее глазах, будто он резанул по больному. Но ведь это нелепо!

– Может быть, ты недостаточно испорчена.

Тана встала, не отвечая ему, стала искать свою сумку. Аверил, вернувшись к ним, заметила, в каком они напряжении, но не придала этому значения: она уже привыкла к ним, к их особым отношениям. Иногда они скандалили, как кошка с собакой, но это никому не причиняло вреда.

– И что вы оба опять тут вытворяете? – улыбнулась она. – Избиваете друг друга?

– Я как раз подумываю об этом, – раздраженно откликнулась Тана.

– Это пойдет ему на пользу.

И тут все рассмеялись.

– Гарри, как всегда, корчит из себя идиота.

Он вдруг скорчил ей гримасу:

– Ага, у тебя это выглядит так, будто я выставляю себя напоказ.

Аверил рассмеялась:

– Ты опять это делал, милый?

Тана опять взвинтилась:

– Знаешь, ты самая большая головная боль на свете. Чемпион мира по головной боли.

Он вежливо поклонился ей в своем кресле, а Тана пошла за пальто.

– Не уходи, Тана.

Он всегда с сожалением расставался с ней, даже когда они ссорились. Между ними до сих пор существовала какая-то невидимая связь. Как будто они были двойниками.

– Мне надо домой, собраться. Я еще взяла работу с собой.

– Работать в Рождество? – Он ужаснулся, а она улыбнулась:

– Когда-то надо ее сделать.

– Почему бы тебе не прийти сюда вместо этой твоей суеты? – Они ожидали друзей, его партнера и еще кого-то, – около дюжины, но Тана покачала головой. Она хотела побыть дома одна, во всяком случае, так она говорила. – Чудачка ты, Тэн. – Глаза Гарри, отражая его чувства к ней, были полны любви и нежности, он поцеловал ее. – Желаю приятно провести время в Лос-Анджелесе. – Он подкатил за ней к двери и печально посмотрел на Тану. – И... Тэн... Подумай о себе... Может быть, я ошибаюсь, но ведь не вредно быть осмотрительной.

– Знаю, – ее голос снова звучал мягко, она расцеловала их обоих перед уходом. Но в машине по пути домой она раздумывала о том, что ей говорил Гарри. Тана знала, что его слова не могли быть правдой. Дрю, конечно же, не праздновал Рождество с женой... Но тогда почему бы ей, Тане, не быть с ним? Тана пыталась убедить себя, что это не имеет значения, но это ей не удалось. Неожиданно вспомнились те одинокие годы Джин, как ей было жалко ее, сидящую у телефона в ожидании звонка Артура, в надежде, что вот-вот он позвонит... Они никогда не могли отметить вместе хоть один праздник, пока Мери была жива, и даже потом всегда находились какие-то отговорки: его родственники, дети, его клуб, его друзья... И несчастная Джин, еле сдерживающая слезы... затаившая дыхание... ожидающая его. Тана с трудом прогнала эти мысли. С Дрю все было иначе. Иначе! Она не допустит такого. Но на следующее утро за работой вопросы вновь нахлынули на нее. Дрю позвонил ей один раз, это был очень короткий разговор, и он явно спешил.

– Мне нужно обратно, к девочкам, – торопливо заявил он и отключился.

А когда она прилетела в Лос-Анджелес на следующий день, он уже ждал ее в аэропорту, схватил в объятия и стиснул так, что она чуть не задохнулась.

– Господи... подожди... Прекрати!

Но он почти раздавил ее, и они хохотали и целовались всю дорогу до автостоянки и пока он швырял ее сумки и пакеты, а она была просто в экстазе от встречи с ним. Все-таки без него в праздник было очень одиноко. А она-то втайне надеялась, что в этом году все будет иначе, чем обычно, что праздник будет более радостным и волнующим. Тана не признавалась себе в этом, но вдруг поняла, что так оно и есть. И как же восхитительно было ехать с ним в город в его машине. Он оставил девочек дома со знакомой няней, чтобы встретить ее и провести с ней несколько спокойных минут.

– Прежде чем они сведут нас с ума, – он восторженно посмотрел на нее.

– Как девочки?

– Превосходно. Клянусь, они выросли вдвое за последний месяц. Подожди, ты их еще увидишь, Тэн.

И правда, увидев их, Тана была просто очарована. Элизабет, очень милая и почти взрослая, поразительно напоминала Дрю, а Джулия – приставучий маленький колобок – почти сразу же забралась Тане на колени. Им очень понравились привезенные ею подарки, и, казалось, они ничего не имели против нее, хотя Тана заметила, как Элизабет несколько раз испытующе ее разглядывала. Дрю управлялся с ними очень здорово. Он пресек все попытки повиснуть у нее на шее и всякую приставучесть. Они напоминали хороших друзей, проводящих вместе вечер, очень уютно и интимно. Для девочек было очевидно, что он хорошо знаком с Таной, но по его обращению с ней нельзя было догадаться об их истинных отношениях. А Тана задумалась, всегда ли он так ведет себя с дочерьми.

– Чем ты занимаешься? – Элизабет снова оглядела ее, а Джулия наблюдала за обеими. Тана улыбнулась, откинув назад гриву светлых волос, которым Элизабет позавидовала с первого же взгляда.

– Я прокурор, как ваш папа. Собственно, благодаря этому мы и познакомились.

– Моя мама тоже, – поспешила добавить Элизабет. – Она секретарь посла в Вашингтоне, и, возможно, в следующем году ей предложат посольство.

– Должность посла, – поправил ее Дрю и оглядел своих трех «девочек».

– А я не хочу, чтобы она это делала, – надула губки Джулия. – Я хочу, чтобы она приехала сюда жить. С папой, – она упрямо выпятила нижнюю губу, а Элизабет быстро добавила:

– Он сможет поехать с нами туда, куда направят маму.

Что-то внутри у Таны сжалось, она взглянула на Дрю, но он был чем-то занят, а Элизабет продолжала:

– Мама может даже захотеть вернуться сюда сама, если они не предложат ей подходящую работу. Во всяком случае, она сама так говорила.

– Очень интересно. – Во рту у Таны пересохло, и она молила, чтобы Дрю вмешался и направил разговор в другое русло, но он молчал. – Вам нравится жить в Вашингтоне?

– Очень, – вежливость Элизабет причиняла боль, а Джулия опять забралась Тане на колени и улыбнулась ей:

– Ты красивая. Почти как наша мама.

– Спасибо. – Да, нелегко было с ними разговаривать, совсем не так, как с детишками Гарри. Тане редко приходилось бывать в подобной ситуации, но надо было приложить все усилия ради Дрю. – А что мы будем делать вечером? – У Таны перехватило дыхание, когда она спросила, отчаявшись отвлечь их от разговора о его почти бывшей жене.

– Мамочка пошла по магазинам на Родео Драйв, – улыбнулась ей Джулия, а Тана почти задохнулась.

– О? – Она изумленно уставилась на Дрю, а потом снова на девочек. – Очень мило. Ну а как вы относитесь к тому, чтобы сходить в кино? Вы смотрели уже «Саундер»? – Тана чувствовала себя так, будто бежит изо всех сил, задыхаясь, вверх по крутой горе, никуда в конечном счете не добираясь... Родео Драйв... Это означало, что она приехала в Лос-Анджелес с девочками, вот почему он не хотел, чтобы Тана явилась сюда вчера. Интересно, встречал он все-таки Рождество с ней или нет? Кажется, еще целый час прошел в болтовне с детьми, и наконец они убежали на улицу играть. Тогда она повернулась к нему. Глаза ее сказали гораздо больше, прежде чем рот выговорил слова: – Я поняла, твоя жена в Лос-Анджелесе.

Она как будто окаменела, внутри все застыло.

– Не смотри на меня так, – голос его звучал мягко, но глаза избегали ее взгляда.

— А почему нет? — Она встала и подошла к нему. — Ты провел праздник с нею, Дрю? — Теперь он не мог спрятать глаза: она стояла прямо перед ним. И все равно она уже догадывалась. А когда он посмотрел на нее, она сразу поняла, что была права в своей догадке, что девочки выдали его. — Почему ты мне солгал?

— Я не лгал тебе... Я не предполагал... О, ради бога! — Он смотрел на нее почти злобно: она загнала его в угол. — Я не планировал этого, но девочки никогда раньше не встречали Рождество без нас, мы всегда были вместе... Тэн, это же так чертовски трудно для них.

— А теперь? — Глаза и голос ее были жесткими, скрывая внутреннюю боль, рану, нанесенную ей этой ложью. — Ну, и когда же ты планируешь начать приучать их к этому?

— Черт побери, ты думаешь, мне нравится смотреть, как девочки страдают?

— По-моему, они выглядят прекрасно.

— Ну, конечно. Потому что мы с Эйлин воспитанные люди. Это самое малое, что мы можем им дать. Не их вина, что у нас с ней жизнь не сложилась. — Он с горечью посмотрел на Тану, и ей пришлось побороть жгучее желание сесть и расплакаться, не из-за него или девочек, а от жалости к себе.

— Ты уверен, что не слишком поздно спасать ваш брак?

— Не будь смешной.

— Где она спала?

Он уставился на нее как пораженный током.

— Об этом неприлично спрашивать, и ты, черт возьми, прекрасно это знаешь.

— О господи! — Она снова села, не в силах поверить, как же он виден насквозь. — Ты с ней спал.

— Я не спал с ней.

— Нет, спал, правда ведь? — Теперь она кричала, а он большими шагами заходил по комнате, потом повернулся к ней.

— Я спал на кушетке.

— Ты лжешь. Ведь так?

– Черт побери, Тана! Не обвиняй меня в этом. Все не так просто, как ты думаешь. Мы были женаты почти двадцать лет, черт возьми... Я просто не могу перешагнуть через все, как из дня ушедшего в наступающий, особенно когда это касается девочек... – Он мрачно посмотрел на нее, затем медленно подошел. – Пожалуйста... – В его глазах стояли слезы. – Я люблю тебя, Тэн... Мне просто нужно немного времени, чтобы все уладить...

Она отвернулась от него и заходила по комнате, стараясь не смотреть на него.

– Это я уже слышала, – потом она резко повернулась к нему лицом, глаза ее блестели от слез. – Моя мать семнадцать лет прожила, выслушивая подобные басни.

– Да не басни это, Тэн. Мне в самом деле просто нужно время. Это очень тяжело нам всем.

– Прекрасно, – она взяла свою сумку и пальто со стула. – Позвонишь мне, когда оправишься от всего этого, вот так. Думаю, тогда ты доставишь мне больше удовольствия.

Тана не дошла до двери, как он схватил ее за руку.

– Не надо так со мной. Пожалуйста...

– Отчего же? Эйлин в городе. Возьми и позвони ей. Она составит тебе компанию на ночь, – Тана сардонически усмехнулась, скрывая свою боль. – Можете спать на кушетке... вместе, если тебе так нравится.

Она рывком распахнула дверь. Дрю готов был расплакаться.

– Я люблю тебя, Тэн.

Тана готова была зарыдать, услышав эти слова. Вдруг она повернулась к нему, и, казалось, все силы покинули ее, когда она посмотрела на него.

– Не надо со мной так, Дрю. Это нечестно... ты не имеешь права... – Но она уже достаточно широко распахнула дверь в свое сердце, чтобы он снова проскользнул туда. Молча он привлек ее к себе, крепко поцеловал, и все в ней оттаяло. А когда он отстранился, Тана взглянула на него: – Это ничего не решает.

– Нет, – голос его звучал спокойнее. – Но время сделает это. Только дай мне шанс. Клянусь, ты не пожалеешь. – А потом он сказал то, что перепугало ее до смерти. – Я хочу на тебе жениться, Тэн, когда-нибудь.

Она хотела прервать его, прокрутить пленку назад, до этих слов, но это уже не имело смысла, так как вбежали девочки со смехом и возгласами, готовые играть с ним. Он посмотрел на Тану поверх их голов и прошептал два слова:

– Пожалуйста, останься!

Она заколебалась, понимая, что надо уйти, и желая уйти. Она была здесь чужая. Дрю только что провел ночь с женщиной, на которой был женат, они встретили Рождество вместе со своими детьми. А как Тана вписывалась в это? И все-таки, глядя на него, она не хотела уходить. Она хотела быть частицей всего этого, принадлежать ему и девочкам, даже если он никогда не женится на ней. Да она и не очень-то желала этого. Просто ей хотелось быть с ним, оставив все, как у них сложилось с первой встречи. Медленно она поставила сумку, положила пальто, посмотрела на него, а он улыбнулся ей – внутри у нее все обмякло. Джулия обхватила ее за талию, а Элизабет усмехнулась.

– Куда ты собиралась, Тэн? – полюбопытствовала она, казалось, восхищенная всем, что говорила и делала Тана.

– Никуда, – Тана улыбнулась хорошенькому юному существу. – Ну, а чем бы вы хотели заняться, девочки?

Девочки смеялись и шутили, а Дрю гонялся за ними по комнате. Она никогда еще не видела его таким счастливым, а позже они отправились в кино, поглотили корзины воздушной кукурузы, затем Дрю повел их в Ла Бреа Тар Питс, ужинать у «Перино», а когда они наконец приплелись домой, то все четверо буквально валились с ног, мечтая только добраться до постелей. Джулия заснула на руках у Дрю, Элизабет обняла его уже в кровати, прежде чем заснуть, а потом Тана и Дрю сидели у камина в гостиной и шептались, он нежно перебирал ее золотистые волосы, которые так любил.

– Я рад, что ты осталась, любимая... Я так не хотел, чтобы ты уходила...

– Я тоже рада, что осталась, – она улыбнулась ему, чувствуя себя очень юной и ранимой, что уж никак не подходило женщине ее возраста, по крайней мере ей, такой, какой она всегда была. Она воображала, что теперь-то уж она должна быть более зрелой, менее чувствительной. Но с ним она стала более уязвимой, чем с любым из своих предыдущих мужчин. – Обещай, что ничего подобного больше не случится... – произнесла она затихающим голосом, а он одарил ее нежной улыбкой.

– Обещаю тебе, детка.

Глава 16

Вся весна для Таны и Дрю была идиллией, похожей на сказку. Дрю прилетал, как правило, трижды в неделю, она каждые выходные ездила в Лос-Анджелес. Они ходили на вечеринки, плавали на яхте в заливе, встречались с ее и его друзьями. Она даже познакомила его с Гарри и Эйв, и мужчины хорошо ладили друг с другом. Гарри одобрил ее выбор, когда на следующей неделе пригласил ее в ресторан отметить событие.

– Знаешь, детка, я думаю, наконец-то ты сделала что-то хорошее для себя. – Она скорчила ему рожу, и он рассмеялся. – Я и правда так думаю. Нет, точно, ты только вспомни тех шалопаев, с кем ты раньше водилась. Помнишь Йела Мак Би?

– Гарри! – Она швырнула в него салфетку, и оба расхохотались. – Ну как ты можешь сравнивать Дрю с ним? К тому же мне было тогда всего двадцать пять, а сейчас почти тридцать один.

– Это не оправдание. Ты ничуть не поумнела.

– Черта с два нет! Ты сам только что сказал...

– Неважно, что я сказал, ты, соплячка. Ну, а теперь-то ты можешь дать мне покой и выйти за парня замуж?

– Нет! – Она рассмеялась, так как ответила слишком быстро, а Гарри изучал ее, заметив в ней что-то такое, чего не видел раньше. Он искал в ней это, ждал этого состояния долгие годы, и вот оно появилось. Он так ясно видел это, так же, как видел большие зеленые глаза, выражение какой-то неуверенности, застенчивости, которого никогда у нее не замечал.

– Святый боже, это настолько серьезно, да, Тэн? Ты собираешься за него замуж?

– Он не предлагал, – это прозвучало так серьезно, так застенчиво, что он чуть не лопнул от хохота.

– Бог мой! Ты хочешь замуж! Ну, погоди, я расскажу Эйв!

– Гарри, остынь, – она похлопала его по руке. – Он еще не получил развода.

Но ее это не волновало. Она знала, как настойчиво Дрю его добивается. Недели не проходило, чтобы он не рассказывал ей о своих встречах с адвокатом, о разговорах с Эйлин об ускорении процесса, и собирался на Восток, навестить девочек в пасхальную неделю, надеясь, что она тогда подпишет решающие документы, если они будут вовремя подготовлены.

– А, так он занимается этим, не так ли? – Гарри сразу стал озабоченным, но парень, надо признаться, ему нравился. Было просто невозможно не полюбить Дрю Лэндса. Он был легок в общении, интеллигентен, а что он сходит с ума по Тане, сразу бросалось в глаза.

– Ну конечно же!

– Тогда успокойся, ты выйдешь замуж через полгода, а через девять месяцев после свадьбы уже будешь с ребенком на руках. Вот увидишь. – Он не мог сдержать восторга, а Тана расхохоталась над ним.

– Да, у тебя необузданное воображение, Уинслоу! Вот что я тебе скажу: во-первых, он еще не делал мне предложения, серьезного, во всяком случае. А во-вторых, ему сделали вазектомию.

– Значит, ему надо все восстановить. Подумаешь, большое дело. Я знаю кучу парней, которые прошли через это. – Но эта мысль почему-то нервировала его.

– А ты только об этом и думаешь. Обрюхатить всех?

– Нет, – невинно улыбнулся он, – только свою жену.

Тана рассмеялась, они покончили с едой и разошлись по своим конторам. Ей предстояло грандиозное дело, крупнее, чем все предыдущие. Фигурировали в нем трое обвиняемых, принимавшие участие в целой серии жесточайших убийств, совершенных в штате за последние годы. Занимались делом трое защитников и два обвинителя, а она выступала в деле от окружной прокуратуры. Ожидался ажиотаж в прессе, и ей просто необходимо быть на высоте, поэтому она не собиралась на Восток с Дрю провести пасхальные каникулы с девочками. Возможно, это было и к лучшему. Дрю будет просто комком нервов, добиваясь подписания бумаг, а у нее в голове только это ее дело. Гораздо разумнее остаться дома и заняться работой, чем сидеть в номере гостиницы в ожидании.

Перед отъездом он прилетел в Сан-Франциско побыть с ней на выходные. В последнюю ночь они провели несколько часов, лежа на ковре у камина, говоря, говоря и говоря, громко, почти обо всем, что приходило в голову, и опять она поразилась, как же сильно влюблена в него.

– Ты когда-нибудь думала о браке, Тэн? – Он задумчиво посмотрел на нее; она улыбалась в отблеске каминного огня – само совершенство в мягком теплом мерцании, ее нежные черты казались вырезанными из бледно-персикового мрамора, глаза сияли изумрудным блеском.

– Раньше – нет. – Она прикоснулась пальцами к его губам, он поцеловал ее руки, потом губы.

– Как ты думаешь, ты могла бы быть счастлива со мной, Тэн?

– Это предложение, сэр? – улыбнулась она; получалось, что он ходит вокруг да около. – Ты же знаешь, что тебе совсем не обязательно жениться на мне, я и так счастлива.

– Счастлива, правда? – Он как-то странно на нее посмотрел.

Тана кивнула:

– А ты разве нет?

– Не совсем. – Его волосы сверкали серебром, глаза напоминали ярко-голубые топазы, и она никого больше не хотела любить, только его. – Мне нужно больше, Тэн... Я постоянно хочу тебя...

– Я тоже, – прошептала она.

Дрю обнял ее, и их близость в мерцании камина была полна нежности, как никогда раньше. Потом он лежал и долго-долго смотрел на нее и наконец заговорил, зарывшись ртом в ее волосы, руки его блуждали по телу, которое он так любил.

– Ты выйдешь за меня замуж, когда я буду свободен?

– Да. – Тана с трудом выдохнула это слово.

Она никогда и никому этого не говорила, но сейчас именно это имела в виду. И вдруг осознала, как себя чувствуют люди, обещая... «в добре и в худе... пока смерть не разлучит нас...». Она больше не хотела ни дня жить без него. Те же чувства переполняли ее, когда она отвозила его в аэропорт. Тана посмотрела на Дрю испытующе:

– Ты в самом деле имел в виду то, что сказал вчера ночью?

– Да как ты можешь спрашивать такое? – Он был ошеломлен и вдруг с бешеной силой прижал ее к себе. – Конечно же.

Она удовлетворенно вздохнула и в этот миг выглядела скорее как его тринадцатилетняя дочь, а не как помощник окружного прокурора.

– Полагаю, мы теперь помолвлены, а?

И тут он расхохотался, глядя на нее, и стал похож на счастливого мальчишку:

– Несомненно, это помолвка. Я поищу в Вашингтоне достойное тебя кольцо.

– А, это неважно! Просто возвращайся живым и здоровым.

Предстояло провести десять бесконечных дней в ожидании его. И единственным спасением было ее огромное дело.

Сначала он звонил ей два-три раза в день и рассказывал обо всем. Что делал с утра до вечера, но когда возникли проблемы с Эйлин, он стал звонить раз в день, и Тана чувствовала его колоссальное напряжение. Однако в суде они уже начали отбор присяжных, и она была полностью захвачена этим, а ко времени его приезда в Лос-Анджелес Тана вдруг осознала, что они не разговаривали уже два дня. Он отсутствовал дольше, чем она ожидала, но игра стоила свеч, сказал он, и она согласилась с ним, а больше она тогда не могла об этом думать. Слишком уж она волновалась о присяжных, которые были выбраны, и о тактике, избранной защитой, о только что выявившихся новых деталях, показаниях, уликах, о судье, который должен был вести дело. Голова у нее была забита, а у Дрю прошло одно из редких судебных заседаний. Почти все, что он заготовил раньше, было направлено в суд, что было редким исключением для него. Это задержало его еще почти на неделю, и когда они наконец встретились, то снова почувствовали себя почти незнакомцами. Дрю подшучивал над ней, спрашивал, не влюбилась ли она в кого-нибудь, и они с дикой страстью всю ночь занимались любовью.

– Я хочу, чтобы в суде у тебя были такие затуманенные глаза, чтобы все гадали, что же, черт возьми, происходило с тобой прошлой ночью.

И его желание сбылось. Тана сидела в суде полусонная, не могла избавиться от мыслей о нем, она опять изголодалась по нему. Казалось, теперь ей всегда будет его не хватать, и во все время судебного заседания она тосковала по нему. Однако слишком важным было выиграть дело, и она постоянно заставляла себя работать без передышки. Суд тянулся до конца мая, и наконец, в первую неделю июня, приговор был вынесен. Все получилось именно так, как она хотела, а пресса, как обычно, восхваляла ее. С течением лет она завоевала репутацию неподкупной, жесткой, последовательной, безжалостной в суде и с блеском ведущей все свои дела. Было приятно видеть такие очерки о себе, а у Гарри чтение их часто вызывало улыбку.

– Я никогда бы не распознал либералку, которую знал и любил, в этих очерках, Тэн! – он широко и довольно улыбнулся.

– Но мы все должны же когда-то повзрослеть, разве нет? Мне уже тридцать один.

– Это не оправдывает твоей жесткости.

– Да я не жесткая, Гарри. Я хорошая, – и она была права. Да он и сам это знал. – Они убили девять женщин и ребенка. Нельзя позволить этим нелюдям ускользнуть. Все наше общество распадается. Кто-то должен делать эту работу.

– Я рад, что это ты, Тэн, а не я, – Гарри похлопал ее по руке. – Я бы валялся без сна ночами, боясь, что они достанут меня в конце концов. – Ему противно было даже говорить так, но иногда он волновался за нее из-за этого. Ее же это, похоже, совсем не беспокоило. – Между прочим, а как дела у Дрю?

– Отлично. На следующей неделе он едет в Нью-Йорк по делу и привезет с собой девочек.

– Когда вы поженитесь?

– Отстань, – она улыбалась. – Да мы даже и не говорили с ним об этом с тех пор, как я погрузилась в свое громкое дело. Фактически я почти не разговаривала с ним.

А когда она рассказала Дрю о своем успехе еще до шумихи в прессе, его голос прозвучал как-то странно:

– О, это здорово!

– Ладно, не возбуждайся, это плохо действует на сердце.

– Ладно уж, – рассмеялся он. – Прости. У меня было еще кое-что на уме.

– И что же?

– Ничего важного.

Но он оставался таким до своего отъезда, еще хуже получился его звонок с Востока, а когда он вернулся из Лос-Анджелеса, то вообще не позвонил ей. Тана уже забеспокоилась, не случилось ли с ним чего-нибудь, стала даже подумывать, не полететь ли ей туда, устроить ему сюрприз и поставить все на нужные рельсы. Все, что им требовалось, – это побыть немного наедине, разобраться во всем. Оба они переработали, ей знакомы были эти признаки. Однажды вечером она посмотрела на часы, раздумывая, успеет ли она на последний рейс, но вместо этого решила позвонить. Всегда можно полететь и завтра, тем более что им предстояло много чего утрясти после ее двухмесячной изматывающей работы. Она набрала номер, который знала наизусть, услышала три гудка и заулыбалась, когда там сняли трубку. Но улыбка тут же исчезла. Ей ответил женский голос:

– Алло?

Тана почувствовала, как сердце у нее останавливается, и сидела целую вечность, уставившись в ночь, затем опомнилась и торопливо положила трубку. Сердце билось толчками, кружилась голова, она потеряла чувство места и времени, ощущая какое-то странное неудобство. Тана не верила в то, что услышала. Может быть, это был не тот номер, говорила она себе, но пока она собиралась с духом, чтобы набрать номер снова, телефон зазвонил, она услышала голос Дрю и внезапно все поняла. Он, должно быть, догадался, что звонила она, и теперь запаниковал. У нее было чувство, что жизнь кончилась.

– Кто это был? – истерически закричала она, он тоже явно нервничал.

– Что?

– Женщина, которая ответила мне по телефону, – она пыталась сосредоточиться, но голос не повиновался ей.

– Я не знаю, о чем ты говоришь.

– Дрю!.. Ответь мне... пожалуйста... – Она и плакала и кричала на него.

– Нам надо поговорить.

– О господи, черт побери, что ты со мной сделал?

– Ради бога, не разыгрывай мелодраму...

Тана пронзительным криком оборвала его:

– Мелодрама? Я звоню тебе в одиннадцать вечера, и женщина отвечает мне по твоему телефону, а ты говоришь, что я мелодраматична? А как бы тебе понравилось, если бы мужчина ответил на твой звонок мне?

– Прекрати, Тэн. Это была Эйлин.

– Очевидно, – инстинктивно она сама поняла это. – А где девочки? – она сама не знала, почему спрашивает о них.

– В Малибу.

– В Малибу? Значит, вы с ней вдвоем?

– Нам надо было поговорить, – это прозвучало ужасно поспешно.

– Наедине? В такое время? Что, черт возьми, это все значит? Она все подписала?

– Да нет... послушай, мне надо поговорить с тобой.

– О, теперь тебе надо поговорить со мной... – Тана была жестока с ним, и теперь уже оба были в истерике. – Какая гнусность происходит там?

Наступило долгое молчание, которое ему нечем было заполнить. Тана бросила трубку и проплакала всю ночь. Он появился в Сан-Франциско на следующий день. Была суббота, он нашел ее дома, да она знала, что так и будет. Дрю воспользовался своим ключом, вошел и обнаружил ее мрачно сидящей на столе и уставившейся на залив. Она даже не обернулась, услышав, что он вошел, но заговорила, сидя к нему спиной:

– Зачем ты утруждал себя приездом сюда?

Он опустился перед ней на колени и прикоснулся к ее шее кончиками пальцев.

– Потому что я люблю тебя, Тэн.

– Нет, не любишь, – она покачала головой. – Ты любишь ее. И всегда любил.

– Это неправда... – Но они оба знали, что это правда, фактически все трое. – Правда в том, что я люблю вас обеих. Ужасно так говорить, но это правда. Я не знаю, как мне перестать любить ее, и в то же время я влюблен в тебя.

– Это как болезнь. – Она упорно смотрела на залив, предоставив ему решать, а он потянул ее за волосы, чтобы заставить взглянуть на него, а когда она обернулась, увидел ее залитое слезами лицо. Это разбило ему сердце.

– Я ничего не могу поделать со своими чувствами. И не знаю, что делать со всем тем, что произошло. Элизабет чуть не исключили из школы, она так подавлена из-за нас, Эйлин и меня. У Джулии ночные кошмары. Эйлин ушла со своей работы, отказалась от посольского поста, на который они пытались ее уговорить, и вернулась домой с девочками...

– Они живут с тобой? – Тана посмотрела на него так, будто он только что вогнал ей в сердце кол, а он лишь кивнул. Больше не мог ей лгать. – Когда все произошло?

– Мы очень много говорили об этом в Вашингтоне в пасхальную неделю… Но я не хотел расстраивать тебя, когда у тебя была такая сложная работа, Тэн… – Ей захотелось дать ему пинка за то, что он это сказал. Как он мог не рассказать ей о таком важном для нее? – И тогда еще ничего определенного не было. Она все проделала, не советуясь со мной, и просто объявилась на прошлой неделе. И что ты предлагаешь мне теперь сделать? Вышвырнуть их вон?

– Да. Тебе не следовало принимать их обратно.

– Она моя жена, а они мои дети, – похоже, он вот-вот расплачется. И тут Тана встала.

– Полагаю, тогда решены все проблемы, не так ли? – Она медленно подошла к двери и посмотрела на него. – До свидания, Дрю.

– Так я не уйду отсюда. Я люблю тебя, Тэн.

– Тогда избавься от жены. Это так просто.

– Да нет же, не просто, черт побери! – теперь он орал. Она отказывалась понимать, через что ему довелось пройти. – Ты не знаешь, каково это… что я чувствую… вину… агонию… – он заплакал, и она испытала приступ тошноты, глядя на него.

Тана отвернулась и проговорила, борясь со слезами в голосе:

– Пожалуйста, уходи…

– Я не уйду, – он притянул ее к себе.

Она попыталась его оттолкнуть, но он не поддавался, и вдруг, не желая того, она уступила, и они занялись любовью, плача, умоляя, с криками и проклятиями самим себе и судьбе, а когда все было кончено и они, опустошенные, лежали в объятиях друг друга, Тана посмотрела на него.

– Что же мы будем делать?

– Я не знаю. Дай мне время.

Она обреченно вздохнула:

– Я поклялась, что никогда не сделаю ничего подобного... – Но одна только мысль потерять его была невыносима, так же, как и он ни за что не мог отказаться от нее.

Они плакали, лежа в объятиях друг друга следующие два дня, а когда он улетал обратно в Лос-Анджелес, ничего не было решено. Оба знали только, что на этом все не кончалось. Тана согласилась подождать еще немного, а он обещал, что все уладит. На протяжении следующих шести месяцев они изводили друг друга обещаниями и угрозами, ультиматумами и истериками. Тана звонила тысячу раз и все нарывалась на Эйлин. Она сразу бросала трубку. Дрю умолял ее не решать и не делать ничего в спешке. Даже дети понимали, в каком ужасном состоянии он находился. А Тана начала избегать всех, прежде всего Гарри и Аверил. Ей невыносимо было читать вопросы в его глазах, ощущать милую заботливость его жены, видеть детей, которые напоминали ей о детях Дрю. Ситуация была невыносимой для всех, и даже Эйлин знала об этом, но она заявила, что больше от него не уйдет. Она будет ждать, пока он все как-то уладит, но не собиралась никуда уезжать, а Тана уже была на грани помешательства. Как и предполагала, в одиночестве она отметила день рождения, и Четвертое июля, и День труда, и День Благодарения.

– Чего же ты хочешь от меня, Тана? Хочешь, чтобы я просто сбежал от них?

– Может быть, и да. Может быть, именно этого я от тебя и жду. Почему я всегда должна оставаться одна? Это тоже очень важно для меня...

– Но у меня дети...

– Да пошел ты...

Но, конечно же, не это она имела в виду, пока не провела в одиночестве Рождество. Он обещал приехать и на Рождество, и на Новый год. Тана сидела и ждала его всю ночь, но он так и не появился. Она просидела в вечернем платье до девяти утра нового года, а потом медленно, с чувством безысходности, стянула его с себя и вышвырнула в мусор, как ненужный хлам. Она покупала это платье только для него. На следующий день она сменила замок и упаковала все оставленные им за полтора года вещи, затем отослала их ему, не указав имени отправителя. А потом отправила телеграмму: «Прощай. Больше не возвращайся». И лежала, утопая в слезах. Несмотря на всю ее стойкость, последняя соломинка сломала ее, а Дрю прилетел к ней, как только получил ее послание, телеграмму, посылку. Он пришел в ужас от мысли, что на этот раз все действительно очень серьезно, что она в самом деле подразумевала то, что говорила и делала, а когда его ключ не подошел к замку, он убедился, что все именно так и есть. В отчаянии он приехал к Тане в офис и настаивал на встрече с ней, а когда это ему удалось, он наткнулся на ледяной взгляд ее зеленых глаз, взгляд, которого он никогда раньше у нее не видал.

– Мне больше нечего сказать тебе, Дрю.

Какая-то часть ее умерла. Он убил ее вместе с несбывшимися мечтами, неисполненными надеждами, убил своей ложью им обоим, но прежде всего самому себе. Сейчас она поражалась, как ее мать столько лет терпела подобное положение и не покончила с собой. Это были такие мучения, через которые ей пришлось пройти, и больше она не хотела испытать ничего подобного. Из-за кого бы то ни было. А тем более из-за него.

– Тана, пожалуйста...

– Прощай, – она вышла из офиса в холл и исчезла в зале заседаний.

А потом почти сразу же она вообще ушла из здания, но домой не возвращалась несколько часов, а когда вернулась, он все-таки ждал ее у дома, на улице, под проливным дождем. Тана притормозила, увидев его, но тут же уехала снова. Ночь она провела в мотеле на «Ломбард-стрит», а когда утром вернулась к своему дому, он спал в машине. Инстинктивно проснувшись от звука ее шагов, он вылез из машины, намереваясь поговорить с ней.

– Если ты не оставишь меня в покое, я позову полицию.

Слова ее звучали непреклонно и угрожающе, она казалась ему разъяренной. Но чего он не рассмотрел, так это какой разбитой она себя чувствовала, как долго молча плакала, когда он уехал, в какое отчаяние она приходила при мысли, что больше никогда его не увидит. Она всерьез подумывала о том, чтобы броситься с моста, но что-то ее останавливало, а что – она сама не знала. А потом каким-то чудесным образом Гарри почувствовал неладное, когда он звонил и звонил, а ему никто не отвечал. Она-то думала, что это Дрю, лежала в гостиной на полу и всхлипывала, вспоминая, как они на этом месте занимались любовью, как он сделал ей предложение. Вдруг в дверь заколотили, и Тана услышала голос Гарри. Она была похожа на бродяжку, когда открыла ему дверь, стоя перед ним босиком, с залитым слезами лицом, в юбке, на которую налипли ворсинки от ковра, в бесформенном свитере.

– О боже, что случилось? – Она выглядела так, будто неделю пила запоем, или была избита, или с ней произошло нечто невероятно ужасное. Последнее было правдой. – Тана? – Под его взглядом она растворилась в слезах, а он прижал ее к себе, неуклюже перекинув через свое кресло, затем усадил на диван, и она рассказала ему всю историю.

– И вот теперь все кончено... Я никогда больше его не увижу...

– Тебе лучше покончить с этим, – Гарри был беспощаден. – Ты не можешь так дальше жить. Как же дерьмово ты выглядела последние полгода. Ты не заслуживаешь такого, это несправедливо.

– Я знаю... Но, может быть, если бы я еще потерпела... Думаю, постепенно... – Ее охватила слабость, она была близка к истерике. Неожиданно она утратила всю свою решительность, а Гарри заорал на нее:

– Нет! Прекрати! Он никогда не оставит жену, если не сделал этого до сих пор. Черт побери, Тэн, она вернулась к нему семь месяцев назад и все еще там. Если бы он хотел освободиться, он за это время нашел бы дверь, через которую можно выйти. Не обманывай себя, не будь ребенком.

– Я занималась этим полтора года.

– Иногда и не такое случается, – он пытался рассуждать философски, но ему хотелось прикончить сукиного сына, так поступившего с ней. – Тебе просто надо собрать все силы и продолжать жить.

– О да, конечно... – Тана снова расплакалась, забыв, с кем разговаривает. – Тебе легко говорить...

Гарри долго смотрел на нее тяжелым взглядом.

– Ты помнишь, как сама зубами тащила меня, пытаясь вернуть к жизни, а потом таким же образом – учиться на юриста. Помнишь меня тогдашнего? Знаешь что, не суй мне под нос это дерьмо, Тэн. Если я смог, сможешь и ты. Ты пройдешь через это.

– Да я же никого никогда так не любила, как его, – она безутешно рыдала, и это разбивало ему сердце. Она смотрела на него своими огромными зелеными глазами и казалась ему двенадцатилетней девочкой; ему так хотелось, чтобы у нее все было хорошо, но не в его силах было заставить жену Дрю исчезнуть, хотя он готов был сделать для Таны даже это. Все, что угодно, для Таны, его лучшего и самого дорогого друга.

– Появится кто-нибудь еще. Даже лучше, чем он.

– Я не хочу кого-нибудь другого. Никого не хочу...

Больше всего Гарри боялся именно этого. И весь следующий год она доказывала именно это. Отказывалась встречаться с кем-либо, кроме коллег. Никуда не ходила, ни с кем не встречалась, а когда наступило Рождество, отказалась повидаться даже с Гарри и Аверил. В свои тридцать два она тоже вступила в одиночество, все ночи проводила одна, одна съела бы индейку на День Благодарения, если бы позаботилась купить и приготовить ее. Она работала сверхурочно и вдвое против положенного, и в «золотое» время, и вообще все время, просиживая за своим столом до 10–11 вечера, беря к производству так много дел, как никогда раньше, и в течение года у нее не было никаких развлечений. Тана очень редко смеялась, никому не звонила, не назначала свиданий и неделями не отвечала на звонки Гарри.

– Поздравляю, – наконец в феврале он поймал ее. Она уже больше года оплакивала Дрю Лэндса и вдруг нечаянно узнала от общих друзей, что они с Эйлин до сих пор вместе и только что купили прелестный новый дом в Беверли-Хиллз. – Ну ладно, ты, задница, – Гарри устал гоняться за ней. – Почему это ты не отвечаешь на мои звонки?

– Я была так занята последние недели. Ты что, газет не читаешь? Я жду вынесения приговора.

– Да колебал я все это, если тебя интересует мое мнение. Почему ты меня избегаешь? Никогда не звонишь мне сама. Всегда я. Это что, из-за моего дыхания, или из-за ног, или из-за моего интеллекта?

Тана рассмеялась: Гарри всегда оставался самим собой.

– Все вместе и кое-что еще.

– Задница. Ты собираешься жалеть себя всю оставшуюся жизнь? Парень того не стоит, Тэн. И целый год коту под хвост!

– Здесь нет никакой связи.

Но оба знали, что это неправда. Конечно же, все крутилось вокруг Дрю Лэндса и его нежелания расстаться с женой.

– Что-то новенькое. Раньше ты никогда мне не лгала.

– Ну ладно, ладно. Просто мне было легче вообще никого не видеть.

– Почему? Да ты должна торжествовать! Ты могла бы поступить, как твоя мать, – сидеть в ожидании пятнадцать лет. А вместо этого ты оказалась достаточно сообразительной, чтобы послать все к черту. И что ты потеряла, Тэн? Невинность? Полтора года? Ну, что же? Другие женщины тратят по десятку лет на женатиков... растрачивают свои сердца, умы, время, свои жизни. А ты еще легко отделалась, если хочешь знать мое мнение.

– Да-а, – в глубине души Тана понимала, что он прав, но все равно в этом не было ничего хорошего. Может, это никогда и не пройдет. Она до сих пор разрывалась между тоской по нему и злостью на него. Она не хотела, чтобы эти чувства сменило равнодушие, и как-то за обедом, на который Гарри удалось ее затащить, призналась в этом ему.

– На это нужно время, Тэн. И вода должна прорвать

плотину. Тебе надо начать выходить в свет, встречаться с людьми. Да заполни ты свои мозги чем угодно еще, не только им, им и им! И ты не можешь работать сутками без перерыва, – он нежно улыбнулся ей. Он так любил ее и знал, что будет любить всегда. Это было совсем другое чувство, не то, что к жене. Теперь Тана была ему скорее сестрой, он все время помнил, какую давящую тяжесть обрушил на нее в свое время, и сейчас напомнил ей об этом. – Я-то выжил.

– Это было не то же самое. Черт, ведь Дрю сделал мне предложение, и он был единственным мужчиной, которого я когда-либо хотела видеть своим мужем. Это тебе известно?

– Да, – он знал ее лучше, чем кто-либо на свете. – Поэтому он ублюдок. Теперь мы это уже узнали. Правда, ты немного позже. Но ты снова захочешь выйти замуж. Появится кто-нибудь.

– Только этого мне и не хватало, – парировала она с отвращением. – Я слишком стара. Романтические чувства подростков больше не в моем стиле. Благодарю покорно!

– Отлично. Тогда найди какого-нибудь старого хрыча, которому ты покажешься милашкой, только не сиди вот так и не растрачивай зря свою жизнь.

– Да она совсем и не пропала, моя жизнь, Гарри, – мрачно посмотрела она на него. – У меня есть моя работа.

– Этого недостаточно. Господи, ну ты и зануда!

Он внимательно оглядел ее, покачал с сожалением головой и пригласил на вечеринку, которую они устраивали на следующей неделе, но она так и не появилась у них. Ему пришлось разработать целый план кампании по вытаскиванию Таны из раковины. Похоже, она чувствовала себя так, будто ее опять изнасиловали. И положение еще более ухудшилось, когда она проиграла важное дело и совсем впала в депрессию.

– Ничего, оказывается, ты тоже не всегда непогрешима. Ради бога, дай себе передышку. Сними с себя этот крест. Я знаю, это пасхальная неделя, но хватит уже с тебя. Неужели тебе нечем заняться, кроме как есть себя поедом? Почему бы тебе не провести выходные в Тахо с нами? – Они недавно арендовали дом, и Гарри любил ездить туда с детьми. – Все равно на более долгое время мы не можем туда поехать.

– А почему бы и нет? – Она смотрела, как Гарри оплачивает счет, а он улыбнулся ей. Тана доставила ему много беспокойства за последние несколько месяцев, но уже начинала выходить из этого жуткого состояния.

– Я не могу взять туда Аверил надолго. Знаешь, она опять беременна. – Целую минуту Тана была в шоке, а он рассмеялся и покраснел. – Это случилось до того, как... после всего... я имею в виду, это не так уж и знаменательно...

Но они оба знали, что на самом деле это было очень важно. Тана неожиданно лукаво усмехнулась ему. Что-то случилось, как будто жизнь снова обрела смысл, вдруг Дрю Лэндс исчез, и ей захотелось кричать и петь. Ощущение было такое, словно целый год тебя мучила жуткая зубная боль, а потом самым чудесным образом обнаруживается, что больного зуба уже нет.

– Отлично, черт меня побери! Вы, двое, когда-нибудь остановитесь?

– Нет. А кроме того, мы решили дойти до четырех. Я хочу еще девочку, а Эйв – мальчика

Тана смотрела на него с сияющей улыбкой, а при выходе из ресторана крепко обняла.

– Я опять буду тетушкой.

– Плевое дело, если ты спросишь меня, Тэн. Но несправедливо по отношению к тебе.

– Да меня это прекрасно устраивает.

Единственное, что она знала наверняка, это то, что она не хотела детей, неважно, какой мужчина появится в ее жизни. У нее не было времени на детей, к тому же она уже стара для них. Тана приняла такое решение очень давно, ее единственным ребенком была юриспруденция. А портить она могла детей Гарри, когда ей хотелось кого-нибудь подержать на коленях. Оба ребенка были очаровательны, и Тана была счастлива, что и третий уже на подходе. Беременность у Аверил всегда протекала легко, а Гарри так гордился собой, и, конечно же, они могли позволить себе столько детей, сколько захотят. Только ее мать не одобрила этого в разговоре с Таной.

– Мне кажется, это очень неразумно.

Она все теперь воспринимала в штыки: детей, путешествия, новую работу, новый дом. Как будто она хотела особенно осторожно пройти остаток жизни и ожидала того же от других. Это был признак старения, который Тана замечала, но мать казалась ей слишком молодой для этого. Правда, она начала быстро стариться с тех пор, как вышла замуж за Артура. Все у нее складывалось мучительно, а когда она наконец получила то, к чему так долго стремилась, все оказалось совсем не то и не так. Артур был уже стар и очень болен.

Тана была счастлива за Гарри и Эйв, а когда ребенок родился двадцать пятого ноября, желание Аверил исполнилось. Это был крупный орущий мальчишка. Назвали его в честь прадедушки Эндрю Гаррисона. Тана с улыбкой смотрела на него, лежащего в материнских руках, и слезы жгли ей глаза. На других детей она так не реагировала, в детской невинности этого ребенка было что-то нежное и трогательное, его совершенная розовая плоть, большие круглые глаза, крошечные пальчики, сжатые в нежные беспомощные кулачки. Тана никогда не видела подобного совершенства, да еще такого малюсенького. Они с Гарри обменялись улыбками, думая, как далеко они продвинулись, а он был так горд, обняв одной рукой жену, а другой нежно прикасаясь к сыну.

Аверил вернулась домой на другой день после рождения Эндрю, как всегда, сама приготовила праздничный обед к Дню Благодарения, отказавшись от какой бы то ни было помощи. Тана с удивлением смотрела на нее, пораженная всем, что она делала, да еще так хорошо.

– Похоже, ты просто остолбенела, а? – Эйв сидела с ребенком на подоконнике, глядя на залив, Тана смотрела на нее, а Гарри издевательски ухмылялся.

– Ты могла бы сделать то же самое, Тэн, если бы захотела.

– Даже и не рассчитывайте. Я еле-еле могу сварить

себе яйцо, а уж родить и приготовить индейку на целую семью через два дня после этого, да еще с таким видом, будто ничего не делала целую неделю... Ты уж лучше положись на нее, Гарри, и больше не доводи ее до изнеможения, обрюхатив в очередной раз, – она тоже лукаво усмехнулась, понимая, что никогда они не были более счастливы. Аверил просто излучала счастье, да и Гарри тоже.

– Я приложу все усилия. Между прочим, ты придешь на крестины? Эйв собирается устроить их на Рождество, если ты будешь здесь.

– А где еще я могу быть? – она засмеялась над ним.

– Откуда я знаю? Ты можешь улететь домой в Нью-Йорк. Я подумывал отвезти детей в Гстаад навестить деда, а он говорит, что собирается в Танжер с друзьями, так что это отпадает.

– Ты разбиваешь мне сердце, – смеялась она.

Уже целую вечность Тана не видела Гаррисона, но Гарри сказал, что отец в порядке. Он принадлежал к мужчинам того типа, которые всю жизнь сохраняют красоту и здоровье. Просто поражало, что ему уже за шестьдесят. «Шестьдесят три, чтобы быть точным, – напомнил ей Гарри, – хотя и выглядит на любую половину». Казалось невероятным, что Гарри так ненавидел отца раньше; теперь от этой ненависти не осталось и следа. В этом была заслуга Таны, и Гарри никогда не забывал об этом. Он опять хотел видеть ее крестной матерью, и это тронуло Тану.

– У тебя что, больше нет друзей? Я до смерти надоем твоим детям к тому времени, как они вырастут.

– Тем хуже для них. Джек Хоуторн – крестный отец Эндрю. Наконец-то вы с ним встретитесь. Он думает, что ты почему-то избегаешь его.

За все годы партнерства Гарри с Джеком Тана его никогда не видела, да у нее и не было причин для этого знакомства, хотя теперь в ней зародилось любопытство. А когда они встретились на Рождество в церкви Девы Марии на Юнион-стрит, он оказался таким, каким она его представляла. Высокий красивый блондин, он был похож на игрока национальной футбольной команды в колледже, но в то же время довольно-таки умный. Высокий и широкий в плечах, с огромными ручищами, он с такой поразительной нежностью держал ребенка, что Тана только диву давалась. После церемонии он разговаривал с Гарри у церкви. Она улыбнулась ему:

– У тебя это очень здорово получается, Джек.

– Благодарю. Я немножко староват, но еще могу пригодиться на крайний случай.

– У тебя есть дети? – Это была легкая непринужденная беседа. Другой темой могла быть только юриспруденция или их общий друг, но было легче и приятнее говорить о новом крестнике, который принадлежал им обоим.

– Да, дочка. Ей десять.

– Это просто невероятно.

Казалось, десять лет – это так много... конечно, Элизабет было тринадцать, но и Дрю был много старше этого мужчины. Или, во всяком случае, выглядел старше. Тана знала, что Джеку под сорок, но вид у него был мальчишеский. А позднее на вечеринке в доме Аверил и Гарри он почти все время рассказывал анекдоты и забавные истории, вызывая у всех, включая Тану, взрывы хохота. Она улыбнулась Гарри, найдя его на кухне готовящим кому-то очередную порцию выпивки:

– Не удивительно, что ты так любишь его. Он отличный парень.

– Джек? – Гарри ничуть не удивился. После Таны и Аверил Джек был его лучшим другом, и они отлично работали вместе вот уже несколько лет, создали хорошую практику. У них был одинаковый подход к работе, без той всепожирающей страсти, что была у Таны, но какой-то более разумный. И двое мужчин хорошо дополняли друг друга. – Он дьявольски находчив, но вовсе этим не кичится.

– Я заметила. – Сначала он казался незаинтересованным, почти равнодушным ко всему происходящему, но Тана быстро усекла, что он гораздо наблюдательнее, чем кажется.

Естественно, он предложил Тане подвезти ее домой, и она с благодарностью согласилась. Свою машину она оставила в городе у церкви.

– Итак, наконец-то я встретил знаменитого помощника окружного прокурора. Конечно, им нравится писать о вас, не так ли?

Тана почувствовала неловкость от его слов, но он, казалось, не придавал этому значения.

– Только когда им нечем больше заняться.

Джек улыбнулся. Ему понравилась ее скромность. Понравились и длинные стройные ноги, выглядывавшие из-под черной вельветовой юбки. На ней был костюм, только что купленный у И. Маньини специально для крестин.

– Вы знаете, Гарри очень гордится вами. У меня такое чувство, будто я давно вас знаю. Он постоянно только о вас и говорит.

– Я такая же. У меня нет своих детей, так что всем приходится выслушивать мои истории про Гарри и как мы с ним ходили в школу.

– Вы оба, наверное, были тогда настоящими чертенятами на колесах, – Джек подмигнул ей, а Тана рассмеялась.

– Более-менее. Мы чертовски хорошо проводили время, во всяком случае большую часть. А иногда устраивали злющие потасовки, – она улыбнулась своим воспоминаниям, а потом Джеку. – Я, должно быть, старею... Все эти ностальгические воспоминания...

– Такое уж время года.

– Да, точно. Рождество всегда так на меня действует.

– На меня тоже. – Ей было любопытно, где его дочь и не это ли было частицей его ностальгии. – Ты из Нью-Йорка, да?

Она кивнула. Но, казалось, Нью-Йорк был много лет назад, светлых и легких лет.

– А ты?

– Я со Среднего Запада. Точнее, из Детройта. Очаровательное место, – он улыбнулся, а потом оба расхохотались.

С ним было легко, и его предложение пойти куда-нибудь выпить показалось Тане совершенно безобидным. Но все вокруг было пустынным, когда они попытались найти уютное местечко. Сидеть же в баре в рождественскую ночь было противно, и она решилась пригласить его к себе. Джек полностью оправдал ее ожидания. Он был настолько безобиден, почти безлик, что Тана не сразу узнала его, когда столкнулась с ним в Сити-Холл на следующей неделе. Он был одним из тех высоких, светлых, красивых мужчин, каких можно встретить повсюду: от соученика в колледже до чьего-нибудь мужа, брата или друга. Потом она внезапно поняла, кто это, и вспыхнула от смущения:

– Прости, Джек... Я задумалась.

– Имеешь право, – он улыбнулся ей, а она была польщена тем впечатлением, какое производила на него ее работа.

Гарри явно опять что-то набросал ему. Она знала, что ее друг многое преувеличивает в своих рассказах о ней, о насильниках, от которых она отбивалась в камерах, о приемах дзюдо, которыми она владела, о делах, которые она щелкала, как орехи, без всякой помощи следователей. Конечно же, ничего из этого не было правдой, но Гарри любил рассказывать сказки, а особенно боевые истории, связанные с ней.

– ...Ну почему ты так заливаешь? – не раз спорила она с Гарри, но он не чувствовал никаких угрызений совести.

– Ну, кое-что из этого ведь правда.

– Черта с два! Я встретила одного из твоих друзей на прошлой неделе, который думал, что меня ранил ножом в камере один кокаинист. Ради бога, Гарри, прекрати это.

Сейчас она опять вспомнила об этом и подумала, что Гарри продолжает свои побасенки. Она улыбнулась Джеку:

– На самом деле сейчас все тихо и спокойно. А как у вас?

– Неплохо. У нас несколько хороших дел. Гарри и

Эйв уехали в Тахо на несколько недель, так что я один держу оборону.

– Да уж, он просто горит на работе! – Она засмеялась, а Джек в замешательстве смотрел на нее. Целую неделю он умирал от желания позвонить ей, но не осмелился.

– У вас не нашлось бы времени на обед со мной, а?

Как ни странно, но сейчас у нее было свободное время. Он пришел в телячий восторг, когда Тана согласилась. Они отправились в «Бижу» – маленький французский ресторанчик на Полк. Ресторан был скорее претенциозным, чем хорошим, но поболтать с другом Гарри часок или около того было приятно. Она слышала о нем от Гарри на протяжении нескольких лет, но из-за ее загруженности работой, а потом потрясений из-за Дрю Лэндса они никак не могли познакомиться раньше.

– Знаешь, забавно, что Гарри мог свести нас вместе много лет назад.

Джек улыбнулся:

– Думаю, он пытался.

Он ничего не сказал такого, что дало бы понять, что ему известно о Дрю, но теперь Тана уже могла говорить об этом.

– Какое-то время я была просто невыносима, – улыбнулась она.

– А теперь? – он посмотрел на нее таким же нежным взглядом, как и на своего крестника.

– Я снова обрела свое обычное подпорченное «я».

– Прекрасно.

– Фактически Гарри на сей раз спас мне жизнь.

– Я знаю, он какое-то время очень волновался за тебя.

Тана вздохнула:

– Я сваляла дурака... Но, думаю, нам всем иногда это необходимо.

– Ну я-то точно натворил то же самое, – Джек улыбнулся ей. – От меня забеременела лучшая подруга моей младшей сестры. Это было в Детройте десять лет назад, когда я поехал домой на каникулы. Не знаю, что со мной случилось, я как будто сошел с ума, что-то вроде этого.

Она была такой хорошенький маленький рыжик... Ей было двадцать один... И... бах! Следующее, что я осознал, – я должен жениться! Она все здесь ненавидела, плакала день и ночь. У бедной маленькой Барб были колики в первые шесть месяцев жизни, а годом позже Кейт уехала обратно, и все было кончено. Теперь в Детройте у меня есть экс-жена и дочь, и я знаю о них не больше, чем знал тогда. Это самый шальной поступок в моей жизни, и уж больше я так не проколюсь! – Он выглядел абсолютно убежденным в том, что говорил, и было очевидно, что каждое его слово наполнено именно тем смыслом, какой он и хотел в них вложить. – И с тех пор я больше никогда не пил неразбавленного рома, – он горестно усмехнулся, а Тана рассмеялась.

– По крайней мере, вы можете кое-что продемонстрировать как результат, – это было больше того, что она могла сказать: что она хотела бы ребенка от Дрю.– Ты иногда видишься с дочерью?

– Она приезжает раз в год на месяц, – он вздохнул и смущенно улыбнулся. – Немножко трудно строить отношения на такой зыбкой основе. – Он всегда думал, что несправедлив по отношению к ней, но что еще он мог сделать. Теперь невозможно было ее игнорировать. – Мы в самом деле чужие друг другу. Я случайный человек, который посылает ей поздравления к каждому дню рождения и берет ее на бейсбольные матчи, когда она здесь. Я просто не знаю, чем еще с нею заняться. В прошлом году Эйв очень помогла мне, когда днем присматривала за ней. И они на неделю предложили мне их дом в Тахо. Барб там очень понравилось, – улыбнулся он Тане, – и мне тоже. Попытки подружиться с десятилетним ребенком так неуклюжи.

– Держу пари – так оно и есть. Отношения... У мужчины... с которым у меня была связь... у него было двое детей, и для меня это было очень неудобно. Своих-то у меня нет, но эти девочки... они совсем не похожи на детей Гарри. Вдруг оказалось, что двое взрослых людей испытующе изучают меня. Ощущение было очень странное.

– Вы привязались к ним? – Казалось, он заинтересовался тем, что она рассказывает, а она удивлялась, до чего легко с ним разговаривать.

– Не совсем. Не хватило времени. Они жили на Востоке, – Тана вспомнила все остальное, – какое-то время.

Джек кивнул, улыбаясь ей:

– Конечно же, вам удалось облегчить себе жизнь, не в пример некоторым из нас, – и рассмеялся. – Полагаю, вы не пьете ром.

Она тоже засмеялась:

– Вообще-то нет, но я умудрилась причинить себе ущерб другими способами. Просто у меня нет детей, чтобы демонстрировать результат.

– Вы сожалеете об этом?

– Нет! – Потребовалось тридцать три с половиной года, чтобы сказать это от чистого сердца. – В этой жизни есть какие-то вещи, которые явно не для меня, и дети – одна из них. Мне больше подходит быть крестной матерью.

– Возможно, мне тоже надо было придерживаться этого принципа, хотя бы ради Барб, если уж не ради кого-либо еще. По крайней мере, хорошо, что ее мать снова вышла замуж, так что у нее есть настоящий отец, на которого можно положиться одиннадцать месяцев в году, когда нет меня.

– И тебя это не беспокоит? – Ей хотелось знать, считает ли он ребенка частью самого себя, принадлежащим ему целиком. Дрю именно так чувствовал себя по отношению к своим девочкам, особенно к Элизабет.

Но Джек отрицательно покачал головой:

– Я едва знаю этого ребенка. Ужасно звучит, но это правда. Каждый год я должен узнавать ее заново, потом она уезжает, а когда приезжает снова – уже на год повзрослела и опять изменилась. Это вроде как бесполезное занятие, но не знаю, может быть, ей это что-нибудь дает. Вот все, чем я ей обязан. Я подозреваю, что через несколько лет она пошлет меня к черту. У нее есть дружок в Детройте, и в этом году она не собирается ко мне.

– А вдруг она привезет его? – Оба рассмеялись.

– Боже упаси! Только этого мне не хватало. Я чувствую то же, что и вы, – есть некоторые вещи, с которыми я никогда не хотел бы связываться... малярия... тиф... брак... дети.

Тана рассмеялась над его откровенностью. Конечно же, это был совсем непопулярный образ мыслей или, во всяком случае, в чем не часто сознаются, но он чувствовал, что ей можно об этом сказать. И она чувствовала то же самое.

– Согласна с тобой. Я в самом деле думаю, что просто невозможно хорошо заниматься своим делом и много уделять внимания взаимоотношениям подобного рода.

– Это благородно звучит, мой друг, но мы оба знаем, что с этим ничего не поделаешь. Хочешь честно? Я холодею от ужаса, мне только не хватает еще такой же Кейт из Детройта, рыдающей всю ночь, потому что у нее здесь нет друзей... или какой-нибудь другой женщины, от которой зависит вся моя жизнь, ничем не занятой целыми днями, кроме ворчанья и придирок по ночам, или вдруг решившей, что после двух лет брака половина созданного мной с Гарри бизнеса принадлежит ей. И он, и я очень хорошо это понимаем, а потому я не хочу вляпаться во что-нибудь такое. А чего ты боишься больше всего, дорогая? Обморожения, родов? Отказа от карьеры? Конкуренции с мужчинами?

Джек был поразительно проницателен. Тана одарила его улыбкой.

– Туше! Ты, как всегда, прав. Но может быть, я боюсь рисковать тем, что я сделала, или того, что мне могут причинить боль... Не знаю. Думаю, что сомнения относительно замужества появились у меня много лет назад, хотя тогда я этого не осознавала. Это все, чего моя мать всегда жаждала для меня, а мне всегда хотелось сказать: «Ну, подожди... не сейчас... Мне нужно сначала сделать массу других вещей. Это как добровольно положить голову под топор, для этого нет подходящего времени».

Он засмеялся, а она вдруг представила Дрю, делающего ей предложение перед камином однажды ночью, но тут же усилием воли отшвырнула это видение с резкой вспышкой боли. Теперь уже большую часть времени эти воспоминания не очень ранили ее, но некоторые все же доставали. А это больнее всего, потому что она чувствовала себя одураченной. Она хотела сделать для него исключение, она приняла предложение, а он после этого вернулся к Эйлин. Джек заметил, что Тана хмурится.

– Не надо так печалиться из-за кого бы то ни было. Не стоит того.

– Старые, старые воспоминания, – улыбнулась она.

– Тогда забудь о них. Больше они не будут тебя мучить.

В этом мужчине было что-то легкое и мудрое, и она начала выходить с ним в свет, не задумываясь об этом. Кино, ранний обед, прогулка по Юнион-стрит, футбольный матч. Он приходил и уходил и стал ее другом, и, когда наконец они разделили постель поздней весной, ничего знаменательного не произошло. Они уже знали друг друга пять месяцев, и земля не разверзлась, хотя было приятно. В его присутствии было легко, он был умен, удивительно понимал все, что она делала, глубоко уважал ее работу, у них был общий лучший друг, а летом, когда приехала его дочь, даже это было в порядке вещей. Барб была милым одиннадцатилетним ребенком с большими глазами, с блестящими рыжими волосами, как у щенка ирландского сеттера. Они несколько раз свозили ее на Стинсон-Бич, устроили для нее пикник. У Таны было не много времени – она как раз готовила большое дело, но все проходило очень приятно. Они пошли навестить Гарри, а он внимательно и осторожно наблюдал за ними, сгорая от любопытства, насколько это у них серьезно. Но Аверил всерьез их отношения не воспринимала и была, как всегда, права. В них не было огня, страсти, напряженности, но зато не было и боли. Это было удобно, прилично, очаровательно временами и исключительно хорошо в постели. И к концу года постоянных встреч с ним Тана вполне могла представить себя рядом с Джеком до конца жизни. Отношения были такого рода, которые можно наблюдать между людьми, никогда не бывавшими в браке друг с другом и не хотевшими этого брака, к досаде всех друзей, которые годами не вылезают из судов, оформляя разводы. Таких людей можно встретить по субботам за ресторанными столиками, на праздничных вечеринках, посещающих рождественские приемы и всякие празднества, получающих удовольствие от общения друг с другом, рано или поздно делящих постель. На следующий день один из них уезжает к себе домой, где полотенца ожидают на своих местах, постель не тронута, кофейник в полной боевой готовности. Это было просто идеально для них обоих, но Гарри они доводили до белого каления, и это тоже забавляло их.

– Да поймите же, посмотрите на себя, вы так чертовски самодовольны, что мне хочется плакать.

Все втроем сидели они за обедом, и ни Тана, ни Джек не обращали внимания на его вопли. Она взглянула на Джека с улыбкой:

– Одолжи ему носовой платок, дорогой.

– Не-а. Пусть воспользуется рукавом – он всегда им пользуется.

– В вас ни капли порядочности! Что с вами такое?

Они меланхолично обменялись взглядами.

– Просто разлагаемся, я так думаю.

– Вы не хотите детей?

– А ты никогда не слышал о контроле за рождаемостью? – уставился на него Джек. Казалось, Гарри сейчас завопит, а Тана хохотала.

– Оставь свои надежды, пацан. Ты ни фига не добьешься с нами. Мы и так счастливы.

– Вы встречаетесь целый год! Что, черт возьми, это значит для вас?

– То, что у нас обоих дьявольская выдержка. Теперь я знаю, что он готов на убийство, когда кто-то затрагивает спортивные секции по воскресеньям, и ненавидит классическую музыку.

– Ах вот как? Как же вы можете быть настолько бесчувственными?

– Это приходит само собой, – она мило улыбнулась своему другу, а Джек подмигнул ей.

– Смирись с этим, Гарри. Ты побежден и числом, и умением, разгромлен наголову.

Но когда через полгода Тане исполнилось тридцать пять, они все-таки удивили Гарри.

– Вы собираетесь пожениться? – Гарри едва осмелился выдохнуть эти слова, когда Джек сказал ему, что они подыскивают дом, на что тот только рассмеялся.

– Дьявольщина, конечно, нет. Ты не знаешь своего лучшего друга Тану, если думаешь, что есть хоть малейший шанс на брак. Мы просто собираемся жить вместе.

Гарри крутанул свое кресло, уставившись на Джека:

– Это самое поганое, что я когда-либо слышал. Я не позволю тебе так с ней поступить.

Джек громыхнул:

– Это была ее идея, а кроме того, именно вы с Эйв довели до этого. Ее квартира слишком мала для нас двоих, моя тоже. И я действительно хотел бы жить в Марине. Тана тоже согласна.

Дочка Джека только что вернулась домой, и было очень хлопотно ездить туда и обратно, от ее дома к его дому, целый месяц.

Гарри выглядел несчастным. Он хотел счастливого завершения: рис, розы, детишки, – но ни о чем подобном не было и речи, ни один из них не был на его стороне.

– Да ты понимаешь, как вам сложно вкладывать деньги в недвижимость, не будучи в браке?

– Конечно, понимаю. Она тоже. Вот почему мы скорее всего будем арендовать.

Так они и сделали. Нашли именно такой дом в Тибуроне, какой хотели, с прекрасным видом, который превосходил все ожидания. Там было четыре спальни, причем он был баснословно дешев по сравнению с тем, что мог бы стоить на самом деле. У каждого из них был свой кабинет, общая спальня для них и спальня для Барб на время ее приезда из Детройта, а также для гостей. Площадка для солнечных ванн тоже была предусмотрена, портик, горячая вода и ванная, из которой были видны окрестности. Они были счастливы, как никогда.

Гарри и Аверил с детьми приехали, чтобы все проверить. Им пришлось признать, что гнездышко очаровательно, и все-таки не этого хотел для Таны Гарри. Она же только смеялась над ним. И – хуже всего – Джек полностью был с ней согласен. У него не было никакого желания еще раз попасться на крючок, называемый браком, на чей бы то ни было. Ему было тридцать восемь, а его эскапада в Детройте слишком дорого ему обошлась.

Джек и Тана дали рождественский обед в этом году, и он удался на славу. Внизу шумел залив, а город мерцал в отдалении.

– Похоже на чудесный сон, правда, любимая? – шепнул он ей после того, как все разъехались.

Они вели именно такую жизнь, какая их устраивала, и она даже отказалась от своей квартиры в городе. Сначала она сохраняла ее за собой на всякий случай, но потом пришлось пойти на это. С Джеком она была надежно защищена. Он трогательно заботился о ней. Когда в этом году ей сделали операцию аппендицита, он две недели ухаживал за ней. В день ее тридцатишестилетия устроил прием в Трафальгар Рум у «Трейдер Викс» для восьмидесяти семи ближайших ее друзей, а на следующий год удивил ее круизом в Грецию. Она вернулась отдохнувшая и загорелая, счастливая, как никогда в жизни. Разговоров о браке между ними никогда не возникало, хотя однажды они заговорили о покупке арендуемого ими дома, но Тана не была уверена, что это разумно, и в глубине души Джек тоже был против. Никто из них не хотел раскачивать лодку, которая так благополучно плыла уже довольно долго. Они жили вместе около двух лет; это был идеальный образ жизни для каждого. Так длилось до октября, до ее возвращения из Греции.

Тану ожидало большое дело, и она не ложилась почти всю ночь, снова и снова просматривая свои заметки и папки, да так и заснула за столом в комнате, выходящей окнами на залив в Тибуроне. Не успел Джек приготовить ей утром чашку чая, как ее разбудил телефонный звонок. Взяв трубку, Тана уставилась на Джека.

– Ух-х! – Она была где-то в другом измерении. Джек подмигнул ей. Она выглядела ужасно после таких бессонных ночей, и, как бы прочитав его мысли, она взглянула на него, и вдруг он увидел, что глаза ее чуть не вылезли из орбит. Она пожирала его глазами. – Что? Вы с ума сошли! Я не... О господи! Буду там через час.

Тана положила трубку и не отрывала от Джека взгляда, пока он, нахмурившись, ставил на стол чашку.

– Что-то случилось? – Если она обещала быть там через час, значит, не могло ничего произойти у нее дома. Это, должно быть, на работе... и это не из-за него. – Что случилось, Тэн?

А она продолжала таращиться на него:

– Я не знаю... Мне надо поговорить с Фраем.

– Окружным прокурором?

– Нет. Боже! Черт побери, с кем же еще, как ты думаешь?

– Да из-за чего ты так взвинтилась?

Он все еще ничего не понимал. Но и она тоже. Она проделала фантастическую работу. Это было просто немыслимо. Она работала там многие годы... Слезы стояли у нее в глазах, когда она, глядя на Джека, встала из-за стола, разлив чай на свои бумаги и даже не заметив этого.

– Он сказал, я уволена, – Тана зарыдала, упав на стул, и теперь уже он в недоумении таращился на нее.

– Но этого не может быть, Тэн!

– Я именно это и сказала... Окружная прокуратура – вся моя жизнь...

Самое печальное было то, что это правда, и оба это знали.

Глава 17

Через час Тана, приняв душ и одевшись, уже ехала на своей машине в город; лицо напряжено, взгляд мрачный и непреклонный. Очевидно, что дело срочное. Казалось, у нее кто-то умер. Джек вызвался поехать с ней, но она знала, что у него с лихвой хватает своих проблем на этот день: Гарри последнее время не бывал в конторе, так что все лежало на нем.

– Ты уверена, что не хочешь, чтобы я отвез тебя, Тэн? Мне вовсе не нужно, чтобы ты попала в аварию.

Она вяло поцеловала его и отрицательно покачала головой. Это было так странно. Они прожили вместе так долго, но были друг другу больше друзьями, чем кем-то еще. Он был тем человеком, с кем она могла беседовать по ночам, делиться с ним своими проблемами, говорить о своих уголовных делах, разрабатывая свою стратегию их ведения. Он все понимал в ее жизни, ее мечтания, чаяния, согласен был разделить ее жизнь и, казалось, относительно мало требовал от нее.

Гарри заявил, что это противоестественно, и, несомненно, их жизнь резко отличалась от образа жизни Гарри и Аверил. Но сейчас она чувствовала искреннее беспокойство Джека за нее, когда тронулась с места, а Джек смотрел ей вслед. Он никак не мог понять, что же произошло, да и сама она тоже.

Оцепеневшая, Тана вошла в офис спустя полчаса и, не постучавшись, прошла в кабинет окружного прокурора. Больше она не могла сдерживать слезы, и они струились по ее лицу. Она в упор посмотрела на шефа.

– Что, черт возьми, я натворила, чтобы заслужить такое? – Тана выглядела ошеломленной, и он внезапно пожалел о своем решении. Он просто думал, что будет забавно преподнести ей новость окольным путем, но никак не мог предположить, что она будет выглядеть такой уничтоженной. Тем горестнее было ему потерять ее теперь. Впрочем, он и так очень сожалел о ее уходе.

– Ты слишком хороша для этой работы, Тэн. Перестань реветь и садись, – он улыбнулся ей, а она почувствовала себя еще более озадаченной.

– Итак, вы меня увольняете? – Она все еще стояла, уставясь на него.

– Я этого не говорил. Я сказал, что ты больше не работаешь у меня.

Она плюхнулась на стул.

– Ну, так что же это значит, черт побери? – Она порылась в сумочке, вытащила платок, высморкалась. Стыда за проявление своих чувств Тана не испытывала. Она любила свою работу с самого первого дня! И провела в окружной прокуратуре двенадцать лет. Коту под хвост целая жизнь, и она предпочла бы отказаться от чего угодно, только не от этой работы. От чего угодно. Окружному прокурору было очень ее жаль; он обошел стол и слегка обнял ее за плечи.

– Успокойся, Тэн, не принимай это так близко к сердцу. Ты же знаешь, как нам будет не хватать тебя. – Новый поток слез хлынул из ее глаз, а он улыбался. Но у него на глазах тоже выступили слезы. Скоро она уйдет, если примет предложение. Достаточно долго она страдала. Он заставил ее сесть, посмотрев ей прямо в глаза. – Тебе предложили место судьи. Судья Робертс в муниципальном суде. Ну, как ты на это смотришь?

– Я? – Она уставилась на него, не в силах переварить услышанное. – Я? Меня не увольняют? – Она разрыдалась с новой силой, снова сморкалась, в то же время судорожно смеясь. – Меня не... да вы меня дурачите...

– Хотелось бы, – но он был очень рад за нее, а она вдруг тоненько вскрикнула, осознав, что он для нее сделал.

– Ах ты, сукин сын!.. Я подумала, что вы уволили меня!

Он засмеялся.

– Приношу извинения. Я просто хотел внести некоторое оживление в твою жизнь.

– Дерьмо! – Она озадаченно посмотрела на него, опять высморкалась; Тана была так потрясена услышанным, что даже не могла рассердиться на него. – Боже мой! Как же это случилось?

– Я знал давно, что все к этому идет, Тэн. Я знал, что это вот-вот произойдет. Только не знал, когда точно. Держу пари, к этому времени на следующий год ты уже будешь в Верховном суде. Ты идеально подходишь для этой должности, принимая во внимание твой здешний послужной список.

– О, Ларри... Боже мой!.. Место судьи... – Эти слова были где-то за пределами ее сознания. – Я просто не могу в это поверить. Мне тридцать семь лет, и я никогда даже не мечтала...

– Ну, слава богу, кое-кто позаботился об этом, – он протянул руку для поздравления. Тана просто излучала сияние. – Поздравляю, Тэн. Ты больше чем заслужила это. Они собираются официально ввести тебя в должность через три недели.

– Так быстро? А моя работа?.. Боже, у меня дело должно быть представлено в суде двадцать третьего...

Она нахмурила брови, а он засмеялся и великодушно махнул рукой:

– Забудь об этом, Тэн. Почему бы тебе не взять отпуск и не подготовиться к новой работе? Просто подсунь дело кому-нибудь на стол для разнообразия. Воспользуйся неделей, чтобы подчистить все хвосты здесь, а потом займись домашними делами.

– И чем же мне, по-твоему, заняться? – Она все еще была обескуражена, а он улыбался. – Ходить по магазинам в поисках мантии?

– Нет, – смеялся он. – Но, думаю, тебе стоит заняться поисками жилья. Ты все еще живешь в Марине? – Он знал, что она уже пару лет живет вместе с каким-то мужчиной, но не знал, сохранила ли она квартиру в городе. Она кивнула утвердительно. – Тебе необходимо жилье в городе, Тэн.

– С чего бы это?

– Это непременное условие для всех судей в Сан-Франциско. Ты можешь сохранить и другое жилье, но главная твоя резиденция должна быть здесь.

– И что, мне обязательно нужно соблюдать это условие? – Она была огорчена.

– Да, обязательно. Даю тебе неделю.

– Господи... – Она целую минуту сидела, уставившись в никуда, думая о Джеке. Враз вся ее жизнь поставлена с ног на голову. – Мне нужно что-то придумать на этот счет.

– В течение нескольких дней у тебя будет масса неотложных дел, но прежде всего ты должна ответить на предложение, – он придал голосу официальность. – Тана Робертс, принимаете ли вы должность судьи, предложенную вам в муниципальном суде города и округа Сан-Франциско?

Она с благоговейным трепетом смотрела на него:

– Принимаю.

Он встал и улыбнулся ей, довольный, что судьба так благосклонна к ней, и вполне заслуженно.

– Удачи, Тэн. Мы будем скучать по тебе.

Слезы снова брызнули из глаз. Она все еще была в шоке, когда вернулась в свой кабинет и села. Ее ждали тысячи дел. Освободить ящики стола, просмотреть папки с бумагами, вкратце ввести кого-нибудь в курс ее дел, позвонить Гарри, сказать Джеку... Джек!.. Она тут же взглянула на часы и схватила трубку телефона. Секретарь сказал, что у него переговоры, но Тана все равно попросила соединить ее с Джеком.

– Привет, детка, ты в порядке?

– Да, – в телефонной трубке ее дыхание было прерывистым. Она не знала, с чего начать. – Ты ни за что не поверишь, что произошло, Джек!

– Я терялся в догадках, что же, черт возьми, случилось такое, что они позвонили тебе домой. И что же это, Тэн?

Она набрала воздуха:

– Просто мне предложили должность судьи.

На другом конце провода повисло молчание.

– В твоем возрасте?

– Правда же, невероятно? – Она вся сияла. – Понимаешь, невозможно поверить... Я никогда не думала...

– Я так счастлив за тебя, Тэн, – его голос звучал тихо, он был доволен.

Но вдруг Тана вспомнила, что сказал окружной прокурор: ей нужно найти жилье в городе, но по телефону она не хотела об этом говорить.

– Спасибо, любимый. Я все еще в шоке. А Гарри там нет случайно?

– Нет и сегодня не будет.

– Последнее время его часто не бывает, правда? Что происходит?

– Думаю, он в Тахо с Эйв и детьми. У него долгий-предолгий уик-энд. Можешь позвонить ему туда.

– Подожду, пока вернется. Хочу видеть выражение его лица. – Но уж чье выражение лица она не хотела видеть, так это Джека, когда она скажет ему, что должна покинуть Марину.

– Я как раз думал об этом после твоего звонка. – Джек выглядел опечаленным, услышав эту новость ночью. Он был явно расстроен, так же, как и она сама; но в то же время Тана была радостно возбуждена. Даже позвонила матери. Джин была ошарашена. «Моя дочь? Судья?» Она дрожала от волнения, радуясь за Тану. Может быть, в конце концов, все к лучшему. Она однажды встречалась с Джеком и нашла его очень милым. Джин надеялась, что со временем они поженятся, пусть даже Тана и стара заводить детей. Но на посту судьи... это, возможно, не так уж и важно. Даже Артур пришел в неописуемое волнение. Джин рассказывала ему об этом несколько раз.

Тана испытующе смотрела на Джека.

– Что ты скажешь, если мы на неделе будем жить в городе?

– Восторга не вызывает, – он был честен с ней. – Здесь нам чертовски удобно!

– Я думала, что поищу что-нибудь небольшое, чтобы нам не слишком заботиться об этом. Квартиру, коттедж, может быть, даже студию... – Она пыталась притворяться, будто ничего не изменится, но Джек покачал головой.

– Да мы с ума сойдем после жизни здесь, имея столько места!

Два года они жили по-королевски. Огромная хозяйская спальня, по кабинету у каждого, общая комната, столовая, гостевая комната для Барб. И потрясающий вид на залив. После этого студия покажется тюремной камерой.

– Ну, что ж. Мне надо что-то предпринять, Джек, а у меня только три недели. – Она смотрела на него с легким недовольством, он ничем не хотел ей помочь. Ей хотелось бы знать, не раздражает ли его это ее новое назначение. Было бы естественно, если бы и впрямь это его задело, по крайней мере сначала. Но в следующие недели у нее почти не было времени подумать обо всем этом. Она рассортировала все свои дела, освободила ящики стола и бегала в поисках подходящего жилья, пока в середине недели ей не позвонила агент по недвижимости. У нее нашлось «нечто особенное» для Таны в Пасифик-Хейтс.

– Это не совсем то, что вы хотели, но стоит взглянуть.

А когда Тана взглянула, это превзошло все ее ожидания. Кукольный домик, при виде которого у нее перехватило дыхание: крошечное пряничное сокровище бежевого цвета со светло-коричневыми и кремовыми пятнами. Он был безупречен: с мозаичным полом, мраморными каминами почти во всех комнатах, огромными шкафами, идеальным освещением, двойными французскими дверьми и с видом на залив. Тана никогда бы специально не искала ничего подобного, но сейчас, увидев все это великолепие, не могла устоять.

– Сколько стоит аренда? – Она знала, что цена будет устрашающей. Домик выглядел как картинка из журнала.

– Он не сдается, – улыбнулась агент, – а продается, – и назвала цену, которая удивила Тану своей умеренностью.

Дом был, конечно, недешев, но покупка его не отняла бы одним ударом всех ее сбережений. К тому же за эту цену дом был хорошим вложением капитала. С какой стороны ни взглянуть, Тана не могла противостоять желанию купить его, тем более что он идеально отвечал ее запросам. Большая спальня на втором этаже, туалетная комната с зеркальными стенами, крошечный кабинет с кирпичным камином, а внизу большая прелестная гостиная и маленькая кухня, выходящая в патио, осеняемое деревьями. Она поставила свою жизнь на карту, подписав документы о приобретении дома, внесла залог и объявилась в конторе Джека, нервничая от того, что натворила. Она была уверена, что не ошиблась, но все же... Это был такой взрослый, независимый поступок, единоличное решение... И она даже не посоветовалась с Джеком.

– Великий боже, кто-то умер? – Он вошел в приемную, увидел ее опрокинутое лицо. Она нервно засмеялась. – Так-то лучше, – поцеловал он ее в шею.– Репетируешь роль судьи? Ты же перепугаешь людей до смерти, бегая повсюду с таким лицом.

– Я только что совершила сумасшедший поступок, – слова сами собой выскочили из ее рта, а он засмеялся. У него был трудный день, а ведь всего только два часа.

– Что же теперь? Ну-ка, входи и рассказывай. – Тана увидела, что дверь в кабинет Гарри закрыта, и не постучалась, а сразу прошла в большую, уютную комнату Джека в викторианском особняке, который они с Гарри купили пять лет назад. Для них это было хорошим вложением капитала, поэтому он должен был лучше понять и то, что она сделала. Джек улыбнулся ей из-за стола: – Ну, так что же ты выкинула на этот раз?

– Кажется, я только что купила дом. – Она была похожа на перепуганного ребенка.

Он засмеялся:

– Тебе кажется? Понятно. Ну, и что же заставляет тебя так думать?

Он выглядел как обычно, но в глазах было нечто непонятное, ей хотелось бы знать, что же это.

– Ну, фактически я подписала бумаги... О, Джек, надеюсь, я поступила правильно.

– Он тебе нравится?

– Да я влюбилась в него! – Он был удивлен: дом они покупать не собирались, много раз об этом говорили. Они не стремились к постоянству, и он-то не изменил своего мнения. Она же, очевидно, передумала, непонятно почему. Так много изменилось за последние десять дней, главным образом для нее. У него все было по-прежнему.

– Это доставит тебе много хлопот, Тэн. Следить за домом, тревожиться, не потечет ли крыша и все такое, о чем мы не раз говорили раньше и не хотели этой головной боли.

– Не знаю... Я полагаю... – Она тревожно смотрела на него. Пора было уже спросить: «А ты будешь со мной там жить, а?» Голос ее звучал мягко и испуганно. Он улыбнулся в ответ. Она вдруг показалась такой нежной и уязвимой и все же невероятно сильной. Он любил в ней это и знал, что всегда будет любить. Именно это любил в ней и Гарри, и ее преданность, ее мятущееся сердце, блестящий ум. Судья или не судья – она была такой очаровательной девочкой. Сидя здесь и напряженно глядя на него, она казалась подростком.

– А для меня в том доме найдется местечко? – Его голос звучал испытующе, и она с жаром закивала головой, так что волосы веером разлетелись в стороны. Она подстригла их до плеч за неделю до этих ошеломляющих новостей, стрижка выглядела элегантно, волосы блестели, свисая легким светлым покрывалом с темени на изящный затылок и стройную шею.

– Ну конечно же, найдется!

Но, увидев дом тем же вечером, Джек вовсе не остался уверен, что одобряет эту покупку. Он признал, что место замечательное, но, на его взгляд, слишком уж женственное.

– И как ты можешь говорить такое? Здесь же нет ничего, кроме стен и пола.

– Не знаю. Я просто так чувствую, может быть, потому, что знаю, что это твой дом. – Он обернулся к ней, сразу погрустнев. – Прости, Тэн, он прекрасен. Я совсем не хочу омрачать твою радость.

– Все в порядке. Я сделаю его удобным и уютным для нас обоих.

В тот же вечер он пригласил ее на ужин, и они проговорили несколько часов: о ее новой должности, о «судейских курсах» в Окленде, которые она должна будет посещать в течение трех недель, живя в гостинице вместе с другими только что назначенными кандидатами. Все вдруг оказалось таким новым и волнующим, она уже много лет не испытывала такого подъема.

– Похоже, что жизнь начинается заново, не так

ли? – Глаза ее сияли, когда она смотрела на него, а он улыбался в ответ.

– Догадываюсь.

Потом они поехали домой и занимались любовью, и, казалось, ничего существенно не изменилось. Следующую неделю Тана потратила на приобретение мебели для нового дома, завершение сделки и покупку нового платья специально к церемонии введения в должность. Она даже пригласила мать, но Артур себя плохо чувствовал, и Джин не захотела оставлять его одного. Но Гарри будет, и Аверил, и Джек, и все ее друзья и знакомые, которых она приобрела за долгие годы. В конце концов набралось около двухсот человек, все они были на церемонии, а потом Гарри устроил для нее прием в «Трейдер Викс». Это было самое грандиозное празднество в ее жизни. Тана смеялась и целовала Джека добрую половину вечера.

– Похоже на свадебный пир, правда? – Он рассмеялся в ответ, и они обменялись понимающими взглядами.

– Слава богу, даже лучше! – Они снова засмеялись, он танцевал с ней. Оба были слегка пьяны, когда вернулись домой той ночью, а на следующее утро она начала заниматься на курсах судей.

Тана жила в гостинице, в предоставленной ей комнате, и планировала проводить выходные в Тибуроне с Джеком, но всегда находились дела в новом доме: надо было наблюдать за покраской, установкой осветительных приборов, поставить только что привезенную кушетку, поговорить с садовником, и первые две недели она ночевала в городе, когда не была занята на курсах.

– Почему ты не приедешь ночевать ко мне? – в ее голосе звучали жалобные нотки. Она казалась раздраженной. Джек не виделся с ней много дней, но это было нормально для тех событий. У нее была еще уйма дел.

– У меня тоже очень много работы, – его ответ прозвучал резко.

– Но ты можешь взять дела с собой, милый. Я приготовлю суп и салат, а ты можешь воспользоваться моим кабинетом.

Он обратил внимание на местоимение «мой», и это ревниво задело его, как все задевало в эти дни, но у него и правда было очень много работы.

– Ты понимаешь, как это хлопотно, таскать с собой работу в чей-то дом?

– Я для тебя не «кто-то». Я – это я. И ты тоже живешь здесь.

– И с какого же времени?

Его тон причинил ей боль, и она отступила. Даже День Благодарения прошел напряженно. Этот день Тана и Джек провели с Гарри, Аверил и детьми.

– Как твой новый дом, Тэн? – Гарри был счастлив от всех перемен в ее жизни, но она заметила его усталый и изможденный вид. Аверил тоже казалась какой-то неестественной. Это был тяжелый для всех день, и даже дети хныкали больше обычного, а крестник Таны и Джека почти весь день плакал. Она облегченно вздохнула, когда наконец они поехали в город, а Джек, сидя в машине, замкнулся в молчании.

– Ты рада, что у тебя нет детей? – с этими словами он обернулся к ней, а она улыбнулась.

– В такие дни, как сегодня, – да. Но когда все они одеты и так милы или крепко спят, а ты видишь, как Гарри смотрит на Эйв... Иногда кажется, что было бы здорово иметь все это... – Тана вздохнула и посмотрела на него. – Впрочем, я думаю, что не смогла бы вынести этого.

– Прелестно бы ты выглядела на судейской скамье с выводком детишек, – саркастически заявил он, а она рассмеялась.

Последнее время Джек был с ней резок. Она заметила, что он ведет машину в город, а не в Тибурон, и удивленно на него посмотрела.

– Мы что, едем не домой, любимый?

– Конечно... Я думал, ты хочешь в свой дом...

– Мне все равно... Я... – Она набрала побольше воздуха: это надо было сказать немедленно. – Ты в бешенстве из-за того, что я купила дом, да?

Он пожал плечами и продолжал вести машину, не отрывая глаз от дороги.

– Полагаю, что ты должна была сделать что-то в этом роде. Я просто не подозревал, что ты совершишь именно это.

– Да что я такого натворила? Купила маленький домик, потому что мне необходимо жилье в городе, – только и всего!

– Просто я не думал, что ты хочешь владеть чем-то, Тэн.

– Какая разница – принадлежит это мне или я просто арендую? Это хорошее вложение капитала. Разве мы не обсуждали что-то в этом роде?

– Да. И решили не делать этого. Почему ты хочешь привязать себя к чему-то постоянному? – Мысли об этом постоянно роились в его голове. Он был так счастлив, когда они снимали дом в Тибуроне. – Раньше ты никогда так не думала.

– Иногда все меняется. Это как раз имело смысл на настоящий момент, и я сразу влюбилась в этот домик.

– Да я знаю, знаю! Может быть, именно это и беспокоит меня больше всего. Он настолько «твой», что не «наш».

– Ты предпочел бы купить что-нибудь совместно? – Но она слишком хорошо его знала и не удивилась, когда он отрицательно покачал головой:

– Это осложнило бы и твою, и мою жизнь. Ты знаешь это.

– Но не может же все всегда быть просто. И как бы там ни было, я думаю, что все идет чертовски хорошо. Мы самые не обремененные привязанностями люди на свете.

Они сознательно так поступали. Ничто не было незыблемым, высеченным из скалы. Все связи могли быть порваны за несколько часов. Или так им казалось. По крайней мере, они постоянно говорили об этом в течение двух лет.

Тана продолжала:

– Черт побери, я привыкла иметь квартиру в городе.

Подумаешь, великое дело! – Но дело было не в доме, а в ее новой должности, как она стала подозревать несколько недель назад. Его беспокоила шумиха вокруг нее, пресса... Он мирился с этим, пока она была только помощником прокурора, и вдруг... судья!.. Ваша честь!.. Судья Робертс. Она замечала выражение его лица каждый раз, когда кто-нибудь так обращался к ней. – Знаешь, Джек, это и впрямь несправедливо по отношению ко мне – все так воспринимать. Я ничего не могу поделать. Случилось нечто удивительное, и нам надо научиться жить с этим. Такое могло случиться и с тобой. Ботинок мог оказаться и на другой ноге, ты же понимаешь!

– Думаю, что я отнесся бы к этому иначе.

– Как? – его слова мгновенно ранили ее.

– Практически, – он укоризненно посмотрел на нее, подспудный гнев наконец выразился в словах, как симфония с хоралом, и это принесло облегчение, – думаю, я отверг бы предложение. Это дьявольская напыщенность.

– Напыщенность? Ты говоришь просто чудовищные вещи. Значит, ты считаешь меня напыщенной оттого, что я приняла предложенную мне должность?

– Зависит от того, как ты воспринимаешь это, – загадочно ответил он.

– Ну?

Остановившись на светофоре, он взглянул на нее и отвел глаза:

– Послушай, не обращай внимания... Мне просто не нравятся перемены, которые это внесло в нашу жизнь. Мне не нравится, что ты живешь в городе, мне не нравится твой проклятый дом, мне все это не нравится.

– И за это ты наказываешь меня, да? Господи, я прилагаю все усилия, чтобы как можно тактичнее выйти из положения. Дай мне шанс. Дай же мне все взвесить и осмыслить. Ты же знаешь, что для меня это тоже огромные перемены в жизни.

– Посмотреть на тебя, так ты совсем этого не осознаешь. Ты выглядишь невероятно счастливой.

– Ну да, я счастлива, – Тана была искренней. – Это удивительно и интересно, и это льстит мне, я получаю удовольствие от своей карьеры. Это меня возбуждает, но и пугает своей новизной, и я не совсем хорошо понимаю, как быть со всем этим, и не хочу, чтобы это причиняло тебе боль...

– Это неважно...

– Как это неважно? Я люблю тебя, Джек. Я не хочу, чтобы это разрушило наши отношения.

– Значит, этого и не случится, – он пожал плечами и поехал дальше, но ни один из них не был убежден в правоте другого.

Следующие несколько недель с Джеком просто невозможно было общаться. Тана решила по возможности проводить ночи с ним в Тибуроне и постоянно его обхаживала, но он все еще сердился на нее, и проведенное в ее доме Рождество было мрачным. Он явно дал понять, что ненавидит все, что связано с этим домом, и уехал в восемь утра на следующий день, заявив, что у него много дел. На протяжении следующих нескольких месяцев он только и делал, что осложнял ей жизнь, но, несмотря на это, Тана получала удовольствие от своей работы. Единственное, чего она не любила, – долгие часы ожидания. Иногда она оставалась в палатах суда до полуночи: ей надо было так много узнать, многому научиться, прочитать так много статей законов, к которым ей приходилось обращаться при слушании дел. От нее зависело так много, что она была почти слепа ко всему остальному, настолько, что не замечала, как плохо выглядит Гарри, не осознавала, как редко он теперь приходит на работу, и только в конце апреля Джек обратился к ней и буквально возопил:

– Да ты что, ослепла?! Боже мой, он же умирает! Он медленно угасает на протяжении последних шести месяцев, Тэн. Да тебе наплевать на всех окружающих, разве нет? – Его слова пронзили ее насквозь, она в ужасе изумленно раскрыла рот.

– Это неправда!.. Не может быть... – Но вдруг бледность лица Гарри, его запавшие глаза, – вдруг все это приобрело жуткий смысл. Но почему он ничего не сказал ей? Почему? Она укоризненно посмотрела на Джека. – Почему ты ничего не сказал раньше?

– Ты не стала бы слушать. Ты так дьявольски погружена в свою значительность последнее время, что не видишь ничего, что происходит вокруг тебя.

Были еще более горькие упреки, гневные слова, и, не сказав ни слова, она в ту же ночь уехала из Тибурона, приехала к себе домой, позвонила Гарри и зарыдала, прежде чем выговорила хотя бы слово.

– В чем дело, Тэн? – Голос его звучал устало, и она почувствовала, что сердце ее вот-вот разорвется.

– Я не могу... Я... О господи, Гарри...

Все напряжение последних месяцев навалилось на нее, гнев Джека и то, что он сказал о болезни Гарри. Она никак не могла поверить, что он умирает, но когда на следующий день увидела его за обедом, он спокойно посмотрел на нее и сказал, что это правда. В нее как будто вогнали кол, и она в ужасе уставилась на него.

– Но этого не может быть, это несправедливо...

Тана сидела и всхлипывала, как малый ребенок, не в состоянии утешить его, обескураженная, сама чувствуя дикую боль, не в силах помочь никому. Он подкатил к ней свое кресло и обнял ее за плечи. В его глазах тоже стояли слезы, но он был странно спокоен. Уже почти год он знал об этом, врачи давным-давно сказали ему, что раны могут резко сократить его жизнь, – так и получилось. Гарри страдал от гидронефрита, который постепенно пожирал его. Врачи испробовали все возможное, но тело его просто потихоньку отказывало. Тана смотрела на него в панике, ужас застыл в ее глазах.

– Я не смогу жить без тебя.

– Нет, сможешь! – Он больше волновался за Аверил и детей. Он знал, что Тана всегда выживет. Она спасла его самого. Она никогда не сдастся. – Я хочу, чтобы ты кое-что для меня сделала. Хочу, чтобы ты присмотрела за Эйв, чтобы она была в порядке. Дети хорошо устроены, и она обеспечена всем необходимым, но она – не ты, Тэн... она всегда во всем так полагалась на меня...

Она уставилась на друга:

– А твой отец знает?

Гарри покачал головой:

– Никто не знает, кроме Джека и Эйв. Ну, и теперь ты, – он был разгневан, что Джек сказал ей, да еще с такой злостью, но теперь хотел заручиться ее обещанием. – Ты обещаешь, что позаботишься о ней?

– Ну конечно же.

Это было ужасно: он говорил так, будто собирался отправиться в путешествие. Она смотрела на него, и двадцать лет любви промелькнули перед ней... танцы, где они познакомились... годы в Гарварде и Бостоне... переезд на Запад... Вьетнам... госпиталь... юридический колледж... дом, где они жили вместе... ночь, когда родился его первый ребенок... Но это же невероятно, невозможно! Нет, нет, его жизнь еще не кончилась, такого просто не может быть. Он так нужен ей. Но тут она вспомнила о гидронефрите и поняла, к чему все это приводит: он умирал. Тана снова разрыдалась, а Гарри обнял ее, и она, всхлипывая, сказала:

– Но почему... Это несправедливо!

– В жизни чертовски мало справедливости, – улыбнулся он. Улыбка была мимолетной, грустной, холодной.

Он не столько беспокоился за себя, сколько за жену и детей, болезненно страдал из-за них последние несколько месяцев. Он пытался научить Аверил справляться со всеми проблемами, но тщетно. Она превратилась в законченную истеричку, отказывалась учиться чему-либо, будто бы могла этим предотвратить неизбежное. Но ничто не могло помочь. Гарри слабел день ото дня и сам это отчетливо понимал. В контору он теперь приезжал раз-два в неделю, и именно поэтому Тана не встречала его там, когда забегала к Джеку. Сейчас она заговорила с ним об этом.

– Джек возненавидел меня теперь. – Она выглядела такой мрачной, такой подавленной, что это испугало его. Никогда Гарри не видел Тану в таком состоянии. Для них всех настали очень трудные времена. Он в глубине души не мог согласиться с тем, что умирает, хотя знал, что это именно так. Словно из тряпичной куклы вылезла вся набивка. Он чувствовал, что мало-помалу исчезает, пока вдруг однажды не исчезнет совсем. Вот так! Они проснутся, а его уже нет. Тихо-тихо. Не с воплями, толчками, криками, с какими приходишь в этот мир, но со слезами, вздохами, с колебанием воздуха, когда переходишь в жизнь иную, если только она существует. Он ничего не знал об этом, да и не очень-то это его волновало. Больше всего он беспокоился о людях, которых оставлял: о партнере, жене и детях, о друзьях. Казалось, все они зависели от него, отдыхали в его обществе. Это его очень изматывало. Но каким-то непостижимым образом именно это поддерживало жизнь в его теле, как было теперь и с Таной. Он чувствовал, что должен чем-то поделиться с ней, до того, как уйдет. Чем-то важным для нее. Он хотел, чтобы она изменила свою жизнь, пока не поздно. Говорил то же самое и Джеку, но тот не захотел его слушать.

– Он не ненавидит тебя, Тэн. Понимаешь, работа удручает его. Кроме того, он так огорчен из-за меня в последние месяцы.

– Мог бы что-нибудь и рассказать, в конце концов!

– Я заставил Джека поклясться, что он ничего не скажет, так что не обвиняй его. А что касается остального, ты теперь важная птица, Тэн. Твоя работа важнее, чем его. Вот так обстоят дела. Тяжело для вас обоих, но ему надо привыкнуть к этому.

– Скажи ему.

– Я сказал.

– Он отыгрывается на мне за все, что произошло, ненавидит мой дом. Он стал совсем другим человеком.

– Да нет, он все тот же. – (Даже слишком верен себе, по мнению Гарри. Он остался до сих пор приверженцем своих нелепых принципов: независимость, полное отсутствие каких-либо обязательств или какого-то постоянства. Это была бесцельная, пустая жизнь, и Гарри говорил ему об этом довольно часто, но Джек только пожимал плечами. Ему нравился его образ жизни, по крайней мере до назначения Таны на новую должность. Вот это был для него самый болезненный пинок под зад, и он не скрывал этого от Гарри.) – Может быть, он просто ревнует и завидует тебе. Это непривлекательная черта, но он же человек, в конце концов!

– Да когда же он повзрослеет? Или мне отказаться от должности?

Разговор об обыденных вещах был таким облегчением, будто и не было всего этого кошмара, будто она могла предотвратить его, разговаривая с Гарри об отвлеченном. Как в былые дни... Как же они были прекрасны!.. Слезы подступили к глазам от этих воспоминаний...

– Конечно же, ни в коем случае не отказывайся. Просто дай ему время. – Гарри внимательно смотрел на Тану, и что-то еще было в его взгляде. – Я хочу еще кое-что тебе сказать, Тэн. Две вещи. – Он смотрел на нее так напряженно, словно его пожирал некий внутренний огонь. Она ощущала силу его слов, проникающих в душу. – Я не знаю, чего мне каждый день ожидать от завтрашнего дня, буду ли я еще здесь... буду ли... Две важные вещи должен я тебе сказать. И это все, что я оставляю тебе, мой друг. Слушай внимательно. Первое: благодарю тебя за все-все, что ты для меня сделала. Последние шестнадцать лет моей жизни были подарены мне тобой, тобой, не врачами, никем, кроме тебя. Ты заставила меня начать жить сначала и продолжать жить... Если бы не ты, я никогда бы не встретил Аверил, у меня не было бы детей... – Теперь и на его глазах выступили слезы и медленно стекали по щекам. Тана была рада, что они встретились для обеда у нее в суде. Им необходимо было побыть вдвоем. – А теперь я перехожу ко второй важной вещи. Ты обманываешь себя, Тэн. Ты не знаешь, чего лишаешься, и не узнаешь, пока не получишь этого. Ты отгораживаешься от брака, обязательств и обязанностей, от реальной жизни, от настоящей жизни... не взятой взаймы, не арендованной или временной, какой-то в этом роде. Я знаю, этот дурачок любит тебя, и ты любишь его, но он помешался на «длинном поводке» настолько, что боится еще раз совершить ошибку, а именно это и есть величайшая из ошибок! Поженитесь, Тэн...

нарожайте детей... это единственное, что имеет смысл в жизни... единственное, что волнует меня... единственное, что я оставляю после себя... неважно, кто ты и чем занимаешься. Если у тебя нет этого, если ты не сделала этого – ты ничто и никто... ты только наполовину живая... Тана, не обманывай себя, пожалуйста...

Теперь он плакал, даже не пытаясь скрыть слезы. Он любил ее так сильно и так долго. Он не хотел, чтобы Тана была лишена того счастья, которое было у них с Аверил. И пока он говорил, ее мысли снова и снова воскрешали перед ней бесчисленные взгляды, которыми обменивались Гарри и Аверил, тихую радость, смех, который, казалось, никогда не прекратится... А теперь вот совсем скоро умрет и этот смех. В глубине души Тана всегда чувствовала, что все сказанное им – правда, она хотела и для себя того же, с одной стороны. Но, с другой стороны, она просто панически этого боялась... Да и все мужчины в ее жизни не подходили для этого... Йел Мак Би... Дрю Лэндс... а теперь Джек... и совершенно не запомнившиеся между ними. Не было совсем никого, кто мог бы настолько быть ей близок. Может быть, смог бы отец Гарри, но это было так давно...

– Если только появится такая возможность, хватайся за нее, Тэн. Откажись от всего, если будет необходимо. Но если это будет настоящее, тебе не придется ни от чего отказываться.

– Что ты предлагаешь мне сделать? Выйти на улицу с плакатом: «Возьмите меня замуж. Давайте наделаем детей»? – Они вместе рассмеялись, как бы на минутку вернувшись в старые времена.

– Да, ты, задница! Почему бы и нет?

– Я люблю тебя, Гарри, – слова выплеснулись сами собой, она снова расплакалась. Гарри крепко обнимал ее.

– Я никогда не исчезну на самом-то деле, Тэн. Ты знаешь это. У нас с тобой слишком много всего, чтобы когда-либо потерять это... Ну, как у нас с Эйв, только в другом смысле. Я буду незримо присутствовать здесь, наблюдая за всем происходящим.

Они откровенно плакали вместе. Тана не представляла себе жизни без него. И могла только вообразить, что испытывает Аверил.

Это был самый мучительный период в их жизни. На протяжении следующих трех месяцев они наблюдали, как Гарри угасает, и теплым летним днем, когда солнце сияло высоко в небе, ей позвонили. Это был Джек. В его голосе звучали слезы, и Тана почувствовала, что ее сердце остановилось. Она видела Гарри накануне вечером. Теперь она навещала его каждый день, неважно, в какое время: вечером, в обед, а иногда даже до начала работы. Она не знала, каким хлопотным будет ее день, но от этих визитов не отказывалась ни за что. Вчера вечером Гарри держал ее за руку и улыбался ей... Он едва говорил, она поцеловала его в щеку и вдруг подумала о госпитале, о том, что было много лет назад. Она опять хотела встряхнуть его, вернуть к жизни, заставить бороться за жизнь с прежней силой, стать самим собой, каким он был раньше, но он уже был не способен на такую борьбу. Легче было уйти.

– Он только что умер, – голос Джека сорвался, а Тана разразилась рыданиями. Ей так хотелось увидеть его, только еще бы раз... услышать его смех... увидеть эти глаза. Целую минуту она не могла выговорить ни слова, затем потрясла головой и задержала дыхание, чтобы подавить всхлипывания.

– Как Эйв?

– Кажется, она в порядке.

Неделю назад приехал Гаррисон и оставался с ними. Тана посмотрела на часы.

– Я приеду прямо сейчас. Все равно я объявила перерыв в заседании на вторую половину дня. – Она почувствовала его скованность при этих словах, будто он считал их демонстративными. Но именно это она и сделала. Она была судьей муниципального суда, и она объявила перерыв. – А где ты?

– На работе. Его отец только что позвонил.

– Я рада, что он был там. Ты сейчас туда приедешь?

– Пока не могу. Чуть позже.

Тана кивнула, подумав, что, если бы она ответила так, он непременно сказал бы ей что-нибудь неприятное, например какой важной персоной она себя считает. Теперь уже нельзя было одержать победу над ним. И Гарри не смог смягчить его перед смертью, как ни старался. Он так много хотел сказать, многим поделиться с теми, кого любил. Все кончилось слишком быстро. Тана вела машину по Бэй-Бридж, слезы заливали ее лицо. И вдруг она как будто ощутила его рядом с собой и улыбнулась. Он ушел, но теперь он был повсюду. С ней, с Эйв, со своим отцом, с детьми...

«Эй, малыш!» Тана улыбнулась в пространство, ведя машину, а слезы продолжали струиться по ее лицу. Когда она подъехала к дому, Гарри уже не было, его отвезли приготовить к похоронам, а Гаррисон сидел в гостиной. Он выглядел ошеломленным и показался Тане очень старым. Она осознала вдруг, что ему уже почти семьдесят. А горе, застывшее на его лице, старило его еще больше. Тана ничего не сказала, просто подошла к нему, они крепко обнялись. Аверил вышла из спальни, в простом черном платье, светлые волосы стянуты в узел, обручальное кольцо на левой руке. Гарри время от времени дарил ей замечательные украшения, но сейчас их на ней не было, только ее печаль, ее достоинство и их любовь. Она стояла, поддерживаемая их общей жизнью, их домом, их детьми. Странно, но вот так она выглядела очень хорошенькой, и Тана с недоумением почувствовала какую-то зависть к ней. У них с Гарри было что-то неразделимое, неважно, сколько это длилось, и это что-то было для них самым дорогим. Неожиданно впервые в жизни она ощутила пустоту. Она жалела, что не вышла за него замуж давным-давно... или за кого-нибудь еще... не вышла замуж... не нарожала детей... Это чувство оставило в ней зияющую болезненную дыру, которую нечем заполнить. Во время похорон, на кладбище, где они его оставили, и потом, когда она снова осталась одна, Тана чувствовала что-то, чего не могла бы объяснить никому. Когда же она попыталась поделиться с Джеком, сказав, что вдруг осознала, как пуста ее жизнь, потому что она никогда не была замужем и у нее нет детей, он затряс головой и уставился на нее.

– Не сходи с ума сейчас, Тэн, только потому, что Гарри умер. Я проделал и то, и другое, и, поверь мне, черт возьми, это ничего не меняет. Не обманывай себя, не у каждого есть то, что было у них. Я, честно говоря, никогда такого не встречал, только у них. И если ты выходишь замуж, надеясь на такие же отношения, ты будешь разочарована, потому что не найдешь этого.

– Откуда ты это знаешь? Вполне могло бы быть...– Тана была огорчена его словами.

– Поверь мне на слово.

– Ты не можешь судить об этом. Трахнул какую-то девчонку двадцати одного года и на всем скаку женился, потому что был вынужден. Это отличается от серьезного вдумчивого выбора в нашем зрелом возрасте.

– Ты хочешь надавить на меня, Тэн? – неожиданно злобно он посмотрел на нее; казалось, вся его красивая блондинистость сменилась увяданием и усталостью. Потеря Гарри тоже тяжело на нем отразилась. – Не поступай сейчас со мной так. Только не сейчас!

– Но я же просто выражаю свои чувства.

– Ты чувствуешь себя дерьмово потому, что только что умер твой лучший друг. Но не впадай из-за этого в какое-то романтическое состояние и не считай, что секрет любви в браке и детях. Поверь мне, это не так.

– Черт побери, откуда ты это знаешь? Ты не можешь решать ни за кого, кроме себя. Ну что за дьявольщина, Джек! Не пытайся давать оценки любым вещам за меня. – Все ее чувства вмиг выплеснулись наружу. – Ты до колик боишься кого бы то ни было удостоить своим вниманием, каждый раз скрипишь, когда кто-то оказывается тебе слишком близок. И знаешь что? Меня тошнит от отвращения, когда ты все время достаешь меня за то, что я стала судьей.

– Так вот что ты об этом думаешь?

Вот так выкричаться было облегчением для обоих, однако в ее словах была правда. Они добрались до дома в таком взвинченном состоянии, что он выскочил, с треском хлопнув дверью, и в течение трех недель Тана его не видела. Эта разлука по собственной воле была для них самой длинной со времени их знакомства. Но он не звонил ей, она тоже. Она совсем ничего не знала и не слышала о нем до тех пор, пока в городе не появилась его дочь со своим ежегодным визитом. Тана пригласила ее остановиться у нее в городе. Барб была в восторге от этой идеи. Когда же она появилась в маленьком собственном домике Таны на следующий вечер, Тана была ошеломлена переменами в девочке. Ей только что исполнилось пятнадцать, и она неожиданно превратилась в юную женщину с тонкими чертами лица, прелестными узкими бедрами, с гривой рыжих волос.

– Ты потрясающе выглядишь, Барб!

– Спасибо, ты тоже.

Тана не отпускала ее пять дней и даже взяла с собой в суд. И только в конце недели они смогли наконец поговорить о Джеке и о том, как изменились их отношения.

– Он теперь и на меня все время орет. – Барбара тоже отметила это, и ей было не очень-то хорошо с ним. – Ма говорит, что он всегда был такой. Но он же был другим, когда ты была рядом с ним, Тэн.

– Я думаю, что он очень нервничает в эти дни.

Она пыталась оправдать его в глазах Барб, так как не чувствовала себя виноватой, но на самом деле это был целый набор всего: Тана, Гарри, завал на работе. Казалось, что все у него пошло вкривь и вкось, и когда Тана сделала попытку примирения, пригласив его на обед после отъезда Барбары в Детройт, все закончилось еще более ожесточенной перебранкой. Они поспорили из-за того, что должна делать Аверил с домом. Джек думал, что ей следует продать дом и перебраться в город, а Тана возражала:

– Этот дом так много для нее значит. Они провели там много лет.

– Ей нужно сменить обстановку, Тэн. Нельзя же всю жизнь жить прошлым!

– Да какого дьявола ты так панически боишься по-настоящему привязаться к чему-нибудь? Похоже, ты просто в ужасе – вдруг тебе придется чем-то озаботиться!

Она все чаще отмечала в нем этот страх в последнее

время. Он постоянно хотел быть свободным, ни к кому и ни к чему не привязанным, ничем не связанным. Удивительно, как их отношения могли так долго продолжаться на таких условиях, но, конечно, теперь они расстроились, а в конце лета судьба нанесла им еще один удар. Как Тане и говорили, предлагая должность в муниципальном суде год назад, открылась вакансия в Верховном суде, и ее выдвинули на эту должность. У нее не хватало духу сказать об этом Джеку, но в то же время она не хотела, чтобы он услышал столь важную для их отношений новость от кого-нибудь другого. Стиснув зубы, однажды вечером она позвонила ему домой. Тана была в своем маленьком уютном доме, читала книги по юриспруденции, чтобы освежить в памяти некоторые подзабытые статьи уголовного кодекса. Услышав его голос, Тана затаила дыхание.

– Эй, Тэн, что случилось? – Его голос звучал более спокойно, чем в последние месяцы. Тане была отвратительна мысль испортить его хорошее настроение. Она знала, какую реакцию вызовет ее новость. И она оказалась права. Когда она сказала ему о назначении на должность в Верховном суде, Джек почувствовал себя так, будто ему двинули в солнечное сплетение.

– Очень мило. Когда? – Словно она швырнула кобру к его ногам – так это прозвучало.

– Через две недели. Ты придешь на церемонию введения в должность или тебе не хотелось бы?

– Какого черта ты задаешь такой вопрос? Я как раз считаю, что именно ты не хочешь, чтобы я пришел. – Он такой уязвимый, с ним невозможно говорить.

– Я этого не сказала. Но знаю, как ты напрягаешься, когда речь идет о моей работе.

– И что же наводит тебя на такие мысли?

– О, пожалуйста, Джек... давай не начинать все снова. – Она так устала после трудного долгого дня. К тому же все воспринималось теперь тяжелее и горше и труднее после того, как не стало Гарри. Да еще отношения с Джеком были на пределе. Это было не самое счастливое время в ее жизни, если не сказать хуже. – Надеюсь, ты придешь.

– Это значит, я не увижу тебя до этого события?

– Конечно же, это ничего подобного не значит. Ты можешь увидеть меня в любое время, когда только захочешь.

– А если завтра вечером? – похоже, он проверял ее.

– Потрясающе! У тебя или у меня? – Тана засмеялась, Джек – нет.

– В твоем доме у меня начинается клаустрофобия. Я заеду за тобой в Сити-Холл к шести.

– Слушаюсь, сэр! – Она вложила в ответ ироническое приветствие, но он и тут не засмеялся, а когда они встретились на следующий день, настроение у обоих было хуже некуда. Оба ужасно тосковали по Гарри, с той лишь разницей, что Тана об этом говорила, а Джек – нет. Он взял себе в партнеры другого адвоката, и, казалось, ему нравился этот человек. Он много говорил о новом партнере, о том, с каким успехом они работали вместе и как много денег собирались зарабатывать. Очевидно, он все еще искал повод к ссоре из-за работы Таны. Она почувствовала облегчение, когда на следующее утро он подвез ее до Сити-Холл и они расстались.

Этот уик-энд он собирался провести с кучей друзей за игрой в гольф в Пеббл-Бич. Ее он не пригласил, и Тана глубоко вздохнула, поднимаясь по ступенькам Сити-Холл. Конечно же, в эти дни он отнюдь не облегчал ей жизнь. Время от времени Тана мысленно возвращалась к тому, что Гарри сказал ей перед смертью. Но совершенно невозможно думать о чем-то постоянном, общаясь с Джеком. Ну не такой он был человек! Больше Тана не лелеяла никаких надежд. Она тоже не была женщиной такого типа, вот так вот! Вероятно, именно поэтому они так долго терпели друг друга. Но, кажется, больше это не сработает. Трения между ними достигли пика, чего она почти не могла выносить. Поэтому Тана была искренне благодарна судьбе, когда обнаружила, что во время церемонии введения ее в должность у Джека будет командировка в Чикаго.

На этот раз торжество было простеньким и негромким под председательством Главного судьи Верховного суда. Присутствовало также около полудюжины других судей, ее старый друг окружной прокурор, удовлетворенно шепнувший при ее появлении: «Я же тебе говорил!» Еще горстка наиболее дорогих ей людей. Аверил была в Европе с Гаррисоном и детьми. Она решила остаться на зиму в Лондоне и определила там детей в школу. На это ее уговорил Гаррисон. Он был абсолютно счастлив, когда уезжал с внуками, отданными на его попечение. Правда, перед самым отъездом был душераздирающий момент, когда они с Таной остались вдвоем. Он уткнулся лицом в ладони и заплакал, раздираемый сомнениями, знал ли Гарри, как сильно отец любил его. Тана уверяла, что знал. Это помогло приглушить его печаль и чувство вины за ранние годы его жизни, и он был счастлив взять на себя заботу о невестке и внуках. Но как же странно было не видеть ни их всех, ни Джека, когда Тана смотрела в зал, произнося клятву.

Теперь клятву произносил судья суда второй инстанции, человек, которого Тана за эти годы видела всего пару раз. У него были густые черные волосы, свирепые темные глаза и такой вид, который мог до смерти перепугать кого угодно, когда он возвышался над всеми в своей темной мантии. Но у него был легкий быстрый смех, острый ум и удивительная доброта и мягкость. Особенно хорошо он был известен из-за вынесенных им нескольких спорных решений, которые обыгрывались в национальной прессе, в частности в «Нью-Йорк таймс» и «Вашингтон пост», а также в «Кроникл». Тана много читала о нем и удивлялась его свирепости. Но сейчас она была заинтригована, увидев в нем скорее ягненка, чем льва. По крайней мере, именно таким он был при приведении ее к присяге. Они немного поболтали о днях его работы в Верховном суде. Она узнала, что до назначения судьей он руководил самой большой юридической фирмой в городе. Позади у него была интересная карьера, хотя, как она считала, ему было всего 48–49 лет. Долгое время он был кем-то вроде вундеркинда. На прощание он пожал Тане руку и еще раз тепло поздравил. Он очень понравился ей.

– Да, впечатление сильное, – ее старый друг окружной прокурор улыбнулся ей. – Я в первый раз вижу Рассела Карвера на церемонии приведения к присяге. Ты становишься очень важной персоной, дружок.

– Возможно, он платил за парковку внизу, а кто-то его поймал за рукав и притащил сюда. – Оба засмеялись.

В действительности он был близким другом Главного судьи и сам предложил свои услуги при церемонии. Как бы то ни было, он оказался очень к месту с его темными волосами и серьезным выражением лица.

– Посмотрела бы ты на него, когда он здесь председательствовал, Тэн. Черт, он засадил одного из наших окружных прокуроров в тюрьму на три недели за неуважение к суду, и я не мог вытащить бедолагу оттуда.

Тана рассмеялась, представив эту сцену.

– Догадываюсь, как мне повезло, что это не со мной случилось!

– Тебе никогда не приходилось работать с ним в качестве судьи на твоих процессах?

– Только дважды. Он был в суде второй инстанции черт-те сколько времени.

– Думаю, да. Однако он, по-моему, не очень стар, сорок девять – пятьдесят – пятьдесят один – что-то около этого.

– О ком это? – председательствующий судья подошел к ним и еще раз пожал Тане руку. День был очень приятным для нее, и вдруг она ощутила радость от того, что Джека не было рядом. Без него было настолько легче: не приходилось затаивать дыхание или извиняться перед ним.

– Мы говорили о судье Карвере.

– Расс? Ему сорок девять. Он учился со мной в Стэнфорде, – улыбнулся председательствующий, – хотя, признаюсь, он был на несколько курсов младше. – Фактически же Карвер был абитуриентом, когда председательствующий уже заканчивал юридический факультет, но они дружили семьями. – Он чертовски приятный парень, дьявольски умен.

– Ему приходится, – восхищенно сказала Тана. Ей предстояло сделать еще рывок. Апелляционный суд. Ну что за идея! Может быть, в следующие десять-двадцать лет. А пока она готовилась получать удовольствие от этой работы. Верховный суд должен стать для нее привычным, как чашка чая. Они собирались слушать ее пробные уголовные дела в ближайшем будущем, поскольку это было ее поле деятельности. – Очень мило с его стороны провести сегодня мою церемонию приведения к присяге. – Она улыбалась всем.

– Он чудесный парень, – повторял о нем каждый.

Тана отправила ему небольшую записку с благодарностью за то, что он придал ее введению в должность некую особую значимость. На следующий день он ей позвонил, едва сдерживая смех.

– Вы ужасно вежливы. Я не получал таких лестных писем по меньшей мере уже двадцать лет.

Она смущенно засмеялась и поблагодарила его за звонок.

– Но это же было так мило с вашей стороны. Как присутствие Папы, когда даешь религиозный обет.

– О господи... Что за мысли! Вы именно этим занимались последние недели? Беру все назад...

Они оба засмеялись и еще немного поболтали. Тана пригласила его по возможности заглянуть в суд, когда она будет вести дела. У нее было чувство приятной теплоты братства, к которому и она теперь принадлежала, сообщества судей всех рангов, работающих вместе. Ощущение было такое, будто она наконец взошла на Олимп. Работа здесь была гораздо легче, чертовски приятнее по многим показателям, чем дела по обвинению насильников и убийц, выстраиванию процесса и споров. Хотя, надо отдать должное, прежняя работа тоже доставляла ей удовольствие. Здесь у нее должна быть более ясной голова, нужен более объективный подход. За всю свою жизнь Тана не изучала так много законов. Две недели спустя она сидела в своей судейской палате, зарывшись в книги, когда судья Карвер, поймав ее на слове, заглянул к ней.

– Так вот к чему я вас приговорил? – Он стоял в дверном проеме и улыбался. Ее секретарь уже давно ушел домой, а она сосредоточенно хмурила брови, копаясь в шести книгах одновременно, сравнивая статьи и выискивая прецеденты. Он вошел, а Тана с улыбкой подняла голову от своих книг.

– Какой приятный сюрприз! – Она быстро встала и жестом пригласила его в большое удобное кожаное кресло. – Пожалуйста, садитесь.

Он сел. Тана смотрела на него. Он был красив какой-то спокойной, зрелой мужской интеллектуальной красотой. Это не было обаяние Джека, похожее на обаяние любого эталонного игрока элитной американской футбольной команды. Его обаяние было более спокойным и гораздо более мощным. Да и вообще он превосходил Джека в мириадах разных вещей.

– Выпьете что-нибудь? – У нее был секретный бар для случаев вроде этого.

– Нет, спасибо. У меня много домашних заданий на сегодняшний вечер.

– У вас тоже? И как вы умудряетесь продираться через все эти дебри?

– Не всегда получается. Иногда хочется просто сесть и расплакаться, но постепенно во всем разбираешься. Над чем вы сейчас работаете?

Тана как можно короче описала ему дело; он задумчиво кивнул.

– Это должен быть интересный процесс. Вполне может со временем попасть и ко мне.

Она засмеялась:

– Да, невелик мой вотум доверия, если вы думаете, что по моему решению будет подана апелляция.

– Нет, нет, – поспешил объяснить он. – Просто так уж сложилось, что поскольку вы здесь новичок, то что бы вы ни решили, если им не понравится, они будут апеллировать к суду во второй инстанции. Они даже могут попытаться опровергнуть ваше решение. Будьте осторожны, не давайте им оснований для этого.

Это был хороший совет. Они еще немного поболтали. У него были темные задумчивые глаза, которые придавали ему какой-то трогательный вид, что никак не вязалось с его серьезностью. В этом человеке таилась масса противоречий. Тана была заинтригована. Он вышел с ней вместе, помог донести до машины кипу ее книг, а затем, казалось, заколебался:

– Не мог бы я уговорить вас перехватить гамбургер где-нибудь, а?

Тана улыбнулась ему. Ей нравился этот человек. Она никогда не встречала никого, похожего на него.

– Можете, если обещаете пораньше доставить меня домой, чтобы я успела еще поработать.

Они выбрали «Биллс Плейс» на Клемент. Обстановка там была простая и мирная, среди гамбургеров, хрустящего картофеля, молочных коктейлей и детей. Никто никогда не заподозрил бы в них важных персон. Они сидели и болтали о своих трудных делах, разбираемых много лет назад, и сравнивали Стэнфорд с Боалтом. В конце концов Тана, сдавшись, рассмеялась:

– Хорошо, хорошо, согласна. Ваша школа лучше моей.

– Я этого не говорил, – засмеялся он. – Я сказал, что наша футбольная команда была лучше.

– Ну, это не моя вина. Я не имела к футболу никакого отношения.

– Да я как-то и не думал, что вы принимали участие в играх.

Какое облегчение – находиться рядом с ним. Их связывали общие интересы, общие друзья. Время летело. Он отвез ее домой и уже хотел распрощаться, но Тана пригласила его что-нибудь выпить у нее дома. Он был удивлен, насколько прелестен ее маленький изящный домик и как хорошо она его обставила. Это казалось раем. Хотелось растянуться перед камином и остаться так хоть ненадолго.

– Я счастлива здесь. – Это было правдой, когда она

бывала одна. Только присутствие Джека создавало неудобства. Но сейчас, когда здесь сидел Расс, это было просто идеально. Расс разжег камин, а Тана налила ему стакан красного вина. Они снова дружески разговаривали о своих семьях, о жизни каждого из них. Она узнала, что он десять лет назад потерял жену и что у него две замужние дочери.

— Но, по крайней мере, я еще пока не дед! — улыбнулся ей Рассел Карвер. — Бет учится в архитектурном колледже в Йеле, а ее муж изучает юриспруденцию. Ли — модельер в Нью-Йорке. Они просто прелесть, я горжусь ими... но иметь внуков... — он чуть не застонал, а Тана улыбнулась ему. — Я еще не готов к этому.

— Вы никогда не хотели еще раз жениться? — Тане было любопытно узнать это. Он оказался интересным человеком.

— Нет. Я полагаю, что не встретил никого, настолько заслуживающего внимания. — Он огляделся, затем посмотрел на нее. — Вы знаете, как это бывает. Привыкаешь к своему образу жизни, чувствуешь себя комфортно. Очень трудно все изменить из-за кого-нибудь.

Она улыбнулась:

— Полагаю, я и сама никогда серьезно не пыталась. Не очень-то храбро с моей стороны, конечно. — Теперь Тана иногда сожалела об этом, и если бы Джек выкручивал ей руки, настаивая на женитьбе, прежде чем все у них начало разваливаться... — Замужество всегда до чертиков меня пугало.

— Оно и понятно. Это безусловно очень сомнительное предприятие. Но когда это срабатывает — тогда все просто чудесно. — Глаза его заблестели. Было легко догадаться, что он прожил счастливую жизнь со своей женой. — У меня о моем браке только хорошие воспоминания. — Они оба понимали, что это также затрудняет вступление в новый брак. — А мои девочки просто потрясающие. Вам надо как-нибудь с ними познакомиться.

— Я бы очень этого хотела.

Они еще несколько минут поговорили, он допил свое вино и ушел. Тана вернулась к своим книгам, которые он помог ей принести домой, в ее уютный кабинетик. Она работала до глубокой ночи, а на следующий день, увидев посыльного с конвертом в руке, Тана рассмеялась. Расс написал ей льстивое письмо, так похожее на ее собственное, отправленное ему после введения ее в должность. Она позвонила ему, и они вместе повеселились. Этот разговор был куда легче разговора с Джеком, который состоялся позднее в тот же день. Джек снова вышел на тропу войны, они сражались за свои планы на выходные, так что в конце концов она вовсе отказалась от этих планов. Всю субботу мирно просидела одна в своем доме, рассматривая старые фотографии, когда раздался звонок в дверь. Рассел Карвер стоял на пороге с букетом роз, виновато глядя на нее.

– Я поступаю ужасно бестактно и заранее прошу прощения. – Он был красив в твидовом пиджаке и свитере с высоким воротом. Тана восхищенно улыбнулась ему.

– Никогда раньше не слышала, что приносить кому-то розы – бестактность.

– Это компенсация за вторжение без предупреждения, что действительно бестактно. Но я думал о вас, а дома у меня нет вашего номера телефона. Думаю, он не зарегистрирован, поэтому я решил попытать счастья... – он хитро улыбнулся.

Тана жестом пригласила его войти.

– Мне было совершенно нечем заняться, поэтому я в восторге, что вы пришли...

– Я был уверен, что вы уехали куда-нибудь, и удивлен, что застал вас дома.

Тана налила ему вина, они сели на кушетку.

– Вообще-то у меня были планы на выходные, но я отказалась от них.

Отношения с Джеком стали невыносимыми, и она не знала, что делать. Рано или поздно придется все как-то уладить или отказаться от этих попыток. Но сейчас Тана не хотела думать об этом. Все равно он сейчас далеко.

– Я рад, что вы отказались от своих планов, – Расс улыбнулся ей. – Не хотите поехать со мной в Баттерфилд?

– На аукцион? – Она была заинтригована.

А полчаса спустя они уже бродили среди антиквариата и произведений восточного искусства, болтая о самых разных вещах. У него был какой-то легкий подход ко всему, и это снимало напряжение. Кроме того, у них почти на все были одинаковые взгляды. Тана даже попыталась рассказать ему о матери.

– Думаю, прежде всего своим отвращением к замужеству я обязана именно ей. Все время я думала о том, как она сидит там одна, ожидая его звонка... – Даже сейчас ей были ненавистны эти воспоминания.

– Тем больше причин выйти замуж и обрести надежную уверенность.

– Но я же знала, что к тому времени он уже обманывал свою жену. Я ни за что не хотела бы быть на месте любой из этих женщин... ни моей матери, ни его жены.

– Это, должно быть, было тебе очень тяжело, Тана, – он сочувствовал ей во многих случаях. И она в тот вечер, во время прогулки по Юнион-стрит, рассказала ему о Гарри: об их дружбе, о школьных годах, о госпитале, и как ей теперь одиноко без него. Слезы выступили на ее глазах от этих воспоминаний, и, когда она посмотрела на Расса, ее лицо выражало какую-то нежность.

– Должно быть, он был прекрасным человеком.

Голос его тронул ощутимой, почти физической лаской, и Тана благодарно улыбнулась ему.

– Более чем. Это был мой лучший друг. Самый лучший на свете. Он был замечательный, даже когда умирал, успел что-то дать каждому, кусочек себя... какую-то часть своей души... – Она снова взглянула на Расса. – Хотелось бы мне, чтобы вы знали друг друга при его жизни.

– Мне тоже, – нежно посмотрел он на Тану. – Вы были в него влюблены?

Она отрицательно покачала головой, а затем рассмеялась, вспомнив:

– Он был пылко влюблен в меня в школьные дни, когда мы были детьми. Но Аверил была для него идеальной женой.

– А вы, Тана? – Рассел Карвер испытующе смотрел

на нее. – Кто же был вашим идеалом? Кто в вашем сердце? Кто любовь всей вашей жизни?

Это был нелепый вопрос, но он чувствовал, что кто-то все-таки был. Просто немыслимо, чтобы такая девочка была ничьей. Здесь была какая-то тайна, и он не мог найти разгадки.

– Никто, – она улыбнулась ему. – Некоторые успехи... некоторые поражения... главным образом, не те люди. У меня было не много времени на это.

Он кивнул. Это-то было ему понятно.

– Приходится платить за то, что ты имеешь. Иногда это место оказывается очень одиноким. – Ему было интересно, так ли это в ее случае, но, казалось, она была согласна с ним. Он хотел знать, кто был в ее жизни теперь, и прямо об этом спросил.

– В последние несколько лет я встречалась кое с кем, даже более того, полагаю. Мы какое-то время жили вместе. И до сих пор еще встречаемся, – задумчиво улыбнулась она и посмотрела в темные глаза Расса. – Но теперь все как-то не так, как раньше. «Цена, которую платишь», как вы выразились. Все начало рушиться еще в прошлом году, когда я получила назначение на должность судьи... а потом умер Гарри... все это оставило слишком много болезненных следов.

– Это серьезная связь? – он смотрел сочувственно и заинтересованно.

– Так было довольно долго, но теперь похоже на поступь хромой клячи. Думаю, мы теперь вместе только из лояльности.

– Так вы все еще вместе? – он внимательно наблюдал за нею. Тана кивнула. Они с Джеком вообще-то никогда не считали, что все кончено. Во всяком случае, пока, хотя никто из них не знал, что принесет им будущее...

– Мы оба живем настоящим. В течение долгого времени это нас устраивало. Одна и та же философия. Никакого брака и никаких детей. И пока мы оба соглашались с этим, это прекрасно срабатывало.

– А теперь? – Большие темные глаза проникали в ее душу, а она смотрела на него не отрываясь, вдруг ощутив жгучую жажду его рук, губ, его прикосновения. Он был самым привлекательным из встречавшихся ей мужчин. Однако ей пришлось тут же упрекнуть себя. Она все еще принадлежала Джеку... разве нет? Больше она не была в этом уверена.

– Я не знаю. Все так изменилось со смертью Гарри. Кое-что из того, что он сказал, заставляет меня пересмотреть всю мою жизнь, – она сурово посмотрела на Расса. – Я имею в виду – действительно ли это то самое? Вот это и есть все? Жизнь продолжается... и моя работа. С Джеком или без него...– Расс понял, кого она подразумевает. – И что – это все? Может быть, я хочу от будущего большего, чем только это. Я никогда ничего подобного не чувствовала, и вдруг теперь – да! По крайней мере, я задумываюсь иногда об этом.

– Думаю, вы на верном пути.

Он казался очень искушенным и мудрым и в каком-то смысле напомнил ей Гаррисона.

– Именно так сказал бы Гарри, – улыбнулась ему Тана, а потом вздохнула: – Кто знает, может быть, это ничего и не значит. Вдруг – все кончено, и что потом? Кого тревожит, что тебя больше нет?..

– Тогда только это и имеет смысл, Тана. Но я чувствовал то же самое после смерти жены десять лет назад. Очень трудно привыкнуть к такому, это подчеркивает грубую реальность того, что однажды мы тоже должны посмотреть смерти в лицо. Все считается, каждый год, каждый день, любые отношения. Если ты попусту растрачиваешь их или несчастлив в том положении, в каком находишься, однажды ты проснешься – и пора платить по счету! Так же, как в какие-то промежутки времени чувствуешь себя счастливым, имея то, что имеешь. – Он немного помолчал, потом взглянул на нее. – Ну а как с этим у вас?

– Счастлива ли я? – Она долго колебалась, потом взглянула на него. – В моей работе – да.

– А остальное?

– Как раз сейчас не очень. Это трудное время для нас.

– Выходит, я навязываюсь? – Он хотел знать все, но иногда так трудно было ему отвечать.

Тана покачала головой и посмотрела в эти карие глаза, которые уже хорошо знала.

– Нет. Вы – нет.

– Вы все еще встречаетесь со своим другом... ну, с которым вы жили вместе некоторое время? – Он улыбался ей и выглядел очень умудренным и взрослым. С ним Тана чувствовала себя почти ребенком.

– Да, я все еще вижусь с ним время от времени.

– Я хотел знать, как у вас обстоят дела.

Она собралась спросить, чем вызван такой интерес, но не осмелилась. Вместо этого он привез ее в свой дом и показал ей все. У нее перехватило дыхание с самого первого момента, как только они вошли в холл. Ничто в этом человеке не указывало на такое богатство. Он был прост, легок в обращении, скромно одет. Но, увидев, где он живет, можно было понять, что это за человек. Дом его был на Бродвее, в последнем квартале перед Президио, с маленьким, заботливо ухоженным двориком. Мраморный вестибюль, темно-зеленый со сверкающей белизной, высокие мраморные колонны, комод в стиле Людовика XV с мраморной крышкой и серебряный поднос для визитных карточек, позолоченные зеркала, паркетный пол, атласные занавески до самого пола. На первом этаже был расположен ряд изящно оформленных приемных. Второй этаж был более уютным, с огромными хозяйскими покоями, чудесной библиотекой, обитой деревянными панелями, уютным маленьким кабинетом с мраморным камином, а наверху – детские комнаты, которые теперь пустовали.

– Сейчас уже не имело бы смысла сохранять все это, но я так долго живу здесь. Мне ненавистна сама мысль о переезде...

Тане ничего другого не оставалось, как только расхохотаться, посмотрев на него:

– Думаю, что после увиденного я просто спалю свой дом.

Но она тоже чувствовала себя счастливой здесь. Это

был другой мир, другая жизнь. Ему это было по карману, ей – нет. Теперь она вспомнила слухи о том, что у него приличное собственное состояние, знала, что раньше в течение нескольких лет он владел процветающей юридической компанией. Этот человек хорошо потрудился в жизни и многого достиг. Рассу нечего было опасаться с ее стороны. В материальном смысле Тана ничего от него не хотела. Он гордо демонстрировал ей одну комнату за другой: бильярдную и гимнастический зал внизу, набор ружей для утиной охоты. Это был цельный человек, разносторонний и увлеченный. Когда они снова поднялись наверх, он обернулся к ней, взял ее за руку и нежно улыбнулся.

– Я очень увлечен вами, Тана... Я очень хотел бы чаще видеться с вами, но сейчас не хочу осложнять вашу жизнь. Прошу вас, скажите мне, когда будете свободны.

Она кивнула, совершенно очарованная всем, что увидела и услышала. Чуть позже он отвез ее домой, и она сидела в гостиной, уставившись в пылающий камин. Расс был человеком, о которых читаешь в книгах или видишь в журналах. И вдруг – вот он, на пороге ее жизни, говорит, что он ею увлечен, приносит розы, гуляет с ней по Баттерфилду. Она не знала, что ей с ним делать, но одно было ясно: она тоже увлечена им.

Все это осложнило отношения с Джеком в следующие несколько недель. Тана пыталась провести несколько ночей в Тибуроне, будто заглаживая какую-то вину. Но она ни о чем, кроме Расса, не могла думать, и особенно когда они с Джеком занимались любовью. Она становилась с ним такой же раздражительной, как и Джек с ней. К Дню Благодарения она превратилась в комок нервов. Расс уехал на Восток навестить свою дочь Ли. Он приглашал ее поехать вместе с ним, но это было бы непорядочно с ее стороны. Тана должна была разрешить ситуацию с Джеком, но ко времени наступления праздников она впадала в истерику даже от мысли о Джеке. Единственное, чего она хотела, – быть с Рассом, вести тихие спокойные разговоры, подолгу прогуливаться по Президио, делать набеги на антикварные лавки, картинные галереи, проводить долгие часы за обедом в крошечных кофейнях и ресторанах. Он привнес в ее жизнь что-то такое, чего никогда в ней не было и о чем она так тосковала теперь. Какая бы проблема ни возникала, теперь Тана звонила Рассу, а не Джеку. Джек только рычал на нее. В нем все еще жило желание проучить ее, а теперь это было так утомительно. Она не чувствовала за собой такой уж вины, чтобы до сих пор мириться с этим.

– Но почему ты все еще связана с ним? – однажды спросил Расс.

– Я не знаю, – Тана с несчастным видом таращилась на него за обедом, перед тем как суд должны были распустить на каникулы.

– Может быть, внутренне ты связываешь его с твоим умершим другом? – Мысль была для Таны неожиданной, но она подумала, что вполне возможно. – Ты любишь его, Тэн?

– Нет, это не то... Это просто привычка... Мы так долго вместе.

– Это не объяснение. Из того, что ты говоришь, ясно, что ты несчастна с ним.

– Я знаю. Это какое-то сумасшествие. Может быть, потому, что это было как-то надежно.

– Почему? – Он иногда был жесток с ней, но это шло ей на пользу.

– Мы с Джеком всегда хотели одного и того же: никакого покушения на свободу действий, никакого брака, никаких детей...

– Ты и теперь этого боишься?

Тана глубоко вздохнула и уставилась на него, выдавив:

– Да... думаю, что да...

– Тана, – он взял ее за руку. – Ты боишься меня?

Она медленно покачала головой. Потом он произнес то, что она больше всего хотела услышать и чего боялась. Она хотела этого с первой же встречи, с тех пор, как впервые посмотрела в его глаза.

– Я хочу жениться на тебе. Ты знаешь это?

Она отрицательно помотала головой, потом остановилась и кивнула. Оба засмеялись, Тана со слезами на глазах.

– Не знаю, что и сказать.

– Тебе и не надо ничего говорить. Я просто хотел все прояснить для тебя. А ты теперь должна прояснить другую ситуацию, для твоего же собственного спокойствия, независимо от того, что ты решишь о нас.

– А твои дочери? Они не будут возражать?

– Это моя жизнь, а не их, разве нет? Кроме того, они чудные девочки, и нет никакой причины, чтобы они мешали моему личному счастью.

Тана кивнула. У нее было такое чувство, словно все происходит во сне.

– Ты это серьезно?

– Как никогда в жизни, – он смотрел ей в глаза и не отпускал ее взгляда. – Я очень тебя люблю.

Он же еще ни разу даже не поцеловал ее. Тана просто таяла под его взглядом, она вся тянулась к нему. А когда они вышли из ресторана, он нежно привлек ее к себе и поцеловал в губы. Тана почувствовала, что ее сердце сейчас расплавится, пока он держал ее в объятиях.

– Я люблю тебя, Расс, – оказалось вдруг, что ей так легко произнести это. – О, я так тебя люблю.

Она смотрела на него снизу вверх со слезами на глазах, а он улыбался ей с высоты своего роста.

– Я тоже люблю тебя. Ну а теперь будь хорошей девочкой и исправь свою жизнь.

– Это не займет много времени.

Они медленно пошли к Сити-Холл. Ей нужно было вернуться на работу.

– Вот и хорошо. Дня два хватит? – Оба засмеялись. – Мы могли бы поехать на каникулы в Мехико.

Тана съежилась от страха. Она уже обещала Джеку поехать с ним кататься на лыжах. Но надо же было что-то делать, прямо сейчас.

– Дай мне время до начала нового года, и, обещаю, я все исправлю!

– Тогда, может быть, мне поехать в Мехико одному? – он задумчиво нахмурил брови. Тана с беспокойством взглянула на него. – О чем ты беспокоишься, малышка?

– Что ты еще в кого-нибудь влюбишься.

– Тогда поторопись. – Расс рассмеялся, снова поцеловал ее, прежде чем она вошла в здание суда.

И всю вторую половину дня Тана сидела на судейской скамье со странным выражением в глазах и блуждающей улыбкой на губах. Она не могла ни на чем сосредоточиться, а когда встретилась этим вечером с Джеком, у нее перехватывало дыхание при всяком взгляде на него. Он хотел знать, есть ли у нее лыжная экипировка. Уже был арендован коттедж, и они собирались ехать с друзьями. Вдруг, где-то в середине вечера, она вскочила и посмотрела на Джека.

– Что происходит, Тэн?

– Ничего... Все... – Она зажмурилась. – Мне надо идти.

– Сейчас? – Он был взбешен. – Обратно в город?

– Нет. – Она села и заплакала. С чего же начать? Что она могла сказать? В конце концов, он сам ее оттолкнул, не принимая ее работу и ее успех, ее горечь, своим нежеланием связывать себя. Сейчас она жаждала того, чего он не хотел и не мог ей дать. Тана знала, что поступает правильно, но это было так трудно. Она в отчаянии пристально смотрела на Джека, уверенная в правильности того, что сейчас делает. Она почти ощущала присутствие Расса рядом с ней и Гарри с другой стороны, подбадривающих ее. – Я не могу.

Она все еще смотрела на Джека, а он в изумлении уставился на нее.

– Не можешь – что? – Он был озадачен. Не было никакого смысла в таком поведении Таны. И это было так не похоже на нее.

– Не могу больше так продолжать все это.

– Почему нет?

– Потому что это не дает ничего хорошего нам обоим. Весь последний год ты измывался надо мной, а я была так несчастна... – Она встала и зашагала по комнате, разглядывая привычные вещи. Этот дом был ее частью целых два года, а теперь казался чужим. – Я хочу большего, Джек.

– О господи! – Он сел, взбешенный. – Ну, и чего же большего?

– Чего-нибудь постоянного, как это было у Гарри и Аверил.

– Сколько раз тебе говорить: ты никогда не найдешь ничего подобного. Они – это они. А ты не Аверил, Тэн.

– Это не причина, чтобы отказываться. Я все еще хочу, чтобы кто-то был моим до конца моей жизни, кто захочет встать перед богом и людьми и взять меня до конца моих дней.

Джек в ужасе смотрел на нее:

– Ты хочешь, чтобы я женился на тебе? Я думал, мы все давно обговорили и пришли к соглашению...

Он выглядел до смерти перепуганным, но Тана покачала головой.

– Успокойся. Мы действительно когда-то пришли к такому соглашению. Это совсем не то, чего я хочу от тебя, Джек. Я хочу свободы. Думаю, что пришло время.

Он хранил долгое-долгое молчание: он тоже знал это, но тем не менее это было болезненно. И это испортило его планы на праздник.

Он посмотрел на нее:

– Вот почему я уверен в том, что делаю. Потому что рано или поздно всему приходит конец. И так гораздо легче. Я упакую свои вещи, ты – свои, мы скажем друг другу «до свидания», немного пострадаем. Но, по крайней мере, мы никогда не лгали друг другу и не тащим за собой хвост детишек.

– Я даже не уверена, что это было бы так уж страшно. В конце концов, мы же оба знаем, как дороги были друг другу. – Тана была опечалена, как будто она потеряла кого-то очень дорогого ей, да так оно и было. Он был дорог ей долгое время.

– Мы очень дорожили друг другом, Тэн. И это было хорошо. – В его глазах стояли слезы. Он подошел к ней и сел рядом. – Если бы я был уверен, что поступаю правильно, я женился бы на тебе.

– Для тебя это не было бы правильным, – Тана взглянула на него.

– В любом случае, Тэн, ты никогда не будешь счастлива в браке.

– Ну почему нет? – Ей не хотелось, чтобы он так говорил. Не сейчас. Нет, не сейчас, когда за спиной стоит Расс, жаждущий жениться на ней. Это звучало как проклятие. – Ну почему ты так говоришь?

– Да потому, что ты не тот тип женщины. Ты слишком сильная. И вообще, тебе не надо выходить замуж. – Джек горько улыбнулся. – Ты повенчана с юстицией. Вот это твоя всепоглощающая любовная связь.

Она знала, что сильнее его. Но понимать это Тана стала недавно, главным образом с тех пор, как познакомилась с Рассом. Он так отличался от Джека! Расс был намного сильнее любого из тех, кого она знала до него. И сильнее, чем она сама. Гораздо сильнее.

– А что, нельзя иметь и то, и другое?

– Некоторые могут. Ты – нет.

– Я так сильно обидела тебя, Джек? – Она горестно посмотрела на него, а он улыбнулся, встал, открыл бутылку вина и протянул ей бокал.

У Таны возникло чувство, что она никогда не знала этого человека. Все было так мелочно, так горько. В нем не было ничего глубокого, и она теперь дивилась, как могла так долго оставаться с ним. Но это же ей подходило когда-то! Ей и не хотелось никакой глубины все эти годы. Она так же, как и он, хотела быть независимой. Только теперь она повзрослела. И как бы ни пугало ее предложение Расса, она хотела этого, хотела больше всего на свете, как ничего не хотела до сих пор. Тана посмотрела в глаза Джеку и улыбнулась ему. Он провозгласил тост:

– За тебя, Тэн! Удачи!

Она выпила и тут же, поставив бокал, посмотрела на него.

– А теперь я ухожу.

– Да-а. Позвони как-нибудь.

Он повернулся к ней спиной, а она почувствовала

такую боль, будто ее пронзили ножом. Она хотела броситься к нему, но было слишком поздно. Тана прикоснулась к его спине и прошептала два слова:

– До свидания.

А потом она с невероятной скоростью мчалась домой; потом приняла ванну и вымыла голову, как будто смывала все разочарования и слезы. Ей было тридцать восемь. Она все начинала заново. Но на этот раз так, как никогда раньше, и с таким мужчиной, каких не встречала до него. Она подумывала о том, чтобы позвонить ему в тот же вечер, но ее мысли все еще были заняты Джеком. Вдруг она испугалась говорить Рассу, что свободна. Она так ничего и не говорила ему до самого обеда в день его отъезда в Мехико. А во время обеда вдруг посмотрела на него и загадочно улыбнулась.

– Чему ты радуешься, шутница?

– Просто жизни, полагаю.

– И это тебя забавляет?

– Иногда... Я... э-э... м-мм... – Он смеялся над ней, а она вспыхнула от возмущения. – Ох, черт! Не осложняй мне все.

Он взял ее за руку и улыбнулся:

– Что же ты порываешься сказать?

Он никогда раньше не видал ее такой начисто лишенной красноречия.

Тана набрала побольше воздуха:

– Я все уладила на этой неделе.

– С Джеком? – Он был поражен, когда она кивнула, застенчиво улыбаясь. – Так быстро?

– Но это не могло больше продолжаться. Я бы не выдержала.

– Он очень огорчился? – Расс выглядел обеспокоенным.

Тана кивнула, взгрустнув на минутку.

– Да. Но он ни за что не признался бы в этом. Он любит, чтобы все получалось легко и свободно. – Она прерывисто вздохнула и добавила: – Он говорит, я никогда не буду счастлива, за кого бы ни вышла замуж.

– Вот это мило! – Расс улыбнулся и не выказал никакой обеспокоенности. – Переезжая, спали дом дотла. Таков древний обычай некоторых мужчин. Поверь мне, все это яйца выеденного не стоит. Я воспользуюсь случаем. Спасибо. – Расс сиял, почти в экстазе.

– Ты все еще хочешь жениться на мне? – Она не могла поверить, что все это происходит с ней, и на минутку... только на минутку... возник соблазн сбежать обратно в прежнюю жизнь. Но прошлого она больше не хотела – хотела того, что сейчас... И его... Она хотела и выйти замуж, и продолжать карьеру, как бы это ее ни пугало. Нельзя упускать такой шанс. Теперь Тана была готова. Это заняло у нее много-много времени, но она пришла к этому и гордилась собой.

– А как ты думаешь? Конечно, хочу. – Он мгновенно ее убедил, глаза его улыбались ей.

– Ты уверен?

– А ты? Это более важно.

– Может, мы немного поговорим об этом? – Тана вдруг занервничала при этой мысли, а Расс смеялся над ней.

– Как долго? Полгода? Год? Десять лет?

– Лучше пять... – Она засмеялась тоже, а потом взглянула на него. – Ты не хочешь детей, не правда ли? – Она не заходила так далеко. Она слишком стара для этого, но Расс только покачал головой и подмигнул.

– Ты беспокоишься обо всем, правда? Нет, я не хочу детей. В следующем месяце мне стукнет пятьдесят, и у меня уже есть двое. Но нет, я не буду стерилизоваться, благодарю покорно. Однако я сделаю все, что ты хочешь, чтобы гарантировать, что не обрюхачу тебя. Ладно? Хочешь, чтобы я подписался кровью?

– Да! – Они засмеялись.

Расс оплатил счет, они вышли из ресторана. Он держал ее так, как ни один мужчина в жизни, проникая прямо в душу и сердце. Никогда раньше Тана не была так счастлива. Вдруг он взглянул на часы и быстро потащил ее к машине.

– Что ты делаешь?

– Нам надо успеть на самолет.

– Нам? Но я не могу... я не...

– Твой суд распущен на каникулы?

– Да, но...

– Паспорт в порядке?

– Я... да... Думаю, да...

– Мы все проверим, когда я доставлю тебя домой... Ты летишь со мной. Свадьбу можно спланировать там... Я позвоню девочкам... Как насчет февраля?.. Скажем, через шесть недель? Валентинов день? Достаточно жестко для тебя, Тэн?

Он сошел с ума, и она была без ума от него. В тот вечер они попали на рейс в Мехико и провели там божественную неделю, впитывая солнце и наконец занявшись любовью. Он ждал, пока она навсегда покончит с Джеком. А когда они вернулись, он купил ей обручальное кольцо. Они оповестили всех друзей. Джек позвонил, когда узнал о событии из газет. То, что он сказал, задело ее за живое.

– Так-так. Вот, значит, как обстоят дела? Вот из-за чего весь сыр-бор. Почему ты не сказала мне, что трахаешься с кем-то еще? Тоже мне справедливость! Должно быть, для тебя это еще один шаг наверх.

– Это гнусно, то, что ты говоришь... И я не трахалась с ним.

– Рассказывай сказки кому-нибудь другому. Да, мне пришло в голову, – он горько рассмеялся, – расскажи это судье.

– Ты сам знаешь, что всю свою жизнь был так чертовски занят тем, чтобы не влипнуть с кем-нибудь в историю, что теперь не можешь отличить собственную задницу от любой дырки в земле!

– По крайней мере, я знаю, кто одурачил меня, Тэн.

– Я не дурачила тебя.

– А что же ты делала, трахаясь с ним во время обеда? Или до шести вечера не считается?

Тана бросила трубку, сожалея, что все кончилось так безобразно. Она написала также Барбаре, объяснив, что ее брак с Рассом был скоропалительным, но что он прекрасный человек. Когда Барбара приедет навестить отца в следующем году, двери дома Таны всегда открыты для нее, как прежде. Она не хотела, чтобы девочка подумала, что ее отвергли. И как же много всего еще надо было сделать! Она написала Аверил в Лондон. А когда Тана позвонила матери, у той чуть не случился сердечный приступ.

– Ма, ты сидишь?

– О, Тана, с тобой что-то случилось? – Мать была на грани истерики. Ей было всего шестьдесят, но по умственному развитию казалось вдвое больше. Артур совсем одряхлел в свои семьдесят четыре, что тоже очень тяжело на ней сказывалось.

– Это кое-что очень приятное, мама. Нечто, чего ты ожидала долгие-долгие годы.

Джин слепо уставилась на противоположную стену, сжимая трубку.

– Не могу даже представить, что это такое.

– Через три недели я выхожу замуж...

– Ты... Что? За кого? За того мужчину, с которым жила эти годы?

Она никогда не ставила его слишком высоко, но пора уже было им занять подобающее место в мире. Особенно теперь, когда Тана стала судьей. Но Джин была в шоке.

– Нет. За другого. Он судья в апелляционном суде. Его имя Рассел Карвер, ма. – Она продолжала рассказывать все остальное, и Джин плакала, и улыбалась, и хохотала, и снова плакала.

– О, дорогая... Я так долго ждала этого.

– Я тоже, – Тана сама и смеялась, и плакала. – Но ожидание стоило того, ма. Подожди, пока увидишь его. Ты приедешь на свадьбу? Мы женимся 14 февраля.

– Валентинов день... О, как прелестно... – Это все еще смущало Тану и смешило их с Рассом. – Я бы не пропустила такое событие ни за что на свете. Правда, боюсь, Артур не сможет приехать из-за его состояния, так что я не смогу остаться надолго.

Джин нужно было предусмотреть тысячи мелочей до

отъезда, и она еле могла дождаться, когда освободится от телефонного разговора. Энн только что вышла замуж в пятый раз, да кого это теперь волновало? Тана выходит замуж! И за кого – за судью апелляционного суда! И она сказала, что он еще и красив! Джин слонялась по дому остаток вечера в полной прострации. А ей надо завтра съездить в город к «Саксу». Необходимо купить платье... нет, костюм... Она все еще не верила, что наконец это случилось. Всю ночь Джин шепотом молилась.

Глава 18

Свадьба была безупречно прекрасной. Они сыграли ее в доме Расса. Пианино и две скрипки играли что-то изящное из Брамса, когда Тана медленно спускалась по ступеням в простом платье из белоснежного крепдешина. Ее светлые волосы были распущены и покрыты широкополой очень красивой шляпкой с легким намеком на вуаль. Атласные туфельки были цвета слоновой кости. Присутствовало около сотни человек. Джин стояла в уголке и почти весь день проплакала от избытка чувств. Она купила прелестный бежевый костюм от Живанши и выглядела такой гордой, что у Таны каждый взгляд на нее вызывал слезы.

– Ты счастлива, любовь моя? – Расс так смотрел на Тану, что сердце ее готово было вырваться из груди.

Казалось невероятным, что именно ей так повезло: найти такого мужчину, и она никогда даже в самых смелых мечтах не могла представить всего того, что получила от него и вместе с ним. Как будто она была рождена для него. Тана поймала себя на мыслях о Гарри, когда шла к алтарю. «Ну, старая задница? И как я тебе теперь?» Она улыбалась сквозь слезы. «Ты все сделала великолепно!» Она знала, что Гарри безумно полюбил бы Расса, и эта любовь была бы взаимной. Она просто чувствовала Гарри рядом. Гаррисон и Аверил прислали телеграмму.

Дочери Расса с мужьями были здесь. Обе они были стройными, привлекательными, приятными женщинами. Их мужья тоже понравились Тане. Эту четверку очень легко было полюбить. Они, в свою очередь, от души приветствовали ее. Ли особенно тепло приняла Тану в качестве мачехи, хотя разница в возрасте составляла всего двенадцать лет.

– Слава богу, у него хватило ума подождать, пока мы вырастем, прежде чем снова жениться, – смеялась Ли. – Во-первых, в доме теперь в тысячу раз спокойнее и тише, а во-вторых, вам не придется возиться с нами. Он так долго был один. Мы с Бет чертовски рады, что вы вышли за него замуж. Мне было ненавистно думать, как он одинок в этом доме.

Она была слегка сумасбродна, но одета удивительно красиво, по своей собственной модели. Она была явно без ума от Расса и как сумасшедшая любила своего мужа. Бет тоже очень любила всю семью. Вся группа выглядела просто идеально. Когда Джин посмотрела на них, она вдруг почувствовала благодарность, что Тана в свое время не сглупила и не запала на Билли, когда сама Джин толкала ее на это. Ну до чего же разумна была Тана, молодец, что дождалась этого исключительного мужчину. И что за жизнь! Этот дом был самым роскошным из всех когда-либо ею виденных. И ее Тана чувствовала себя абсолютно свободно с дворецким и горничной, которые уже много лет служили у Расса. Она плавно переходила из комнаты в комнату, развлекая его друзей. Гости обращались к ней «Ваша честь», а кто-то еще прочел шутливые стихи о судье-женщине и судье-мужчине.

Это был удивительный вечер. Потом Тана и Расс уехали в Мехико, через Ла Джолла и Лос-Анджелес, провести медовый месяц. Тана взяла на работе месячный отпуск, а когда вернулась, ее новая фамилия каждый раз вызывала у нее улыбку. Судья Тана Карвер... Тана Карвер... Тана Робертс Карвер... Она везде добавляла его фамилию. Нет, эти феминистские заскоки не для нее! Она ждала его тридцать восемь лет, почти тридцать девять, и сопротивлялась браку почти два десятилетия, и если уж сейчас она в него погрузилась, надо извлекать из этого все выгоды! Каждый вечер она возвращалась домой умиротворенная и счастливая от встречи с ним. Настолько, что Расс даже подшутил над ней как-то ночью:

– Когда же ты начнешь вести себя как настоящая жена и ворчать на меня, хоть немножко?

– Думаю, я забыла, как это делается.

Он улыбнулся ей, и они снова заговорили о ее доме. Она подумывала сдать его в аренду. Он был такой прелестный, что ей не хотелось продавать его. Однако она знала, что никогда больше не будет в нем жить.

– Может быть, следует его просто продать, в конце концов?

– А что, если я арендую его у тебя для Бет и Джона, когда они вернутся домой?

– Это было бы восхитительно, – улыбнулась она. – Дай подумать... Ты можешь получить его за два поцелуя и... путешествие в Мехико...

Он засмеялся, и наконец они решили оставить дом, сдав его в аренду. Тана была как никогда счастлива. Это был один из тех редких периодов времени, когда все в полном порядке, все идет так, как тебе хочется. И вдруг однажды она на полном скаку столкнулась с кем-то. Она торопилась из зала заседаний на обед с Рассом и неожиданно обнаружила, что стоит лицом к лицу с Дрю Лэндсом. У него сделалось такое лицо, будто кто-то плеснул нефтью на газон перед его домом, когда увидел, с кем столкнулся. Они постояли, дружески болтая, пару минут. Просто невероятно было осознавать, сколько боли он ей причинил когда-то. Глядя на него теперь, она едва могла представить себе это. Гораздо более поразительно было обнаружить, что Джулии было уже восемнадцать, а Элизабет – двадцать два.

– Великий боже, неужели это было так давно?

– Должно быть, так, Тэн, – его голос звучал ровно. Вдруг она почувствовала раздражение. По его глазам Тана видела, что он уже загорается надеждой, для нее неприемлемой, причем давным-давно. – Мы уже шесть лет в разводе с Эйлин.

Да как он смеет говорить ей это... как он посмел развестись после того, как причинил Тане столько боли!

– Это просто ужасно, – ее тон был холоден. Ей вдруг стало неинтересно, что он там говорит. Она не хотела опаздывать к Рассу. Она знала, что Расс работает над очень важным делом.

– Эй, полагаю, если... может быть, мы могли бы иногда видеться. Я живу теперь в Сан-Франциско...

Она улыбнулась ему:

– Мы были бы рады как-нибудь повидаться с тобой. Но сейчас мой муж просто похоронил себя заживо в огромном деле. – Ее улыбка была почти злорадной, она помахала ему на прощание с какими-то ничего не значащими словами и исчезла.

А Расс увидел торжество в ее глазах, все еще переполнявшее ее, когда они встретились за обедом в «Хейс-Стрит-Гриле». Это было одно из их любимых убежищ. Тана часто встречалась здесь с Рассом, чтобы поцеловаться за столиком в углу и счастливо посидеть в объятиях друг друга, в то время как посетители улыбались им.

– Что же тебя так обрадовало? – Он очень хорошо ее знал.

– Ничего... – Однако у нее не было секретов от Расса, не могла она хранить и этот. – Я только что столкнулась с Дрю Лэндсом, впервые за семь лет. Какой же он мерзавец! Думаю, он всегда был таким, маленький кусок жидкого дерьма.

– Ай-яй-яй! Что же такого он натворил, чтобы заслужить столько эпитетов?

– Это тот самый женатик, о котором я тебе рассказывала...

– А-а! – Расс веселился, видя огонь в ее глазах. Он знал, что ни в коем случае она никогда ни на кого его не променяет, не потому, что так уж был уверен в себе, а потому что верил в ту любовь, которая их соединяет. Такая любовь – большая редкость в жизни. Он был благодарен судьбе за нее. Никогда ни с кем не было у него ничего похожего.

– И знаешь что? Он в конце концов развелся со своей женой!

– Этого следовало ожидать, – улыбнулся он. – А теперь он снова хотел приударить за тобой, так?

Она засмеялась:

– Я сказала ему, что мы были бы рады как-нибудь увидеться с ним, и смоталась.

– Ты маленькая стервочка. Но все равно я люблю тебя. Как прошел день в суде?

– Неплохо. Мне предстоит интересное дело. Промышленный ущерб. Оно будет запутанным, но возникнут некоторые интригующие моменты и технические проблемы. А как продвигается твой монстр?

Он улыбнулся ей:

– Я таки загоню его обратно в клетку. И, – он как-то странно смотрел на нее почти минуту, – мне звонила Ли.

– Как она?

– Прекрасно, – он смотрел на жену, она на него. Что-то странное витало в воздухе.

– Расс, что случилось? – Тана была встревожена: он выглядел каким-то странным.

– Это случилось! Наконец-то они сотворили это со мной. Я буду дедушкой! – Он выглядел довольным и подавленным одновременно.

Тана засмеялась над ним.

– О, нет! Как она могла так поступить?

– Именно это я ей и сказал. – Потом он опять улыбнулся Тане. – Нет, ты можешь себе это представить?

– С трудом. Нам придется купить тебе седой парик, чтобы ты соответствовал моменту. Когда это произойдет?

– В январе. Очевидно, к моему дню рождения. Или на Новый год, что-то около того.

Получилось, что ребенок родился в первый день нового года. Расс и Тана решили, что будет забавно слетать в Нью-Йорк и навестить Ли. Он сгорал от нетерпения увидеть своего первого, вернее, первую: это была девочка. Расс зарезервировал место в «Шерри Незерланд», и они улетели. Счастливая Ли набиралась сил в нью-йоркском роддоме, в самой лучшей палате. Ребенок был розовым и прелестным. Рассел издал все приличествующие случаю возгласы, произвел много шума, а когда они вернулись в гостиницу, занялся любовью со своей женой с необычной страстью.

– По крайней мере, я еще на высоте. Ну, и как тебе любовь и секс с дедушкой, любимая?

– Даже лучше, чем раньше.

Однако в ее глазах было какое-то странное выражение, когда она посмотрела на него. Он моментально это заметил, затих и притянул ее к себе. Их обнаженные тела соприкасались. Он любил ощущать бархатистость ее кожи, но сейчас был обеспокоен. Временами, когда что-то имело для нее огромное значение, она замыкалась в себе. Сейчас у нее было именно такое состояние.

– Что случилось, родная? – он сказал это шепотом прямо в ухо, она повернулась к нему с удивленным выражением.

– Что навело тебя на такую мысль?

– Я тебя знаю гораздо лучше, чем ты думаешь. Ты не одурачишь старика. Во всяком случае, не такого, который любит тебя так, как я.

Она долго пыталась отрицать все, но потом, к его изумлению, сдавшись, разрыдалась. Когда она увидела счастливую Ли с ребенком, что-то переполнило все ее существо невыносимой болью, пустотой... Пустотой более жуткой, чем что-либо испытанное ею раньше. Расс сидел, глядя на нее, пораженный выплескивающимися эмоциями. Она сама была этим поражена, чуть ли не больше его. Никогда она не испытывала ничего подобного.

– Ты хочешь ребенка, Тэн?

– Я не знаю... Я никогда не бывала раньше в таком состоянии, а мне ведь почти сорок лет, я слишком стара для этого... – Но внезапно она захотела этого больше всего на свете. И тут же была застигнута врасплох воспоминанием о словах Гарри.

– Почему бы тебе не подумать об этом? Мы еще поговорим.

Весь следующий месяц видение Ли с ребенком преследовало ее. Вдруг после их возвращения домой Тане везде стали попадаться беременные женщины и грудные младенцы в колясках, буквально на каждом углу. Казалось, у всех, кроме нее, были дети... В ней поселились такая зависть, такое чувство одиночества, которые она не могла даже описать. Рассел все читал по ее лицу, но не заикался об этом вплоть до годовщины их свадьбы. Тана была резка с ним, что было ей несвойственно. Даже говорить об этом было мучительно.

– Ты говорил, что слишком стар для этого. Да и я тоже.

– Нет, если это так много для тебя значит. Сначала мне это показалось глупостью, но я мог бы это пережить. Многие заводят новые семьи в моем возрасте, даже будучи старше меня, гораздо старше, – улыбнулся он.

Расс и сам был поражен, насколько затронуло его чувства зрелище Ли с ребенком на руках, а уж когда он сам взял его на руки... Он ничего не имел бы против. А ребенок Таны заменил бы ему весь мир. Она же становилась все более и более чувствительной к этим разговорам, так что он перестал даже заикаться о ребенке. В марте они снова поехали в Мехико и замечательно отдохнули. Они плавали, ловили рыбу, валялись на пляже. Тана легко ощутила себя «туристкой» на этот раз, хотя, когда они вернулись обратно, почувствовала себя нехорошо.

– Думаю, ты слишком много работаешь.

Три недели у нее был перемежающийся грипп. Расс настаивал, чтобы она пошла наконец к врачу.

– У меня нет на это времени.

Но она чувствовала себя такой усталой и разбитой, и к тому же ее так часто тошнило, что в конце концов она обратилась к врачу. Вот тут-то Тана и получила самый большой шок в жизни. Это было именно то, чего она так отчаянно жаждала. И вот, на тебе, это случилось сейчас. Тана пришла в ужас. Да у нее просто нет времени на это! У нее важная работа. Она будет выглядеть нелепо... Она никогда не хотела этого... Расс будет недоволен ею...

Она так ужасно себя взвинтила, что до семи вечера не показывалась домой. Расс сразу понял, что произошло что-то страшное, едва взглянул на жену. Но на какое-то время оставил ее в покое, налил выпить, к обеду открыл «Шато Латур». Тана не выпила ни капли.

А когда они пошли наверх в спальню, она все еще была в напряжении, а в глазах оставалось все то же странное выражение. Он действительно очень беспокоился за нее и, как только она села, придвинулся к ней.

– Ну, хорошо, теперь расскажи мне, что же такое ужасное случилось с тобой сегодня? Ты потеряла работу или умер твой лучший друг?

Она лукаво улыбнулась и явно расслабилась, когда он взял ее за руку.

– Ты слишком хорошо меня знаешь.

– Тогда сделай одолжение и облеки меня своим доверием.

– Не могу, – она уже все для себя решила. Она не оставит ребенка.

Но Расса нелегко было одурачить. Он угрожающе повысил голос, появилась знаменитая сердитая морщинка на лбу. У нее затряслись бы поджилки, не знай она его так хорошо. Так что она только рассмеялась.

– Знаешь, когда ты смотришь так, ты можешь перепугать до смерти.

Он раздраженно засмеялся, доведенный до белого каления.

– В том-то все и дело. А теперь давай рассказывай, черт возьми! Проклятье, что с тобой происходит?

Тана долго-долго пристально смотрела на него, потом опустила глаза, снова подняла:

– Ты ни за что не поверишь, любимый.

– Ты хочешь развестись.

– Нет, ну конечно же, нет, – она улыбнулась мужу. Как бы там ни было, ему всегда удается сделать ситуацию не столь ужасной. Весь день она была в истерике, а сейчас он опять рассмешил ее.

– У тебя любовник.

– Опять не то.

– Тебя вышвырнули с работы.

– Хуже, хуже... – Она опять посерьезнела, потому что именно так воспринимала случившееся. Как она сохранит свою работу в нынешнем положении? Слезы вдруг подступили к глазам. Она взглянула на Расса. – Я беременна, Расс...

На какой-то момент все вокруг застыло, а потом он схватил ее в объятия и смеялся, смеялся, смеялся... Словом, вел себя так, будто это был повод для торжества, а не для самоубийства.

– О, любимая... Я так рад! – Он просто весь сиял, а Тана удивленно уставилась на него.

– Ты действительно рад? Я думала, ты не хочешь детей, – она была просто парализована. – Мы же договорились...

– А, это неважно. Наш ребенок будет таким прелестным... Маленькая девочка, точная твоя копия...

Никогда он не выглядел более счастливым, крепко прижимая ее к себе, тогда как Тана хмурилась с несчастным видом. Она давно хотела этого, но теперь, когда это случилось, не могла представить, что будет дальше. Все ей рисовалось в черном цвете.

– Но это же все погубит... – Она опять была готова расплакаться, а ему не терпелось успокоить ее.

– И что же это погубит?

– Мою работу, например. Ну, как я могу быть судьей с грудным ребенком?

Он рассмеялся, представив нарисованную в ее воображении картину.

– Будь практичной. Работай до дня рождения ребенка, а затем возьми полгода отпуска. Мы найдем хорошую няню, и ты вернешься на работу.

– Так просто? – Тана была потрясена.

– Это может быть так просто, как ты пожелаешь. Нет же никаких причин, по которым ты не могла бы иметь и семью, и карьеру. Иногда потребуется немного ловкости, но все можно уладить с некоторой долей находчивости.

Расс улыбался жене, и осторожно, медленно в ее глазах стала расцветать улыбка. Ну конечно, есть же надежда, что он в этом прав, а если он прав... если... Ведь это было именно то, чего она хотела больше всего на свете: она хотела иметь и то, и другое. Многие годы она была уверена, что можно обладать только одним из двух... Но она хотела большего, чем только работа. Она хотела Расса, хотела ребенка – она хотела все... И вдруг та пустота, которую она ощущала последние месяцы, эта боль ушли...

– Я так горжусь тобой, любимая.

Она посмотрела на мужа, и слезы хлынули ручьями сквозь улыбку.

– Все будет просто прекрасно, а ты будешь выглядеть совершенно чудесно.

– Ха, – засмеялась она над ним, – я уже набрала шесть фунтов...

– В каком месте? – Дурачась и подшучивая над ней, Расс начал отыскивать эти лишние фунты, а Тана млела в его руках и смеялась.

Глава 19

Судья грузно проследовала к скамье, осторожно уселась, дважды резко стукнула молотком и продолжала утренний список дел, назначенных к слушанию. Ее бейлиф[1] в десять часов принес ей чашку чая.

Когда она поднялась со скамьи на полуденный перерыв, то еле дошла до своего кабинета. К этому времени роды задерживались уже на девять дней. Тана собира-

[1] Судебный пристав.

лась прервать работу две недели назад, но дома все было так хорошо организовано, что она решила работать до победного конца. В тот вечер муж подъехал к Сити-Холл, открывая дверь машины и улыбаясь ей.

– Как все прошло сегодня? – Гордость за нее явно читалась в его глазах, и Тана улыбнулась в ответ.

Это было чудесное время для них обоих, несмотря на эти дни задержки. Она радовалась возможности провести эти последние до родов дни наедине с ним, хотя, надо признать, ей становилось не по себе. К четырем часам пополудни ее лодыжки были похожи на фонарные столбы. Долгое сидение в суде причиняло ей неудобства, но больше ей нечего было делать.

Она вздохнула:

– Ну, приговор вынесен. Я думаю, могу в конце недели оставить работу, появится ребенок или нет. Как ты считаешь?

Расс улыбался ей, пока они ехали домой в новом, только что купленном «Ягуаре».

– Думаю, это прекрасная идея, Тэн. Ты могла бы пару дней посидеть дома, ты же знаешь.

– Мечтаю об этом.

Но у нее не оказалось на это времени. Около восьми часов у нее пошли воды, и она в ужасе сообщила об этом Рассу. Она знала, что это должно было когда-нибудь произойти, но вдруг это случилось сейчас. В ней вспыхнуло всепоглощающее желание убежать, но бежать было некуда. Ее тело последовало бы за ней повсюду. Но Расс тут же понял, что с ней происходит, и принялся успокаивать:

– Все будет просто замечательно.

– Да откуда тебе-то знать? – взвилась Тана. – А что, если мне надо делать кесарево сечение? Господи, мне же сто лет, ради бога!

На самом деле ей было сорок лет и четыре месяца. Вдруг она взглянула на Расса и расплакалась. Она была в панике. Схватки начались, как только отошли воды.

– Тэн, ты полежишь немного здесь или поедешь в больницу?

– Хочу остаться здесь.

Он вызвал врача, дал стакан имбирного пива, врубил телевизор у кровати и улыбнулся про себя. Эта ночь будет для них великим событием, и Расс надеялся, что все пройдет хорошо. Он был уверен, что так и будет, и был в особенном возбуждении. Он настаивал на упражнениях по Ламазу для них обоих, и, хотя не присутствовал при рождении своих дочерей много лет назад, сейчас он хотел быть с Таной при рождении этого ребенка. Он обещал ей это, ждал с нетерпением и не мог дождаться.

Пять месяцев назад она прошла полное обследование, но они предпочли не знать заранее пол ребенка. Расс испытывал возрастающее чувство возбуждения и беспокойства за жену и дитя.

К полуночи Тана ненадолго задремала и сразу же набралась сил и храбрости. Она улыбнулась ему, а он отсчитывал время схваток. В два часа он снова позвонил врачу. На сей раз им посоветовали ехать в больницу.

Расс взял из шкафа сумку, ожидающую уже три недели, помог Тане сесть в машину, выйти из нее у больницы и проводил в приемный покой. Она еле-еле шла, а схватки свели на нет всю ее храбрость, хотя его помощь чуть-чуть ослабляла боли.

Но эти схватки были чепухой по сравнению с тем, что ей пришлось вынести через три часа в предродовой палате. Она корчилась от боли на кровати, вцепившись в его руку, а он почувствовал, как паника нарастает в нем. Он не ожидал, что это будет именно так.

Тана была в агонии, а к восьми часам ребенок еще не появился. Взошло солнце, а она лежала тут, немыслимо страдая. Ее волосы были влажны от пота, в глазах застыло безумие. Она смотрела на него так, будто он мог что-то для нее сделать и не делал. Все, что он мог – это дышать в унисон с ней, держать ее за руку и повторять, как он ею гордится.

Вдруг в девять часов все вокруг забегали. Тану покатили в родильное отделение, закрепили ее ноги, подняв вверх. Тана кричала и плакала от дикой боли, нахлынувшей на нее. Это была самая жуткая боль из всех, когда-либо испытанных ею. Ей казалось, что она тонет. Тана вцепилась в него, доктор настойчиво требовал продолжать. Рассел плакал, а Тана поняла, что больше она этого не вынесет. Она хотела умереть... умереть... уме...

– Я вижу головку!.. О боже!.. Любимая... вот она...

И вдруг показалось крошечное красное личико. Рассел рыдал. Тана посмотрела на него и натужилась так, что это отчаянное усилие вытолкнуло ребенка из ее чрева. Доктор держал его в руках, а младенец начал хныкать. Отрезали пуповину, перевязали ее и быстро вытерли ребенка, прочистили ноздри, завернули в теплое одеяльце и вручили Расселу.

– Твой сын, Расс... – Доктор улыбнулся им обоим. Они так напряженно и долго работали. Теперь Тана победоносно смотрела на мужа.

– Ты был просто удивителен, любимый! – Голос ее был хриплым, лицо посерело. Он нежно ее поцеловал.

– Я? Я был удивителен? – Расса глубоко потрясло только что увиденное, он был поражен тем, с чем ей пришлось справиться.

Это было величайшее чудо, какое он только видел. И в сорок лет! Она получила то, что хотела. Тана смотрела на мужа. Все, все, чего она когда-либо желала... Все! Ее глаза наполнились слезами. Она потянулась к нему, а Расс бережно вложил младенца ей в руки, как когда-то заложил его в ее чрево.

– О! До чего же он хорош!

– Нет, – Расс улыбался ей сквозь слезы. – Это ты прекрасна, Тэн. Ты самая прекрасная женщина в мире. – Потом он посмотрел на своего сына. – Но он тоже довольно привлекателен.

Гаррисон Уинслоу Карвер. Они давно уже договорились назвать мальчика именно так. Он пришел в мир с благословением в имени, в жизни, в любви.

Тану отвезли обратно в палату незадолго до полудня. Она знала, что никогда-никогда больше не решится на такое, но была рада, что прошла через это однажды. Рассел оставался с ней, пока она не погрузилась в сон. Ребенок спал в кроватке, поставленной для него рядом с ней.

Тана лежала, вся чистенькая, умиротворенная, сонная и… влюбленная в Расса сильнее, чем прежде.

Один раз она открыла глаза, сонные от укола для снятия послеродовых болей.

– Я так сильно тебя люблю, Расс…

Улыбаясь, он кивнул. Его сердце принадлежало ей навсегда после того, что он наблюдал сегодня.

– Ш-ш-ш… спи… Я тоже тебя люблю.

Глава 20

Когда маленькому Гарри исполнилось шесть месяцев, Тана в отчаянии смотрела на свой календарь. На следующей неделе ей надо выходить на работу. Она обещала, что придет, и знала, что уже пора. Но малыш был так мил, и она очень любила проводить с ним все время после полудня. Они совершали долгие прогулки. Тана радостно смеялась, когда мальчик улыбался. Они иногда даже заглядывали в контору Расса. Такая жизнь была сплошным удовольствием, и так не хотелось от этого отказываться. Но Тана не была готова отказаться и от карьеры.

А когда она снова оказалась на судейской скамье, то почувствовала огромную радость, что не бросила работу совсем. Так приятно было вернуться назад. Дела, приговоры, присяжные, решения – рутина. Невероятно, как быстро летели дни. И как не терпелось ей по вечерам прийти домой, к Гарри и Рассу!

Иногда она обнаруживала Расса уже дома, ползающего вместе с Гарри по ковру и играющего с ним в разные игры. Это доставляло удовольствие и сыну, и папе. Гарри был для Таны и Расса как будто первым рожденным на земле ребенком. Ли подшучивала над ними, когда приезжала к ним с Франческой, своей малышкой. Она ожидала второго ребенка.

– А как ты, Тэн?

– Послушай, в моем возрасте уже Гарри – просто

чудо. Благодарю, не надо испытывать судьбу. – Несмотря на то, что беременность протекала легко, роды оказались даже более болезненными, чем она себе представляла. Хотя со временем даже это перестало казаться таким уж мучительным. И они оба были так счастливы с этим ребенком. – Если бы я была в твоем возрасте, Ли, возможно... и даже тогда... нельзя же иметь все – карьеру и десяток детишек.

Но Ли это не пугало. Она по-прежнему работала, и даже теперь, когда второй ребенок был на подходе, Ли собиралась работать до последнего момента, а после родов опять вернуться на работу. Она только что получила премию Коти и не хотела останавливаться на достигнутом. Не видела причин для этого. Она справлялась и с тем, и с другим, так почему бы и нет?

– Как прошел твой день, дорогой? – Тана швырнула на кресло свой портфель и склонилась поцеловать Расса, нянчившего ребенка на руках.

Она взглянула на часы. Тана все еще кормила его грудью трижды в сутки. Утром, вечером и поздно ночью, и всегда больше всего радости приносило последнее кормление. Она любила эту теплую близость с ребенком, тихие минуты в детской в три часа утра, когда не спали только она и Гарри. Она испытывала ощущение надежности, которое она давала малышу, приносившее удовлетворение и ей самой. Да была и масса других преимуществ. Ей сказали, что она вряд ли снова забеременеет, пока кормит малыша грудью.

– Как ты думаешь, имеет большое значение, если я буду кормить его до года? – спросила однажды Тана мужа, а он рассмеялся в ответ. Ах, какая хорошая была у них жизнь. Стоило ждать, неважно, сколько это длилось. Наконец-то она это теперь сказала. Ей только что исполнилось сорок один, а ему – пятьдесят два.

– Знаешь, Тэн, ты выглядишь усталой, – Рассел внимательно смотрел на нее. – Может быть, кормление грудью слишком обременительно для тебя, особенно теперь, когда ты вернулась на работу?

Она отвергла эту мысль, но тело проголосовало за

нее, поскольку постепенно за несколько недель молоко пропало. Как будто ее тело не хотело больше кормить Гарри грудью.

А когда Тана пошла провериться к врачу, он взвесил ее, осмотрел, обследовал ее груди, а потом сказал, что хотел бы сделать анализ крови.

– Что-нибудь не так? – Она взглянула на часы: ей надо было вернуться в суд.

– Я просто хочу кое-что проверить. Позвоню вам после обеда.

В общем, с ней все было в порядке, и у нее не было времени на какие-то волнения. Она поспешила обратно в Сити-Холл.

Когда клерк позвал ее в пять часов к телефону, она уже напрочь забыла, что ей должен звонить врач.

– Он сказал, что должен поговорить с вами.

– Благодарю. – Тана взяла трубку, делая кое-какие заметки, слушая врача, и вдруг замерла.

Этого не может быть. Он, вероятно, ошибся. Она же кормила Гарри грудью всего неделю назад... Разве нет?.. Она тяжело опустилась в кресло, поблагодарила врача и положила трубку.

Вот дерьмо! Она опять забеременела. Гарри был очарователен, и Тана не хотела никакого другого ребенка. Она слишком стара... ее карьера... Нет, на этот раз она должна избавиться... Ну, это же невозможно...

Она не знала, что делать. Конечно, у нее есть выбор, но что сказать Рассу? Сказать ему, что она избавилась от его ребенка? Она не могла сделать это.

Тана провела бессонную ночь, не отвечая на его расспросы. Нет, в этот раз она не могла ему сказать. Все это неправильно... Она слишком стара... ее карьера значит для нее слишком много... Но Ли ведь собиралась продолжать работу после рождения второго ребенка... или это бессмысленно? Надо ли отказаться от должности? Будут ли дети значить для нее больше, в конце концов? Ей казалось, что ее раздирают на тысячи кусков. Когда Тана утром встала, она была похожа на привидение. Расс внимательно посмотрел на нее за завтраком и сначала ничего не сказал. Но потом, перед самым уходом, он повернулся к ней:

– Ты занята сегодня в обед, Тэн?

– Нет... Нет, насколько мне известно... – Но она не хотела встречаться с ним в обед. Ей надо было все обдумать. – Есть кое-какие бумаги, с которыми я срочно должна разобраться. – Она избегала его взгляда.

– Тебе же надо поесть. Я принесу бутерброды.

– Отлично.

Она чувствовала себя предательницей оттого, что ничего ему не сказала. Сердце как будто налилось свинцом, когда она пришла на работу. У нее было несколько мелких дел в суде и за его пределами.

В одиннадцать она подняла глаза от бумаг и увидела мужчину с безумными глазами, гривой взъерошенных седых волос, торчащих вокруг головы, как взбесившиеся часовые пружины. Он заложил бомбу перед иностранным консульством, и дело должно быть передано в суд. Она начала просматривать все материалы, как вдруг замерла, вчитываясь в имя, затем подняла голову с гримасой отвращения.

И так-то без ее слов все в суде поняли, что она должна взять отвод. Имя человека было Йел Мак Би, ее любовник-радикал с безумными глазами в последний год ее учебы в юридическом колледже в Боалте. Юноша, севший в тюрьму за взрыв дома мэра. Из его досье она узнала, что он с тех пор еще дважды побывал в тюрьме. Какая странная штука жизнь. Так давно...

Это мгновенно вызвало в памяти Гарри... и маленький смешной домик, где они жили... и такую юную тогда Аверил... и дикое сообщество хиппи, куда приводил ее Йел.

Она посмотрела на него через зал. Он постарел. Ему было сорок шесть теперь. Зрелый мужчина. И все еще сражающийся за свои цели неправедными методами. Как же далеко они зашли, все они... Этот человек с его безумными идеями. Его документы говорили, что он террорист. Террорист! А она – судья. Бесконечная дорога... и Гарри ушел, и все их блестящие идеи, какие-то смутные, некоторые забытые совсем... так многие ушли... Шарон... Гарри... и новые жизни вместо них... ее сын, малыш Гарри, названный в честь ее друга, а теперь новый ребенок в ее чреве... поразительно, как продолжается жизнь, как далеко они ушли, все они.

Тана подняла глаза и увидела своего мужа, который стоял и смотрел на нее. Она улыбнулась ему, отказалась от слушания дела Йела Мак Би в своем суде, объявила перерыв на обед и пошла с Рассом в свой кабинет.

– Кто это был? – Расс развеселился. Конечно, ее дни были оживленнее, чем его, а она засмеялась, как только они сели.

– Его имя Йел Мак Би, если это что-то тебе говорит. Я знала его, когда училась в Боалте.

– Твой друг? – насмешливо посмотрел на нее Расс.

Она скорчила гримасу.

– Хочешь верь, хочешь нет, но он был моим другом.

– С тех пор ты прошла долгий путь, любовь моя.

– Я как раз думала об этом. – И тут она вспомнила кое-что еще. Тана с сомнением посмотрела на мужа, не зная, как он отреагирует. – Мне надо сказать тебе что-то.

Он нежно улыбнулся ей:

– Ты опять беременна.

Она изумленно уставилась на него. Он улыбался.

– Откуда ты знаешь? Врач и тебе позвонил?

– Нет. Я очень наблюдателен. Я вычислил это прошлой ночью и полагал, что в конце концов ты мне скажешь. Конечно, сейчас ты думаешь, что твоей карьере пришел конец, нам придется отказаться от дома, я потеряю работу, или мы оба...

Она смеялась сквозь слезы, а Расс улыбался, глядя на нее:

– Я прав?

– Абсолютно.

– А тебе не приходило в голову, что если ты можешь быть судьей с одним ребенком, то так же точно – и с двумя? И хорошим судьей!

– Это как раз стало мне ясно, как только ты вошел.

– Ну да, ну да, – он склонился поцеловать ее, и они обменялись только им понятным взглядом. – Ты знаешь что?.. – Он поцеловал ее.

Клерк вошел и быстро ретировался, улыбаясь про себя. Тана молча вознесла благодарение своим счастливым звездам за ту дорогу, которой она прошла... за обретенного мужчину... за решения, которые она принимала... за карьеру... Благодарение за обладание всем этим: любимым человеком, любимой работой, любимым сыном.

Она добавляла одно за другим, как цветы к букету. И теперь стояла с наполненными руками, переполненным сердцем, завершив наконец полный круг.

Литературно-художественное издание

Даниэла Стил

КОЛЕСО СУДЬБЫ

Редактор *А. Карлин*
Художественный редактор *Е. Савченко*
Технический редактор *Н. Носова*
Компьютерная верстка *Л. Панина*
Корректор *Е. Дмитриева*

Налоговая льгота — общероссийский классификатор продукции ОК-005-93, том 2; 953000 — книги, брошюры.

Подписано в печать с готовых диапозитивов 15.08.2001.
Формат 84x108 $^{1}/_{32}$. Гарнитура «Нью-Баскервиль».
Печать офсетная. Усл. печ. л. 20,16. Уч.-изд. л. 19,1.
Тираж 5000 экз. Заказ 4102125.

Отпечатано с готовых диапозитивов
на ФГУИПП «Нижполиграф».
603006, Нижний Новгород, ул. Варварская, 32.

ЗАО «Издательство «ЭКСМО-Пресс». Изд. лиц. № 065377 от 22.08.97.
125190, Москва, Ленинградский проспект, д. 80, корп. 16, подъезд 3.
Интернет/Home page — www.eksmo.ru
Электронная почта (E-mail) — info@ eksmo.ru